Das Buch

Die Analphabeten sind heute nahezu ausgestorben. Lesen und schreiben kann jeder. Aber gutes Deutsch schreiben kann nicht jeder; die amtlichen Formulare, die gelegentlich ins Haus flattern, beweisen das nur allzu drastisch. Aber auch mancher Autor, der sich stilistischer Fähigkeiten rühmt, stolpert oft über die Klippen der Sprache und kapituliert vor Konjunktiv und Imperfekt. Ludwig Reiners legt auf ebenso geistreiche wie amüsante Weise die Schwächen des schlechten Stils bloß und weist in seiner ›Stilfibel‹ den »sicheren Weg zum guten Deutsch«. Elegant nimmt er den Kampf auf gegen die Unsitte des übermäßigen Gebrauchs von Fremdwörtern, gegen geschraubte Ausdrucksweise und Bandwurmsätze. Wer dieses Büchlein liest, wird hellhörig gegen die täglichen Sprachschnitzer, gegen die Ungereimtheiten leerer Floskeln oder falsch verwendeter Begriffe. Wenn den Hunderttausenden von Käufern dieses Buches »ebensoviele nachdenkliche und fleißige Leser entsprechen, müßte es eigentlich merklich bergauf gehen mit dem, was wir aus unserer Sprache machen« (Hessischer Rundfunk).

Der Autor

Ludwig Reiners wurde 1890 in Ratibor geboren und starb 1957 in München. Er war an führenden Stellen in der Wirtschaft tätig und zugleich einer der vielseitigsten und erfolgreichsten deutschen Sachbuchautoren. Weitere Bücher des Autors: ›Die wirkliche Wirtschaft‹ (1931), ›Fontane oder Die Kunst zu leben‹ (1939), ›Stilkunst. Ein Lehrbuch deutscher Prosa‹ (1944), ›Roman der Staatskunst. Leben und Leistung der Lords‹ (1951), ›Friedrich‹ (1952), ›In Europa gehen die Lichter aus. Der Untergang des wilhelminischen Reiches‹ (1954), ›Die Kunst der Rede und des Gesprächs‹ (1955), ›Bismarcks Aufstieg 1815–1864‹ (1956), ›Bismarck gründet das Reich 1864 bis 1871‹ (1957).

Ludwig Reiners

Stilfibel

Der sichere Weg zum guten Deutsch

Deutscher
Taschenbuch
Verlag

Ungekürzte Ausgabe
1. Auflage November 1963 (dtv 154)
28. Auflage November 1996: 460. bis 463. Tausend
Deutscher Taschenbuch Verlag GmbH & Co. KG,
München

Umschlaggestaltung: Celestino Piatti
Gesamtherstellung: C. H. Beck'sche Buchdruckerei,
Nördlingen
Printed in Germany · ISBN 3-423-30005-1

EIN BRIEF STATT EINES VORWORTS

Lieber Leser!

Warum haben Sie sich dieses Buch gekauft? Sie hätten dafür ungefähr *dreißig Tassen guten Kaffee* trinken können. Was hat Ihnen das Buch für den entgangenen Genuß zu bieten?

Ich kann natürlich nicht wissen, aus welchen persönlichen Gründen gerade Sie diese Stilfibel erworben haben. Ich kann Ihnen aber sagen, was sie leisten kann.

Sie kann dreierlei leisten:

Erstens kann sie Ihnen dazu verhelfen, *einen besseren Stil* zu schreiben. Ein guter Stil kann für Sie von großem Wert sein, wenn Sie eine Prüfung ablegen wollen, wenn Sie Geschäftsbriefe abfassen müssen, wenn Sie Verfügungen zu erlassen haben. Selbst Liebesbriefe sind wirkungsvoller, wenn sie in einem lebendigen Deutsch gehalten sind.

Zweitens kann das Werk *Ihr Denken verbessern*, denn Denken und Ausdruck sind auf das innigste verkettet. Wer seinen Stil verbessert, schult auch sein Denken.

Drittens kann es dazu beitragen, daß Sie *mehr Freude am Lesen* haben. Wenn der Förster durch den Wald geht, sieht er mehr als der Städter, der nur spazierengeht. Wer etwas von der deutschen Sprache versteht, hat vom Lesen mehr Genuß als die vielen, die nichts von ihr wissen.

Ich nehme an, Sie haben diese Botschaft mit Vergnügen, aber auch mit Mißtrauen gelesen. Mit Mißtrauen, denn Sie fragen sich: wird dies Buch mir wirklich zu solchen Erfolgen verhelfen? Diese Frage will ich Ihnen beantworten; ich muß Ihnen dazu ein Geheimnis verraten.

Was unterscheidet eigentlich Schulunterricht und Selbstunterricht? Ist der Schulunterricht unterhaltsamer? Er sollte es sein, er kann es sein, aber oft ist er langweiliger, und immer ist er langwieriger, denn nach neuen Experimenten erfordert der Unterricht einer Schulklasse viel mehr Zeit als ein wirklich guter Selbstunterricht. Ist der Schulunterricht gründlicher? Gewiß nicht! Gründlicher als dieser Lehrgang kann kein Schulunterricht sein.

Was also ist der Unterschied? Das will ich Ihnen sagen: Selbstunterricht erweist Ihre Charakterstärke, er erweist Ihre Willenskraft. In der Schule bedrängt Sie der Lehrer, nicht schlampig zu arbeiten; beim Selbstunterricht muß Ihre Charakterfestigkeit für die Gründlichkeit Ihrer Arbeit sorgen. *Haben Sie Charakter?*

Wenn Sie keinen haben, wenn Sie schon im voraus wissen, daß Sie vom dritten Kapitel an nur so dahinschlampen werden, dann hat es keinen Sinn, mit der Arbeit anzufangen. Ich kann Ihnen dann nur den guten Rat geben: *verbrennen Sie das Buch*, Sie verlieren sonst zu Ihrem Geld auch noch Ihre Zeit. Freilich kann ich Ihnen auf der andern Seite auch zusichern: wenn Sie das Werk gründlich durcharbeiten, tritt der Erfolg so sicher ein, wie die Wintersonne im Gebirge Ihre Haut braun brennt.

Aber was heißt gründlich durcharbeiten?

Zum gründlichen Durcharbeiten gehört zunächst, daß Sie *langsam lesen*. Man benötigt dann dafür insgesamt dreißig bis vierzig Arbeitsstunden. Es gehört weiter dazu, daß Sie die *Beispiele laut lesen*. Wenn Sie nicht laut lesen können, weil Sie kein eigenes Zimmer haben, dann müssen Sie wenigstens so langsam und nachdenklich lesen, wie wenn Sie den Text einem anderen vorzulesen hätten.

Bei den Aufgaben genügt es nicht, daß Sie sich schnell irgendeine Lösung überlegen. Vielmehr müssen Sie die *Lösungen in ein besonderes Heft eintragen*, sie am nächsten Tag gründlich überprüfen und verbessern und erst dann Ihre Lösungen mit den gedruckten Lösungen vergleichen.

Ich will Ihnen schließlich schildern, auf welchem Wege die Stilfibel Sie automatisch zu einem besseren Stil, zu einem klareren Denken und zu einer genußreicheren Lektüre bringen wird. Wir werden das erreichen durch das System der drei Stufen.

Auf der ersten Stufe wird Ihnen lediglich eine Anzahl von Stilfehlern abgewöhnt. Die zwanzig Stilregeln, die Sie auf dieser Stufe empfangen, sind einfache *Verbote*. Zu ihrer Beachtung ist nichts nötig als einige Aufmerksamkeit. Aber das Studium dieser einfachen Verbote wird Ihr Stilgefühl so schärfen, daß Sie für die zweite Stufe reif werden. Am Ende der ersten Stufe werden Sie noch keinen guten, aber *einen fehlerlosen Stil* schreiben.

Auf der zweiten Stufe hören Sie zwanzig Stilregeln, die Ihnen nach der Vorbildung der ersten Stufe ohne weiteres einleuchten werden. Durch eine Fülle von Beispielen und Aufgaben werden Sie, ohne daß Sie es wollen, daran gewöhnt werden, diese Stilgebote zu befolgen. Diese *Stilgebote* werden Ihnen, wenn Sie mit dem zweiten Teil fertig sind, völlig in Fleisch und

Blut übergegangen sein. Man wird dann nicht mehr bestreiten können, daß Sie *einen guten Stil* schreiben.

Die dritte Stufe ist natürlich die schwierigste. Sie enthält nicht Verbote wie die erste und nicht Gebote wie die zweite, sondern nur *Ratschläge.* Ratschläge sind schwerer zu befolgen als feste Regeln. Aber nach dem Studium der ersten und zweiten Stufe wird Ihr Stilgefühl so geschult sein, daß Sie die Ratschläge genau so gut zu handhaben wissen wie früher die festen Regeln. Die zwanzig Ratschläge werden Sie *vom guten zum wirkungsvollen Stil* führen.

Vielleicht erscheint es Ihnen etwas viel, daß Sie im ganzen sechzig Regeln und Ratschläge kennenlernen sollen. Aber bedenken Sie: bei jeder fremden Sprache müssen Sie mehrere hundert Grammatikregeln lernen, und diese sind bei weitem langweiliger und daher schwieriger als Stilregeln der deutschen Sprache.

Zum Schluß werden Sie sicherlich fragen: *Was setzt das Buch voraus?* Die Antwort ist einfach: Das Studium dieses Buches erfordert nur das Wissen eines Volksschülers. Ja, ich nehme sogar an, daß Sie von diesem Wissen schon einen guten Teil vergessen haben werden. Vergessen haben Sie vermutlich alle sprachlichen Fachausdrücke. Ich meine damit: Begriffe der Grammatik wie Einzahl, Mehrzahl, Wesfall und Wemfall, Gegenwart und Vergangenheit usw. Nun brauchen wir diese Fachausdrücke aber manchmal. Sie können keinem Menschen einen Motor erklären, wenn Sie ihm nicht auseinandergesetzt haben, was zum Beispiel ein Vergaser ist. Sie müssen also eine – zum Glück kleine – Anzahl sprachlicher Fachausdrücke lernen. Ich werde Ihnen diese *Fachausdrücke in der allerersten Lektion* beibringen. Natürlich ist es langweilig, Fachausdrücke zu lernen, aber die Langeweile der ersten Lektion hat auch etwas Gutes: wenn Sie sich durch diese Langeweile hindurchgearbeitet haben, werden Sie nachher alle übrigen Lektionen, die viel unterhaltsamer sind, *um so angenehmer* empfinden. Wenn man schon durch eine Wüste hindurch muß, ist es am besten, wenn sie am Anfang der Wanderung liegt.

Und damit genug der Vorreden; *fangen wir mit der Arbeit an.*

München-Solln, Frühjahr 1951

Ludwig Reiners

INHALTSVERZEICHNIS

Vorspiel

Erklärung der sprachlichen Fachausdrücke

Erste Stufe. Die zwanzig Verbote

I. Kapitel: Die kleinen Stilgebrechen

Zweite Stufe. Die zwanzig Stilregeln

II. Kapitel: Wortwahl

III. Kapitel: Satzbau

VII. Kapitel: Einzelfragen

ANHANG

Vorspiel

ERKLÄRUNG DER SPRACHLICHEN FACHAUSDRÜCKE

1. Wortarten

Zehn Arten von Wörtern. Das Wichtigste auf der Welt sind die Taten, die wichtigste Wortart ist das **Tätigkeits-** oder **Zeitwort,** also z. B. *lieben, leben, küssen, tanzen, schlafen, reden.* Die Bezeichnung Zeitwort ist ungeschickt, aber wir können sie nicht ändern. Der lateinische Name für das Zeitwort ist **Verbum** (Mehrzahl Verben oder Verba). *1*

Die nächste Wortart sind die **Hauptwörter:** *Tisch, Haus, Bleistift.* Nicht immer bezeichnen die Hauptwörter solche greifbaren Gegenstände; auch die Namen der körperlosen Begriffe sind Hauptwörter, z. B. *Ruhm, Gerechtigkeit, Glück, Verzicht.* Auch die Bezeichnungen von Personen sind Hauptwörter: *der Lehrer, das Mädchen, der General.* Hauptwörter (lateinisch: **Substantiv,** Mehrzahl Substantiva) schreibt man im Deutschen groß. Sie können die Hauptwörter auch daran erkennen, daß Sie *der, die, das* davorsetzen können. *2*
Hauptwörter, die greifbare Dinge bezeichnen, nennt man **konkret** *(Tisch, Haus, Hand),* Hauptwörter, die gegenstandslose Begriffe *(Klugheit, Arbeit, Liebe)* bezeichnen, **abstrakt.**

Die nächste Wortart sind die **Eigenschaftswörter:** *groß, schön, tapfer, krank, dumm.* Das lateinische Wort für Eigenschaftswort ist **Adjektiv,** Mehrzahl Adjektiva. *3*
Zeitwort, Hauptwort und Eigenschaftswort sind die wichtigsten Wortarten. Aber wir können mit ihnen nicht alles ausdrücken. Sie müssen noch sieben weitere Wortarten lernen, insgesamt also zehn.

Wenn Sie sagen: *er küßte das schöne Mädchen,* so ist *küßte* ein Zeitwort, das *Mädchen* ein Hauptwort und *schöne* ein Eigenschaftswort. Aber was ist *er* für eine Wortart? *4*
Das Wort *er* steht offenbar für einen vorher erwähnten Menschen. Solche Wörter nennt man **Fürwörter.** Fürwörter sind z. B. *er, ich, du, sie, wir, dieser, jener, derjenige,* aber auch *wer?, jemand* und *niemand.* Alle Wörter, die für ein bestimmtes anderes Wort stehen, heißen also Fürwörter (lateinisch **Pronomen,** Mehrzahl Pronomina).

5 Aber der Satz geht weiter: *Er küßte das schöne Mädchen, und sie küßte ihn auch.* Auf diese Weise müssen wir eine neue Wortart lernen, nämlich die Wörtchen *und* und *auch.* Sie verbinden mehrere Begriffe und gehören daher zur Wortart der **Bindewörter** (lateinisch **Konjunktion,** Mehrzahl Konjunktionen). Andere Bindewörter sind: *ferner, aber, weil, wenn, obwohl.* An den Beispielen merken Sie schon: die Bindewörter verbinden nicht nur einzelne Wörter, sondern auch ganze Sätze.

6 Nun ist es nicht nur interessant zu wissen, daß er das Mädchen küßte, sondern uns interessieren auch die näheren Umstände. So erfahren wir z. B., daß er sie *gestern* oder *hier* küßte. Wörter wie *hier* und *gestern* geben Ihnen einen näheren Umstand an und heißen deshalb **Umstandswörter** (lateinisch **Adverb,** Mehrzahl Adverbien). Der Name Adverb kommt daher, daß das Adverb beim (lateinisch ad) Verb steht. Sie geben den Ort an (*da, hier, nirgends*) oder die Zeit (*jetzt, bald, jemals*) oder die Art und Weise (*gern, leider, selten*) oder den Grund (*darum, deshalb*).

7 Aber was nun, wenn der Schüler das Mädchen *im Wald* geküßt hat? Dann müssen wir die siebte Wortart lernen, die **Verhältniswörter** oder lateinisch **Präpositionen,** z. B. *in, an, bei, vor.*

8 Die letzten drei Wortarten sind einfach zu behandeln. Es sind: das **Geschlechtswort** (lateinisch **Artikel**), also *der, die, das, ein, eine,* das **Zahlwort** (*eins, zwei, drei*) und das **Ausrufwort** (*oh, aha, pfui*). Diese drei Wortarten haben in der Lehre vom guten Deutsch keine große Bedeutung.

9 Die zehn Wortarten finden Sie übersichtlich in folgender Tabelle:

Deutsche Bezeichnung	Lateinische Bezeichnung	Beispiele
1. Zeitwort	das Verb	*leben, tun, küssen, sein*
2. Hauptwort	das Substantiv	*Haus, Gerechtigkeit, Schüler, Fritz*
3. Eigenschaftswort	das Adjektiv	*klug, schön, langweilig*
4. Fürwort	das Pronomen	*er, dieser, jemand, der*
5. Bindewort	die Konjunktion	*und, auch, nachdem, wenn*
6. Umstandswort	das Adverb	*hier, bald, gern, schon*
7. Verhältniswort	die Präposition	*in, auf, bei, vor*
8. Geschlechtswort	der Artikel	*der, die, das, ein, eine*
9. Zahlwort		*eins, zwei, drei, tausend*
10. Ausrufwort		*oh, aha, pfui!*

2. Beugung

a) Zeitwort

10 **Drei Arten von Beugung.** Wenn Sie über das Zeitwort *loben* nachdenken, können Sie feststellen: das Zeitwort kommt in verschiedenen Formen vor: *ich lobe, er lobte, sie wurde gelobt.* Um diese verschiedenen Formen der **Beugung** (lateinisch **Konjugation**) auseinanderzuhalten, müssen Sie einige Begriffe lernen, wobei wir von den verschiedenen Personen und von Einzahl-Mehrzahl (Singular-Plural) hier absehen können.

11 Zunächst einmal müssen Sie unterscheiden zwischen drei verschiedenen Zeiten:

ich lobe ist **Gegenwart** (lateinisch **Präsens**);
ich lobte ist **Vergangenheit** (lateinisch **Imperfekt**);
ich werde loben ist **Zukunft** (lateinisch **Futurum**).

Nicht genug damit, gibt es auch noch eine zweite Vergangenheit: *ich habe gelobt* (lateinisch Perfekt) und eine dritte Vergangenheit: *ich hatte gelobt* (lateinisch Plusquamperfekt). Von ihnen hören wir später.

12 Sodann müssen Sie unterscheiden zwischen **Tatform** *(ich lobe)* und **Leideform** (ich werde gelobt). Die Tatform heißt lateinisch **Aktiv**, die Leideform **Passiv.**

13 Die dritte Unterscheidung ist wesentlich schwieriger. Wenn ich sage: *ich schlug ihn braun und blau,* so nennt man das **Wirklichkeitsform** oder **Indikativ.** Wenn ich dagegen ausrufe: *wie gern schlüge ich ihn braun und blau,* so führt das die Bezeichnung **Möglichkeitsform** (lateinisch **Konjunktiv**). Die Möglichkeitsform ist im Deutschen recht schwierig, weil sie nämlich bei vielen Zeitwörtern genau so lautet wie die Wirklichkeitsform *(ich lobte sie* und *wie gern lobte ich sie)*; in solchen Fällen helfen wir uns oft mit dem Hilfszeitwort „würde“: *wie gern würde ich sie loben!*

Schließlich gibt es noch eine dritte Aussageweise, die **Befehlsform (Imperativ)**: *schlag ihn braun und blau!*
Die Aussageweise des Verbums heißt *Modus*, Mehrzahl Modi.

14 Wir sind jetzt mit der Beugung des Zeitworts fast fertig, Sie müssen nur noch einen Begriff kennenlernen, nämlich das **Mittelwort** (lateinisch **Partizip**). *Weinend ging sie weiter:* hier

bezeichnet man die Form *weinend* als **Partizip**, und zwar **Partizip des Aktivs.** Das **Partizip des Passivs** heißt *geweint: die nicht geweinten Tränen drücken am meisten.*

15 Schließlich müssen Sie noch wissen: die übliche Form des Zeitworts, also *loben*, *küssen*, *tanzen*, *schlagen*, nennt man auch **Grundform (Infinitiv).**

b) Hauptwort

16 Die Beugung des Hauptwortes heißt **Deklination:**

der König	Werfall	oder Nominativ
des Königs	Wesfall	oder Genitiv
dem Könige	Wemfall	oder Dativ
den König	Wenfall	oder Akkusativ

Die Mehrzahl bedarf hier keiner besonderen Darstellung.

c) Eigenschaftswort

17 Eigenschaftswörter kann man steigern: *schön*, *schöner*, *am schönsten. Schöner* nennt man **Komparativ** oder Steigerungsstufe, *am schönsten* nennt man **Superlativ** oder Höchststufe; bei diesen beiden Fachausdrücken sind die Fremdwörter üblicher als die deutschen Ausdrücke.

3. Satzteile

18 **Fünf Satzteile.** Bei dem Satze *Der Schüler küßte das schöne Mädchen im Walde* haben wir vorhin untersucht, zu welcher Wortart die einzelnen Wörter gehören. Wir können aber auch noch etwas anderes untersuchen, nämlich: welche Rolle spielt jedes Wort innerhalb des Satzes? Man unterscheidet hierbei fünf verschiedene Satzteile.

19 Das Wichtigste bei einem Satz ist, was er eigentlich aussagt, also die Handlung, das Geschehnis, das in ihm berichtet wird. In unserem Satz ist die **Satzaussage** das Wort *küßte.* Die Satzaussage heißt lateinisch **Prädikat.** Das Prädikat muß nicht immer ein Verbum sein; es kann auch aus einem Hauptwort oder Eigenschaftswort mit einem Hilfszeitwort bestehen: *sie war schön.*

20 Wenn wir wissen, was für eine Handlung der Satz berichtet, wollen wir noch erfahren: **wer** handelt? In diesem Falle han-

delt *der Schüler.* Diesen Satzteil nennt man **Subjekt** oder **Satzgegenstand.** Auch hier ist das Fremdwort üblicher als das deutsche Wort. Das deutsche Wort ist nämlich ungeschickt. Der sogenannte Satzgegenstand ist oft kein Gegenstand, sondern eine Person.

Wir kennen also jetzt Satzgegenstand und Satzaussage: *Der Schüler küßte.* Natürlich fragen wir *wen?* und erfahren, daß es *das Mädchen* war. *Das Mädchen* nennt man **Satzergänzung** oder **Objekt.** 21

Von diesem Mädchen ist nun gesagt, daß es *schön* ist. Diesen Satzteil nennt man **Beifügung** oder **Attribut.** 22

Schließlich erfahren wir aus dem Satze, daß das Geschehnis sich *im Walde* abspielte. *Im Walde* nennen wir eine **adverbiale Bestimmung (Umstandsbestimmung).** 23

Wir haben also fünf Satzteile:

das Prädikat oder die Satzaussage,
das Subjekt oder den Satzgegenstand,
das Objekt oder die Satzergänzung,
das Attribut oder die Beifügung,
die adverbiale Bestimmung oder Umstandsbestimmung.

Ich bin ziemlich sicher, daß Sie jetzt eine ärgerliche Frage auf den Lippen haben, nämlich: „Warum zum Teufel nennen Sie *Schüler* einmal **Hauptwort** und einmal **Subjekt?** Warum das Wort *küßte* einmal **Zeitwort** und einmal **Prädikat?** Oder allgemein ausgedrückt: wie verhalten sich die fünf **Satzteile** zu den zehn **Wortarten?**" 24

Einen Augenblick Geduld, Sie werden es sogleich verstehen!

Man kann dasselbe Wort von zwei Seiten aus ansehen. Man kann das Wort für sich allein betrachten und sich fragen: zu welcher Wortart gehört es? Dann lautet die Antwort: Hauptwort, Zeitwort, Eigenschaftswort usw.

Oder man kann es unter dem Gesichtspunkt ansehen: welche Rolle spielt das Wort in einem bestimmten Satze? Dann lautet die Antwort: es ist ein Prädikat, Subjekt, Objekt usw.

Das Wort *Schüler* ist also immer ein **Hauptwort**. Es kann aber innerhalb des einen Satzes **Subjekt** sein *(Der Schüler küßte das Mädchen)*, innerhalb eines anderen Satzes **Objekt** *(Der Lehrer* *ohrfeigt den Schüler)* und in einem dritten **Beifügung** *(Friedrich, ein Schüler des Theresiengymnasiums, war sehr faul).*

4. Satzarten

25 **Zwei Satzarten.** Wir sind fast fertig. Sie müssen nur noch eine Kleinigkeit lernen: den Unterschied zwischen **Haupt-** und **Nebensätzen.**

Bleiben wir bei unserem bewährten Beispiel: *Der Schüler küßte das Mädchen, weil er es liebte.* Offenbar ist *der Schüler küßte das Mädchen* ein Hauptsatz und *weil er es liebte* ein Nebensatz.

Hauptsätze nennt man nämlich Sätze, die für sich allein stehen können, **Nebensätze** solche, die einer Anlehnung bedürfen, die von einem anderen Satze abhängig sind. *Weil er es liebte:* das ist kein selbständiger Satz, und ohne Anlehnung ist er unmöglich.

Ein anderes Beispiel: *Als ich um 3 Uhr ankam, war der Streit in vollem Gange.* Die ersten sechs Wörter könnten allein nicht stehen; sie sind also ein Nebensatz. Die letzten sechs Wörter sind der Hauptsatz.

Man kann auch die Mitteilung, die in einem Nebensatz ausgedrückt ist, in einem Hauptsatz ausdrücken: *Der Schüler küßte das Mädchen, denn er liebte es,* und *Ich kam um 3 Uhr an; der Streit war schon in vollem Gange.* Wenn Sie Nebensätze bilden, spricht man von **Unterordnung;** wenn Sie sich auf Hauptsätze beschränken, von **Beiordnung.**

Wenn ein Satz aus Haupt- und Nebensätzen besteht, spricht man von einem **Satzgefüge.** Ein langes Satzgefüge nennt man auch **Periode.**

Fragen

Der Schüler fragt

Schüler: Offen gesagt: es war wirklich eine Wüste!

Lehrer: Sie haben recht. Aber ich habe Ihnen schon gesagt, so langweilig wird es nicht wieder.

Schüler: Obendrein ist mir einiges unklar geblieben. Wie verhält sich z. B. das Adverb zur adverbialen Bestimmung?

Lehrer: Das Adverb ist eine Wortart, die adverbiale Bestimmung ist ein Satzteil. Für den Satzteil adverbiale Bestimmung pflegt man oft Adverbien zu verwenden. In dem Satz: *Er küßte sie oft* steht das Adverb *oft* als adverbiale Bestimmung.

Schüler: Eine andere Frage: *Die Lektion, die wir jetzt lernen, ist mordslangweilig:* welche Wortart ist das Wörtchen *die* in *die wir jetzt lernen?*

Lehrer: Die steht für das Wort *Lektion*, ist also ein Fürwort. Man nennt solche Fürwörter, die unmittelbar auf das Bezugswort folgen, bezügliche Fürwörter oder Relativpronomina. Sie heißen *der, die, das* oder altmodisch *welcher, welche, welches.*

Schüler: Die Wörter *der, die, das* können also entweder Artikel sein – z. B. *die Lektion* – oder Fürwörter – z. B. *die wir lernen?*

Lehrer: So ist es! die Welt der Sprache ist nun einmal ein wenig bunt.

Schüler: Hoffentlich wird es mir nicht zu bunt.

Lehrer: Sie sind jetzt vielleicht durch die vielen Begriffe etwas verschreckt. Aber machen Sie sich keine Sorgen. Die wichtigsten Wortarten – also Zeitwort, Hauptwort, Eigenschaftswort – sind Ihnen vermutlich geläufig. Mit dem Geschlechtswort, Zahlwort und Ausrufwort haben wir es in der Stilkunde selten zu tun. Sie müssen sich also von den Wortarten nur die vier weniger geläufigen Begriffe **Fürwort, Bindewort, Verhältniswort, Umstandswort** einmal klarmachen.

Schüler: Am schwierigsten scheinen mir die Fachausdrücke der Satzlehre.

Lehrer: Die Begriffe Subjekt, Prädikat und Objekt müssen Ihnen ganz klar sein. Von adverbialen Bestimmungen und Attributen werden wir seltener sprechen.
Wichtig ist dagegen die Unterscheidung von Beiordnung und Unterordnung der Sätze. Aber das wird Ihnen an Hand von Beispielen ganz geläufig werden.

Der Lehrer fragt

Wie heißen die zehn Wortarten?	Zeitwort, Hauptwort, Eigenschaftswort, Fürwort, Umstandswort, Verhältniswort, Bindewort, Geschlechtswort, Zahlwort, Ausrufwort.

Wie heißen die vier Fälle der Deklination?	Wer-, Wes-, Wem-, Wen-Fall.
Wie heißen die drei Steigerungsstufen des Eigenschaftswortes?	Grundstufe (Positiv), Steigerungsstufe (Komparativ), Höchststufe (Superlativ).
Wie heißen die Zeitformen der Konjugation?	Gegenwart, Vergangenheit, Zukunft.
Wie heißen die drei Aussageweisen des Verbs (Modi)?	Wirklichkeitsform (Indikativ), Möglichkeitsform (Konjunktiv), Befehlsform (Imperativ).
Welche weiteren Formen des Verbs gibt es?	Grundform (Infinitiv).
Welche Arten von Partizipien kennt die deutsche Sprache? (Beispiel mit *loben*)	Des Aktivs: *lobend*, des Passivs: *gelobt*.
Was bedeuten die Wörter Aktiv und Passiv?	Die Tatform und die Leideform des Zeitworts.
Woran erkennt man Haupt- und Nebensätze?	Hauptsätze können für sich allein stehen. Nebensätze bedürfen der Anlehnung.
Welches sind die fünf Satzteile?	Satzgegenstand (Subjekt), Satzaussage (Prädikat), Satzergänzung (Objekt), Beifügung (Attribut), Umstandsbestimmung (adverbiale Bestimmung).

Aufgaben

1. Schreiben Sie die Tabelle der zehn Wortarten, deutsch und lateinisch, sowie je drei Beispiele aus dem Kopfe nieder!

2. Geben Sie bei den folgenden vier Sätzen für jedes Wort an, zu welcher Wortart es gehört:

a) *Der Wind bewegte die Tür.*

b) *Andreas trat einen Schritt vor und grüßte.*

c) *Es gab ein kurzes Gespräch, die Dame nannte einen Preis für das Zimmer, den Andreas zugestand.*

d) *Auf dem Bette, dessen Vorhänge zurückgeschlagen waren, lag ein bleicher junger Mensch.*

3. Unterstreichen Sie in diesen vier Sätzen das Subjekt rot, das Prädikat blau, das Objekt schwarz; die übrigen Satzteile lassen Sie unbeachtet.

4. Geben Sie für jedes Hauptwort der vier Sätze an, in welchem Fall der Deklination es steht!

5. Geben Sie für die vier Sätze an, was Hauptsatz und was Nebensatz ist!

6. Verwandeln Sie den ersten Satz in die Leideform (Passiv)!

ERSTE STUFE

DIE ZWANZIG VERBOTE

1. Derselbe

2. Lektion

Vermeiden Sie derselbe! In einem Beleidigungsprozeß sagte ein Zeuge: Vater schrie den Emil an: „*Halt die Schnauze, sonst hau ich dir eine rein!*" Der Gerichtsschreiber protokollierte: Der Zeuge sagte aus, daß der Beklagte zu dem Kläger geäußert habe: „*Halte deinen Mund, sonst gebe ich dir eine in denselben.*" Der Richter beanstandete das Protokoll: Kein Mensch auf Erden spreche in diesem Stil, vor allem brauche niemand in lebendiger Rede das Wort *derselbe.* Die Feststellung des Richters ist völlig zutreffend. Wenn wir z. B. in einem Steckbrief den schönen Satz lesen: *Außer der stark gebogenen Nase holt er beim Sprechen sehr stark Atem durch dieselbe*, fühlen wir uns in die Welt der schlimmsten Kanzleisprache versetzt.

26

Ein zweites Beispiel: *Der Ballon befand sich gerade über dem Garten des Herrn Kommerzienrats Mayer, als derselbe platzte. Derselbe* bezieht man auf das letzte Wort, also auf den armen Kommerzienrat. Oder ganz ähnlich: *Um 11 Uhr Weihe der neuen Fahnen durch die Ehrenjungfrauen. Hierauf feierliche Enthüllung derselben.* Der Leser lacht, und das Lachen ist lehrreich. Wir lernen daraus: *derselbe* wird bisweilen geradezu falsch gebraucht und führt dann zu Mißverständnissen, weil es der Leser nicht auf das jeweils passende Wort, sondern auf das letzte Wort bezieht. Hätte der Zeitungsschreiber geschrieben: *Der Ballon befand sich über dem Garten des Herrn Kommerzienrats Mayer, als er platzte*, so hätte es niemand mißverstanden. Besser wäre freilich noch eine andere Wortstellung gewesen, nämlich: *Der Ballon befand sich, als er platzte, über dem Garten des Herrn Kommerzienrats Mayer.*

Was haben wir aus diesen Beispielen gelernt? Das Wort *derselbe* hat drei häßliche Fehler:

a) es gehört nicht zur lebendigen Menschenrede, sondern zum Papierdeutsch;

b) es ist schwerfällig und legt auf ein unwichtiges Wort ein starkes Gewicht;

c) es verführt zu Mißverständnissen.

Es ist klar, welchen Schluß wir aus diesen Tatsachen ziehen: wir wollen das Wort *derselbe* möglichst vermeiden.

27 **Aber wie vermeiden?** Wir können es auf vier Wegen vermeiden:

a) Wir ersetzen es (nicht *dasselbe*) durch das persönliche Fürwort *er, sie, es*! Wir haben das schon in dem Ballon-Beispiel gemacht. Oder in dem Satz: *So wird einer nach dem andern vor den König geführt, und jeder küßt zuerst mit Kniebeugen demselben die Hand* ersetzen wir *demselben* einfach mit *ihm*.
Oder: *Karl besitzt einen Hund; die Freßlust desselben ist leider groß.* Was tun wir hier? In diesem Satze steht *derselbe* im Wesfall (Genitiv); in solchen Fällen muß es oft durch das Fürwort *sein* oder *ihr* ersetzt werden: *seine Freßlust ist leider groß.*

b) Wir lassen das Wort *derselbe* einfach weg. *Die städtischen Behörden dürfen sich nicht von einem unteren Beamten abfertigen lassen durch die Weigerung desselben, die Akte höheren Orts zu unterbreiten.* Hier können Sie *desselben* einfach wegstreichen, und der Satz bleibt für jeden Denkenden völlig klar.

c) Aber wenn wir weder *er, sie, es* einsetzen noch das Wort *derselbe* ganz wegstreichen können? Zum Beispiel in dem Satze: *Der Sultan kam auf einem Rappen dahergeritten; die Brust desselben war mit einem großen Orden geschmückt. Derselbe* ist hier wieder mißverständlich, also falsch gebraucht, aber wenn wir sagten *seine Brust*, wäre das ebenso mißverständlich. Auch wenn wir *desselben* ganz weglassen, könnte der Leser schwanken, ob die Brust des Sultans oder des Rappens gemeint ist. Also setzen wir statt *desselben* ein sinnverwandtes Wort ein: Erst haben wir den Mann als Sultan bezeichnet, jetzt sagen wir *die Brust des Fürsten war mit einem großen Orden geschmückt.*

d) Aber es gibt noch einen vierten Weg: wir wiederholen ruhig das Wort, das wir mit *derselbe* ersetzt haben. Sie glauben, man dürfe das Wort nicht innerhalb einiger Zeilen wiederholen? Sie irren, und von diesem Irrtum handelt der nächste Abschnitt. Zunächst merken wir uns:

Stilverbot 1 *Vermeiden Sie das Wort „derselbe"! Lassen Sie es ganz weg oder ersetzen Sie es durch „er, sie, es" oder durch sinnverwandte Wörter! Bisweilen kann man auch das ursprüngliche Wort wiederholen.*

2. Wort-Wiederholung – wo verboten?

Wiederholung verboten! *Wir bedauern, daß Sie mit unserer Sendung nicht zufrieden sind, können aber zu unserem Bedauern Ihren Schadensersatzanspruch nicht anerkennen.* Dieser Satz aus einem Geschäftsbrief ist unserem Ohr peinlich. Das Wort *bedauern* ist unnötig wiederholt; die Wiederholung könnten wir unschwer durch einen sinnverwandten Ausdruck *(es tut uns leid, daß Sie . . .)* vermeiden. 28

Das Leben ist schön, wenn wir das Leben der Nächstenliebe weihen. Auch hier ist die Wiederholung unnötig; *wenn wir es der Nächstenliebe weihen* ist weit einfacher.

Wiederholung erlaubt! Aber gilt nun wirklich die Stilregel: man darf ein Wort nicht innerhalb einiger Zeilen wiederholen? Nein, so lautet die Regel nicht, und ein paar Beispiele werden uns sogleich klarmachen, warum sie nicht so lautet. 29
Sie kennen doch das Reiterlied aus Wallensteins Lager? Da singt der Erste Jäger bekanntlich:

Und setzet ihr nicht das Leben ein,
Nie wird euch dasselbe gewonnen sein.

Singt er wirklich so? Oder wählt jener großartige Reitersmann vielleicht einen anderen Ausdruck:

Und setzet ihr nicht das Leben ein,
Nie wird euch das Leben gewonnen sein.

(Schiller)

Finden Sie nicht, daß der Vers so schöner klingt? Daß er schöner klingt, gerade weil ein Wort wiederholt ist? Und welches Wort ist wiederholt? Das entscheidende Wort, das den Sinn des Satzes trägt!
Was lernen wir aus diesem Beispiel? Wir lernen: Wort-Wiederholung ist nicht immer verbotene Schlamperei. Sie ist oft auch bewußtes Kunstmittel: der Dichter wiederholt ein Wort, auf das er Gewicht legt. Noch ein Beispiel:

„Vom Himmel hoch, da komm' ich her,
Ich bring' euch gute neue Mär,
Der guten Mär bring' ich so viel,
Davon ich singen und sagen will."

(Luther)

Manchmal wiederholt der Schreiber ein Wort des vorhergehenden Satzes, weil er die logische Gedankenkette möglichst eng schmieden will. Ich habe das in diesem Abschnitt mehrfach gemacht.
Also: entscheidende Worte darf man wiederholen, unwichtige soll man nicht wiederholen.

30 **Keine Klangwiederholung!** Auch die rein zufällige Wiederholung des gleichen Klanges stört uns. *Heute findet in der Stadt ein Ball statt.* Oder: *Es wird sich sicherlich eine bessere Lösung finden lassen.* Oder: *Habt Ihr ihr ihre Tasche zurückgegeben?* Oder: *Diesen Baum muß er auf jeden Fall fällen.* Oder: *Ich bin ganz erschöpft vom Ausschöpfen des Kahns.* Solche Klanghäufungen beleidigen das Ohr. Sie lassen sich unschwer vermeiden, wenn wir die Sätze umformen.

Stilverbot 2 *Wiederholen Sie ein Wort nicht innerhalb einiger Zeilen! Vermeiden Sie auch zufälligen Gleichklang! Nur wenn ein Wort besonders betont ist, dürfen Sie es wiederholen.*

3. Wider das Zweimalsagen

31 **Keine Ausdrucksverdoppelung.** Im vorigen Abschnitt haben wir gelernt: Meide Wiederholungen des gleichen Wortes! In diesem lernen wir: Meide Ausdrucks-Verdoppelungen!
Jeder lacht über den *weißen Schimmel*, den *alten Greis* und das *viereckige Quadrat*. Aber um kein Haar besser sind die Sätze: *Gestatten Sie mir, sagen zu dürfen, daß ... Wir sind imstande, Ihnen mitteilen zu können, daß ... Es scheint vielleicht, daß er recht behält.*
Solche Wendungen nennt man **Pleonasmen** oder **Tautologien.** Aber die Regel „doppelt genäht hält besser“ gilt für den Stil nicht. Vielmehr lautet Stilverbot 3:

Stilverbot 3 *Setzen Sie sich nie auf „weiße Schimmel“!*

Fragen

Der Schüler fragt

Schüler: Sie wollen das Wort *derselbe* kurzerhand verbieten. Aber steht das Wort nicht auch bei großen Dichtern, bei Lessing, Schiller, Goethe?

Lehrer: Sie können *dasselbe* in der Tat zuweilen bei großen Schriftstellern finden. Ich will Ihnen sogar verraten: das Beispiel von dem Handkuß war von Goethe.

Schüler: Nun also! Bin ich verpflichtet, besser zu schreiben als Goethe?

Lehrer: Das will ich durchaus nicht von Ihnen verlangen. Es ist mir lieb, daß wir darauf zu sprechen kommen. Hören Sie einige Augenblicke geduldig zu:
Sie wissen, daß die Geschichte des deutschen Volkes eine Leidensgeschichte ist. Das deutsche Volk war meist uneinig und fast immer politisch schlecht geführt. So war Deutschland seit 400 Jahren die Tenne, auf der die Völker Europas ihre blutigen Ernten droschen. Es gab kaum ein deutsches Nationalgefühl in jenen Jahrhunderten. Die deutsche Sprache trägt die Narben dieser Leidenszeit. Noch vor 250 Jahren sprachen die Gelehrten Lateinisch, die Gebildeten Französisch und das Volk seine Mundarten. Die gemeinsame neuhochdeutsche Sprache wurde nirgends gesprochen, sie wurde nur in den Kanzleien geschrieben.

Schüler: Und warum ist das von Bedeutung für die Sprache unserer Zeit?

Lehrer: Diese Sprachzerrüttung hat unserm Sprachkörper drei Wunden beigebracht: Erstens hat die deutsche Sprache bisweilen einen papierenen Charakter; wir werden davon noch oft reden. Zweitens ist sie durchsetzt mit Fremdbrocken. Drittens – und das beschäftigt uns in diesem Augenblick – entbehrt das Deutsche der festen Regeln und sicheren Überlieferungen. Wir finden bei den besten deutschen Schriftstellern Willkürlichkeiten, wie wir sie bei guten Franzosen nicht finden. Freilich hat gerade diese Freiheit auch manches Gute.

Schüler: Ich verstehe, worauf Sie hinauswollen. Weil die großen deutschen Schriftsteller sich nicht so sehr durch Regeln gebunden fühlten . . .

Lehrer: Deswegen dürfen wir nicht jeden einzelnen Satz von Goethe, Schiller oder Lessing als Vorbild betrachten. Wenn Sie unter den zwei Millionen Sätzen, die Goethe vielleicht geschrieben hat, auch zwei Dutzend Sätze mit *derselbe* finden: damit ist das Wort nicht geheiligt. Im übrigen gilt auch hier das lateinische Sprichwort: Quod licet Jovi, non licet bovi.

Schüler: Was heißt das?

Lehrer: Was dem Jupiter erlaubt ist, ist dem Ochsen noch nicht erlaubt.

Schüler: Der Ochs hat noch einen andern Einwand. Gibt es nicht Sätze, in denen *dasselbe* wirklich unentbehrlich ist, z. B. *Ich bin auf denselben Gedanken gekommen wie du.* Hier kann ich *denselben* nicht durch *er* oder durch ein sinnverwandtes Wort ersetzen.

Lehrer: Das ist wirklich ein guter Einwand. Denn hier hat *derselbe* seine ursprüngliche Bedeutung *der selbige, der nämliche, der gleiche.* Wenn *derselbe* diese Bedeutung hat, dürfen Sie es natürlich verwenden. Aber genausogut können Sie sagen: *Ich bin auf den gleichen Gedanken gekommen wie du.*

Schüler: Ich habe noch eine Frage. Kann man *derselbe* nicht oft mit *dieser* ersetzen?

Lehrer: Nein! Nehmen Sie ein Beispiel: *Im Stilunterricht muß man sich eine Anzahl von Regeln einprägen. Dieselben sind vor allem für die Anfänger wichtig.* Wenn man hier *dieselben* durch *diese* ersetzt – *diese sind vor allem für die Anfänger wichtig* –, bleibt der Satz schwerfällig. Erst wenn man im natürlichen Sprechstil sagt: *Sie sind vor allem für die Anfänger wichtig*, klingt der Satz wie natürliches Deutsch. Setzen Sie überhaupt *dieser* möglichst nur in Verbindung mit einem Hauptwort, also *dieser Mann*, aber nicht *dieser* allein! Die beliebte Kaufmannswendung *Schreiber dieses telefonierte gestern mit Ihnen* ist schlechtes Deutsch, weil kein Mensch in lebendiger Rede sich so ausdrückt.

Schüler: Dann werden Sie auch die Wörter *ersterer* und *letzterer* verabscheuen.

Lehrer: Selbstverständlich, denn es sind auch Papierwörter, welche die natürliche Sprache nicht kennt. Oder haben Sie schon jemals gesagt: *Ich habe einen Sohn und eine Tochter. Ersterer studiert Medizin, letztere geht noch zur Schule.* Obendrein sind diese Papierwörter unpraktisch. Sooft Sie nämlich *ersterer* und *letzterer* lesen, müssen Sie immer erst etwas nachdenken, was gemeint ist: *Der Kampf zwischen Österreichern und Türken war noch unentschieden, als sich die Abendnebel auf das Schlachtfeld senkten. Erst in der beginnenden Dunkelheit konnten die ersteren die letzteren zurückdrängen.* Bestimmt müssen Sie sich erst überlegen, wer eigentlich die erstgenannten waren.

Schüler: Sie würden also wiederholen: *gelang es den Österreichern, die Türken zurückzudrängen.*

Lehrer: Das wäre jedenfalls besser als *erstere* und *letztere.* Aber gut wäre es nicht. Die Wörter sind nicht betont, also soll man sie nicht wiederholen. Welchen andern Ausweg haben wir früher erwähnt?

Schüler: Wir können sie durch sinnverwandte Wörter ersetzen.

Lehrer: Sehr richtig! Und hierbei brauchen wir nicht beide Parteien zu erwähnen, sondern nur eine. Also etwa: ... *begann die Armee des Großwesirs zu weichen.* Besser wäre noch, den Satz etwas anschaulicher zu formen: *Als die Abendnebel sich auf das Schlachtfeld senkten, drängte*

Prinz Eugen die letzten grünen Fahnen aus den Trümmern der Festung. Aber über die Stilforderung des anschaulichen Ausdrucks sprechen wir später einmal.

Der Lehrer fragt

Aus welchen Gründen sollen wir das Wort *derselbe* möglichst vermeiden?	Es ist papieren, schwerfällig und oft mißverständlich.
Welche Wege haben wir, um das Wort *derselbe* zu ersetzen?	a) wir setzen *er*, *sie*, *es*; b) wir brauchen sinnverwandte Wörter; c) wir streichen es weg; d) wir wiederholen das ursprüngliche Wort.
Wann darf man *derselbe* doch verwenden?	Wenn es *der nämliche* bedeutet.
Wie muß man die Genitive *desselben* und *derselben* oft ersetzen?	Durch *sein* und *ihr*.
Soll man *derselbe* mit *dieser* ersetzen?	Nein, auch *dieser* klingt oft papieren. *Dieser* verwenden wir möglichst nur zusammen mit einem Hauptwort.
Dürfen wir ein Wort innerhalb weniger Zeilen wiederholen?	Wenn es unwichtig und unbetont ist, nicht. Wohl aber, wenn wir ein entscheidendes Wort besonders hervorheben wollen.
Wie vermeidet man Wiederholungen?	Durch Fürwörter oder sinnähnliche Wörter.
Mit welchem Fachwort bezeichnet man Doppelausdrücke wie *weiße Schimmel?*	Tautologie oder Pleonasmus.

Aufgaben

Bringen Sie die Sätze 1 bis 20 in ein möglichst gutes Deutsch! (Vorsicht vor Fußfallen! Vielleicht sind Sätze dabei, die keiner Umformung bedürfen.)

1. Mit diesem Satz berührt unser Schriftsteller noch mit einem Fuß die Erde, dann aber reißt er sich von derselben auch mit letzterem los. . . .

2. Juno Ludovisi! Ich hätte sie nie wiedersehen sollen, weder in ihrer grandiosen Marmorschönheit noch im Lichtbild derselben.

3. Hat der Verkäufer des Grundstücks eine bestimmte Größe desselben zugesichert ...

4. Es blieb nichts übrig als den Bart abzuschneiden, dabei ging ein kleiner Teil desselben verloren.

5. Der Anfang des Tages heißt Morgen, die Mitte desselben Mittag.

6. Was ist an dem Wort *derselbe* so schlimm, und wie soll man sich ohne dasselbe behelfen?

7. Ich gehe bis zum Schloß. Bei demselben warte ich auf dich.

8. Der Schwerverletzte wurde zum Arzt gebracht. Derselbe starb kurz darauf.

9. Erst im 3. Kapitel der Erzählung wird dieselbe spannend.

10. In Dannenberg fuhr ein sogenannter kalter Schlag in eine Akazie und sprang auf den Wagen des Bierverlegers Henning, denselben am Hinterteil zersplitternd.

11. Was nun die Vorschläge des Reformvereins angeht, so ganz übel können dieselben nicht sein, indem ein guter Teil derselben bereits hier und dort verwirklicht worden ist. Dieselben haben dadurch von dem Schreckhaften, das denselben anhaftet, viel verloren.

12. Anfangs sah dieselbe denselben verwundert an, als dieselbe aber sah, was dem Hut desselben geschehen war, nahm dieselbe demselben denselben ab, um denselben zu reinigen, worauf dieselbe denselben demselben daselbst zurückgab.

13. Der Ehemann wollte lieber in die Oper gehen, aber seine Frau wollte lieber zum Tanzen.

14. Die Rundschreiben sind absichtlich nur kurz gehalten. Wir werden die Rundschreiben morgen versenden.

15. Die Bilder schicke ich Dir anbei; das Buch schicke ich Dir in einigen Tagen.

16. Karl sagte, wir wollen erst frühstücken gehen, aber Irene sagte, sie wolle erst baden gehen. Ich sagte, es täte mir leid, aber ich sei nicht imstande, mitgehen zu können. Darauf sagten beide, sie wollten etwas warten, ehe sie weggingen. Darauf sagte ich, ich hätte noch mehrere Stunden zu arbeiten.

17. Ich sagte meinem Vater, daß ich zur Reise seine Erlaubnis haben möchte, und daß Mutter schon gesagt habe, sie wolle nichts dagegen sagen.

18. Die Pferde des Wagens gingen durch, Insassen und Kutscher wurden aus demselben geschleudert, und die Räder des letzteren gingen ersteren über den Leib.

19. Er ist gezwungen, auf seine Gesundheit achten zu müssen.

20. Er verdient mit Recht gelobt zu werden, daß er in seiner Arbeit weiter fortfährt.

4. Kein Satzdreh nach und!

3. Lektion

32 **Kein Satzdreh.** *Tüchtiger Kuhhirt gesucht und muß die Frau mitmelken.* Welch merkwürdige Anzeige! Soll der Kuhhirt wirklich auch die Frau melken? Ach so, es ist ganz anders gemeint: die Frau soll melken. Ja, warum denn nicht: *Tüchtiger Kuhhirt gesucht; die Frau muß mitmelken?* Warum hat der Schreiber das Subjekt *Frau* hinter das Prädikat (Satzaussage) *muß* gestellt? Diese Umdrehung der natürlichen Wortstellung verursacht leicht ein Mißverständnis.

Oder aus einem Brief: *Wir werden dann frühzeitig zu Tische gehen und können Eure lieben Kinder gleich mitessen.* Stammt dieser Satz von einem Menschenfresser? O nein, ein Kanzleibeamter hat nur auch hier den Satzdreh nach *und* (lat. **Inversion**) vorgenommen. Hätte er geschrieben: *und Eure lieben Kinder können gleich mitessen,* so wäre alles klar.

Glauben Sie nicht, daß nur Kanzleibeamte so schreiben! Artikel 8 der alten kaiserlichen Verfassung lautete: *In jedem dieser Ausschüsse werden mindestens vier Bundesstaaten vertreten sein und führt innerhalb derselben jeder Staat nur eine Stimme.*

Vollends Kaufleute haben eine Vorliebe für den Satzdreh: *Wir brachten die bestellten Batisthemden zum Versand und hoffen wir ...* Ich habe Ihnen eine ganze Reihe von Beispielen gegeben *und hoffe ich,* daß auch Ihnen eben dieser Satzdreh nach *und* widerwärtig geworden ist.

Natürlich darf, ja muß im Deutschen bisweilen das Subjekt hinter dem Prädikat stehen, denn wir kennen die strenge Reihenfolge nicht, die z. B. im Französischen gilt, aber darüber *zerbrechen wir* uns jetzt nicht den Kopf. Nach *und* ist der Satzdreh immer falsch.

33 **Abhilfe.** Aber was tut man gegen den Satzdreh? Wie immer im sprachlichen Leben gibt es mehrere Wege. Der einfachste Weg ist: die Worte richtig anordnen: *und ich hoffe.* Oft ist es noch besser, einen Punkt oder Strichpunkt (Semikolon) zu machen und einen neuen Satz zu beginnen. Also wenn wir z. B. lesen: *Übrigens ziehen schon vorher Patrouillen aus und säubern die diensttuenden Offiziere* (ist das nötig?, aber der Satz geht weiter) *das Gelände* – wenn wir so einen Satz lesen, so machen wir hinter *aus* einen Strichpunkt und fahren fort: *die diensttuenden Offiziere säubern das Gelände.*

Schließlich genügt bisweilen die Einfügung des Wörtchens *es*, um den Satz zurechtzurücken: *Neue Bücher sind angekommen und werden sicherlich viele Benützer der Bücherei daran Freude haben.* Setzen Sie ein Komma und *es* vor *werden*, und der Satz ist grammatisch richtig.

Stilverbot 4 *Nach „und" dürfen Sie das Subjekt nicht hinter das Prädikat stellen!*

5. Zerreißen Sie nicht die zusammengesetzten Verben!

34 **Nichts zerreißen!** *In diesem Augenblick platzte Sebastian, der nur mit Mühe seine Erregung gebändigt hatte und mit hochrotem Kopfe zitternd vor seinem Bruder stand, laut mit den Worten heraus.* Während wir den Satz lasen, machten wir uns ernsthafte Sorgen um den Armen. Diese Sorgen hätte uns der Verfasser erspart, wenn er die Worte *platzte* und *heraus* nicht so weit getrennt hätte. Freilich müssen wir dafür den ganzen Satz umbauen und zwei Sätze daraus machen. *Zitternd, mit hochrotem Kopf, nur mühsam seine Erregung bändigend, hatte Sebastian vor seinem Bruder gestanden; jetzt platzte er mit den Worten heraus.* Oder wir müssen statt eines zusammengesetzten ein einfaches Zeitwort nehmen: *In diesem Augenblick brüllte Sebastian.*

Wir haben im Deutschen viele zusammengesetzte Zeitwörter: *ankommen, feststellen, anmerken, vornehmen, abreisen* usw. Wenn die Vorsilbe betont ist – wie in allen diesen Beispielen –, dann müssen wir bei der Beugung des Verbs Vorsilbe und Nachsilbe trennen: *ich komme an, ich stelle fest.* Wenn die Vorsilbe unbetont ist – z. B. bei *unterdrücken, überschätzen* –, lassen wir Vorsilbe und Nachsilbe beisammen: *ich unterdrücke, ich überschätze.*

Bei den sogenannten trennbaren Zeitwörtern pflegen wir in den nicht zusammengesetzten Zeiten (Gegenwart, Vergangenheit) die Vorsilbe an das Ende des Satzes zu rücken. Das hat Nachteile: oft ergibt sich eine Unklarheit oder ein Mißklang, wie vorhin im Falle Sebastians.

35 **Abhilfe.** Wie immer stellen wir die Frage: was sollen wir gegen dies Stilgebrechen tun? Die nachklappende Silbe einfach vorzuziehen, ist oft unmöglich. *Er reiste am folgenden Tage mit seinem Freunde, der ihn keinesfalls unter so traurigen Umständen allein lassen wollte, nach seiner alten, heißersehnten Vaterstadt ab.* Wenn wir hier das Wort *ab* vorziehen, trennen wir den

Freund von dem Bezugssatz: *Er reiste am folgenden Tage mit seinem Freunde nach seiner alten, heißersehnten Vaterstadt ab, der ihn keinesfalls* ... Das geht nicht!

Einige kühne Neuerer haben vorgeschlagen, einfach die deutsche Sprache ein wenig zu verbessern und nicht mehr zu sagen *ich reise ab*, sondern *ich abreise*. Wenn ein großer Dichter diesen Sprachwandel einbürgern könnte, wäre es eine Verbesserung. Aber Sie dürfen damit nicht anfangen!

Also, was sollen wir tun? Wir bauen den Satz um: *Am folgenden Tage reiste er nach seiner alten, heißersehnten Vaterstadt ab; mit ihm fuhr sein Freund, der ihn* ...

Verb nicht nachhinken lassen! Eine ähnliche Schwierigkeit finden wir auch in anderen langen Sätzen, in denen es sich nicht um ein trennbares Zeitwort handelt. Denn im Deutschen rückt ja im Nebensatz das Zeitwort immer an den Schluß des Satzes: *Ich hoffe, daß ich morgen oder wenigstens im Verlauf der nächsten Tage von meinem Freund, der sich sehr bemüht, mir zu helfen, alles Notwendige* (ja was denn eigentlich?) *erfahren werde.* Das Zeitwort hinkt nach und erschwert dadurch das Verständnis. Auch solche Sätze soll man umbauen: *Ich hoffe, ich werde morgen oder wenigstens im Verlauf der nächsten Tage von meinem Freunde alles Notwendige erfahren; er bemüht sich sehr, mir zu helfen.* 36

Bei den sogenannten trennbaren Zeitwörtern darf man die Vorsilbe nicht zu weit von der Stammsilbe weg rücken. Auch sonst soll man Nebensätze nicht zu lang werden lassen, sonst hinkt das Zeitwort zu sehr nach. Stilverbot 5

6. Rettet den Genitiv!

Kein Genitiv mit von! *Als die Herren von dem Hause kamen* ... Was heißt das? Heißt das *die Herren des Hauses kamen* oder *die Herren kamen von dem Hause her?* Der Zusammenhang ergibt: es sind *die Herren des Hauses* gemeint; der Verfasser hielt *von dem Hause* offenbar für einen Genitiv (Wesfall). 37

Aber man darf im Deutschen nie den Genitiv mit *von* wiedergeben. Im Alltag sagt man manchmal: *das Haus von meinem Vater* (noch schlimmer: *meinem Vater sein Haus*). Aber das ist ein erbärmlicher Schnitzer. Es muß heißen: *das Haus meines Vaters* oder auch *meines Vaters Haus.*

Bilden Sie nie den Genitiv mit von! Stilverbot 6

7. Baut keine Klemmkonstruktionen!

38 **Klemmt nicht ein!** Ein Pfarrer kündigte einmal eine Predigt an: *Von der an dem bei der in dem Dorfe Lerche entstandenen unglücklichen Feuersbrunst geretteten Ziegenbock erwiesenen Gnade Gottes.* Zwischen dem Artikel *der* und dem Hauptworte *Gnade* sind vierzehn Wörter eingeklemmt. Solche Klemmkonstruktionen wirken unschön. *Die Kommissare haben den Fall einem von ihnen selbst oder auf ihre Veranlassung von einer dritten Stelle zu bezeichnenden Obmann zu unterbreiten.* Schon der *zu bezeichnende Obmann* ist ungeschickt; kein Mensch spricht in natürlicher Rede von einer zu besuchenden Theatervorstellung. Auf deutsch heißt der Satz: *Die Beauftragten haben den Fall einem Obmann zu unterbreiten, den sie entweder selbst bestimmen oder von einer anderen Stelle bestimmen lassen.*

39 **Abhilfe.** Aber nicht immer brauchen wir einen Bezugssatz. Oft können wir eine Klemmkonstruktion noch einfacher wiedergeben: *Über die zum Schutze gegen nachteilige Wirkungen etwa erforderlichen Maßnahmen* heißt einfach und besser: *Über Maßnahmen zum Schutze ...*

Oft wird ein Satz klarer, wenn man die Klemmkonstruktion durch einen *Wenn*-Satz ersetzt: *Die Haftpflicht für den durch Tötung oder Verletzung eines Reisenden beim Betreiben einer Eisenbahn entstandenen Schaden regelt sich ...* In klarem Deutsch heißt es: *Wenn beim Betreiben einer Eisenbahn ein Reisender getötet oder verletzt wird, so regelt sich die Haftpflicht ...*

Die schönste Klemmkonstruktion ist der stattliche Satz: *Hinsichtlich des durch die von den bei der in der neben dem Forsthaus gelegenen einsamen Waldhütte begangenen Körperverletzung angetrunkenen Raufbrüdern Zerreißung von Wäschestücken entstandenen Schadens wird der Anzeigende auf den Weg der Zivilklage verwiesen.*

Um diese Klemmkonstruktion zu verstehen, muß man sie treppenförmig aufschreiben und dann die beiden Treppen abwechselnd lesen:

Hinsichtlich des	*entstandenen Schadens*
durch die	*Zerreißung von Wäschestücken*
von den	*angetrunkenen Raufbrüdern*
bei der	*begangenen Körperverletzung*
in der	*einsamen Waldhütte*
neben dem Forsthaus	*gelegenen*

Klemmen Sie nicht zahlreiche Wörter zwischen Artikel und Hauptwort! Stilverbot 7

Häufung von Präpositionen. Besonders häßlich sind Klemmkonstruktionen, in denen mehrere Verhältnisworte (Präpositionen) unmittelbar aufeinander folgen: *Mit vor nichts zurückschreckender Entschlossenheit* sollen wir solche *von für Stil schwachbegabten Schreibern gebaute Klemmkonstruktionen von ab und zu lächerlicher Verschachtelung in über ein normales Maß nicht hinausgehende Sätze zerschlagen.* 40

Fragen

Der Schüler fragt

Schüler: Sie haben den Satzdreh nach *und* aufs schärfste verboten. Aber ich habe solche Sätze doch oft schon in Luthers Bibelübersetzung gefunden, z. B. *Und die Gräber taten sich auf, und stunden auf viele Leiber der Heiligen.*

Lehrer: Erstens hat sich im Deutschen in den letzten 400 Jahren manches geändert. Zweitens ist dieser Satz so gebaut, daß offenbar das Wörtchen *es* ausgefallen ist: *und es stunden auf viele Leiber der Heiligen.* Wenn wir statt dessen die gewöhnliche Wortstellung einsetzen wollten – *und viele Leiber der Heiligen stunden auf* –, würde der Satz viel Schwungkraft einbüßen.

Schüler: Bei dem nächsten Stilgebrechen, der Zerreißung trennbarer Zeitwörter, frage ich mich, ob man nicht wirklich auf die Trennung verzichten sollte. Schreiben nicht manche Schriftsteller schon *ich anerkenne?*

Lehrer: Gewiß, z. B. Goethe. Gottfried Keller schreibt: *er anbefahl*, Auerbach *er vorbereitete.* Aber eine Schwalbe macht noch keinen Sommer. Sprachverbesserungen müssen Sie den Meistern überlassen. Bei jedem Aufsatz würde Ihnen Ihr Lehrer erklären: Ich lache Sie aus, wenn Sie *ich auslache* schreiben.

Schüler: Bei dem Genitiv-Abschnitt haben Sie gesagt, es müsse heißen: *das Haus meines Vaters.* Ist nicht noch besser: *meines Vaters Haus?*

Lehrer: Beides ist gleich gut. Der vorangestellte Genitiv klingt schwungvoller und bringt Abwechslung. Verwenden Sie ihn manchmal, aber nicht bei nüchternen Anlässen. *Meines gestrigen Briefes Darlegungen* klingt im geschäftlichen Schriftwechsel gesucht und daher lächerlich. Diese Stellung ist ja aber überhaupt nur bei dem Genitiv einer Person üblich.

Der Lehrer fragt

Was heißt Satzdreh oder Inversion?	Die Wortstellung, bei der das Subjekt hinter das Prädikat gestellt wird.
Wann dürfen wir nach *und* den Satzdreh vornehmen?	Niemals.
Auf welchen Wegen bringen wir Sätze mit dem Satzdreh in Ordnung?	a) Wir stellen das Subjekt vor das Prädikat. b) Wir machen einen Punkt oder Strichpunkt und fangen einen neuen Satz an. c) Wir setzen *es* vor das Prädikat.

Welche von den fünf nachstehend genannten zusammengesetzten Zeitwörtern werden beim Konjugieren getrennt: *anerkennen*, *abreisen*, *durchsuchen*, *überlisten*, *feststellen?*

ich erkenne an, *ich reise ab*, *ich stelle fest*, aber *ich durchsuche*, *ich überliste*.

Woran erkennt man die trennbaren Verben?

Bei ihnen ist im Infinitiv (Grundform) die Vorsilbe betont.

Wie vermeiden wir es, Stammsilbe und Vorsilbe der trennbaren Zeitwörter allzusehr voneinander zu entfernen?

Wenn sich zahlreiche Satzteile dazwischenschieben, wählt man am besten statt des trennbaren Verbs ein nicht zusammengesetztes Zeitwort.

Was nennt man Klemmkonstruktionen?

Satzteile, bei denen zahlreiche Wörter zwischen Artikel und Hauptwort geschoben sind.

Wie vermeidet man Klemmkonstruktionen?

Durch Bezugssätze, neue Hauptsätze oder *Wenn*-Sätze, oft auch durch Umbau des ganzen Satzgefüges.

Aufgaben

Bringen Sie die Sätze 1–9 in ein flüssiges Deutsch:

1. *Inf.-Rgt. 64 erhält Mittwoch Marschverpflegung und wird auf dem Gelände geschlachtet.*

2. *Der Verletzte wurde ins Krankenhaus gebracht und schwebte sein Leben lang in Gefahr.* (Durch welche zwei Fehler wird der Satz doppelsinnig?)

3. *Meyer schloß die Versammlung und forderte Bürgermeister L. zum Verlassen des Saales auf.* (Welcher Doppelsinn?)

4. *Ich stelle angesichts der zunehmenden Unverschämtheit Ihres Anwalts mit Bedauern, aber mit großer Entschiedenheit, die durch Ihren heutigen sehr wenig glücklichen Brief nur noch bestärkt worden ist, fest, daß . . .*

5. *Es liegt – was man auch zugunsten seiner Erziehungsgrundsätze sagen mag, die im übrigen mir auch noch sehr fragwürdig erscheinen – schließlich doch ihm bei aller Rücksicht auf sein Alter ob, . . .*

6. *Sieht man von den Qualitätsmängeln, welche die Ware entschieden aufweist und die sich nicht beheben lassen, ab, so . . .*

7. *Auf die in der „Volksstimme" bezüglich des in der letzten, Donnerstag, den 3. März stattgehabten Gemeindeausschußsitzung vorgekommenen Zwischenfalles an die hiesigen Lokalblätter ergangene Anfrage können wir erwidern, . . .*

8. *Durch Einreichung bei der für die Entscheidung über die Beschwerde zuständigen Behörde wird die Frist gewahrt.*
9. *Die Beförderung von in Sackleinen verpackten Waren. . . .*
10. Welche von den folgenden Wendungen sind falsch, welche richtig?

Die langwierigen Untersuchungen von Professor Ehrlich.
Professors Ehrlich Untersuchungen.
Die Tätigkeit General Meyers.
Die Arbeit von mehreren Jahren ist vernichtet.

8. Sparen mit der Leideform! *4. Lektion*

Schwächen des Passivs. *Durch statutarische Bestimmungen des zuständigen Gemeindeverbandes kann angeordnet werden, daß von den Hausgewerbetreibenden Beiträge überhaupt nicht erhoben werden und daß der Verband die Kosten übernimmt, die der Kasse durch die Versicherung ihrer hausgewerblichen Mitglieder nach Abzug des Gesamtbetrages der ihr zufließenden Auftraggeberbeiträge erwachsen.* 41

Verstehen Sie den Satz nach einmaligem Lesen? Wenn ja, sind Sie klüger als ich, selbst nach dem zweiten Lesen habe ich ihn nicht verstanden. Und warum ist er schwer verständlich? Das werde ich Ihnen sagen: weil er Handlungen in der Leideform, dem Passiv, wiedergibt. *Kann angeordnet werden* und *nicht erhoben werden:* das sind Passivformen. Versuchen wir es einmal mit der Tatform (Aktiv)! *Der Gemeindeverband kann anordnen, daß die Hausgewerbetreibenden keine Beiträge zu zahlen brauchen und daß er selbst die Kosten trägt ...*

Ja, wenn wir ihn so lesen, fällt uns dann nicht eine noch bessere Formulierung ein? Kann man nicht kürzer und klarer sagen: *Der Gemeindeverband kann durch die Satzungen die Hausgewerbetreibenden von der Beitragspflicht befreien und selbst die Kosten übernehmen.* Jetzt ist der erste Teil des Satzes klar.

Aber noch haben wir den Schlußteil des Satzes nicht ins Deutsche übersetzt: *Man soll von den Versicherungskosten die Zuschüsse der Auftraggeber abziehen.* Das läßt sich sehr einfach formulieren: *der Gemeindeverband übernimmt die Kosten, soweit nicht die Zuschüsse der Auftraggeber sie decken.* Und jetzt stelle ich Ihnen nebeneinander, wie der Satz ursprünglich hieß und wie er jetzt heißt:

Durch statutarische Bestimmungen des zuständigen Gemeindeverbandes kann angeordnet werden, daß von den Hausgewerbetreibenden Beiträge überhaupt nicht erhoben werden und daß der Verband die Kosten übernimmt, die der Kasse durch die Versicherung ihrer hausgewerblichen Mitglieder nach Abzug des Gesamtbetrages der ihr zufließenden Auftraggeberbeiträge erwachsen.	Der Gemeindeverband kann durch die Satzungen die hausgewerblichen Versicherungspflichtigen von der Beitragspflicht befreien und selbst die Kosten übernehmen, soweit die Zuschüsse der Auftraggeber sie nicht decken.

Es ist ein Unterschied wie Tag und Nacht! Und dabei haben wir nur drei einfache Änderungen vorgenommen: Erstens haben wir zwei Passivformen in Aktivformen verwandelt (*kann befreien* und *übernehmen*). Zweitens haben wir statt des umständlichen *anordnen, daß nicht erhoben werden* kurz gesagt *befreien.* Drittens haben wir die Hauptwortformulierung *nach Abzug usw.* ersetzt durch ein Zeitwort: *soweit die Zuschüsse sie nicht decken.* Die wichtigste dieser Verbesserungen war: wir haben das Passiv beseitigt (nicht etwa: *das Passiv ist von uns beseitigt worden*). Die Leideform ist die Sache der Ewig-Dabeistehenden, die nur Geschehnisse, nicht Taten kennen, die sich fürchten, den Täter offen an die Rampe treten zu lassen, namentlich, wenn sie es selber sind. *Die Schulbehörde kam diesem Antrag nach, obwohl auch meinerseits aus Gründen der Überbürdung sich dagegen erklärt worden war.* Der Papiermensch liebt die Leideform auch deshalb, weil sie unbestimmter ist. Wer oft Verträge formulieren muß, der weiß, wie schnell uns ein Passiv in die Feder gleitet, wenn wir einen Punkt nicht völlig klarstellen möchten.
Es wird gemeldet, daß die Dörfer im Norden angezündet worden sind. Wer meldet, wer hat angezündet? *Eine sofortige Entscheidung kann von Mayer nicht verlangt werden.* Soll das heißen: *Mayer darf nicht verlangen* oder *man darf nicht verlangen, daß Mayer sich entscheidet?*

Die Leideform hat also drei Schwächen:

1. Der Täter bleibt ungenannt.
2. Die Form des Zeitworts ist umständlicher, denn die Leideform können wir ja nur mit dem Hilfswort *werden* bilden; der Satz wird undurchsichtiger.
3. Die Leideform ist weniger anschaulich und weniger schwungvoll.

42 **Passiv nötig.** Aber jetzt dürfen wir nicht das Kind mit dem Bade ausschütten! Selbstverständlich ist in vielen Fällen die Leideform auch unentbehrlich, nämlich dann, wenn wir einen Leidevorgang erzählen wollen. Eine Mutter will berichten, daß ihr Sohn von einem Hund ins Bein gebissen wurde. Wie soll sie sagen:

Karl wurde von einem Hund ins Bein gebissen oder *Ein Hund biß Karl ins Bein?*

Hier ist die Leideform weit natürlicher. Bei ihr kommt Karl an die Spitze des Satzes, und der Hund, der ja für die Mutter weit unwichtiger ist als ihr Sohn, wird zur Nebenfigur. Würde die Mutter die Tatform wählen, so würde der Hund Hauptperson.
Auch andere Gründe können die Leideform erfordern. *Das Museum wird um 6 Uhr geschlossen.* Hier wählen wir nicht die Tatform, denn der Täter ist ganz unwichtig. Es wäre künstlich, zu sagen: *Der Portier schließt das Museum um 6 Uhr.*
Manchmal wollen wir auch absichtlich verschleiern, wer der Täter war. Ein Kunde hat bei einer Fabrik Maschinen bestellt, seine Bestellung aber mehrmals geändert und dadurch die Lieferung verzögert. Die Fabrik will die Verspätung begründen, aber den Kunden nicht verärgern. Sie erwähnt die Änderungen und schreibt dann: *Durch diese Wünsche ist die Lieferung verzögert worden.* Das klingt höflicher als: *Sie haben durch diese Wünsche die Lieferung verzögert.*

Stilverbot 8

Nicht zu viele Passiv-Formen! Erzählen Sie Handlungen in der Tatform! Die Leideform ist nur berechtigt, wenn Sie Leidensvorgänge wiedergeben wollen, wenn der Täter unwichtig ist oder verschwiegen werden soll.

9. Keine falschen Bezugssätze (Relativsätze)!

43

Vorsicht mit Bezugssätzen! *Am Steuer saß Kommerzienrat Schulze, der bei dem Unfall tödlich verunglückte.* Der Satz gefällt mir nicht. Wir haben das Gefühl: hier ist zeitlich etwas nicht in Ordnung. Wenn Schulze tödlich verunglückt ist, kann er nicht mehr am Steuer sitzen. Der Fehler ist besonders offenkundig, weil in dem Bezugssatz ein Todesfall berichtet wird, der offenbar erst nach dem Ereignis des Hauptsatzes erfolgt sein kann. Ein Bezugssatz soll eine Beschreibung enthalten oder ein vergangenes Ereignis nachtragen, aber er darf nicht ein wesentliches Geschehnis berichten, noch dazu, wenn es erst später vorgefallen ist.
Hauptsachen dagegen gehören in Hauptsätze. Der Satz müßte heißen: *Am Steuer saß Kommerzienrat Schulze; er ist später bei dem Unfall tödlich verunglückt.*
Ein Bezugssatz soll nur Attribute enthalten, Beifügungen, die man – rein logisch genommen – auch in die Form eines Eigenschaftswortes oder eines Mittelwortes (Partizip) hätte kleiden

können. Wenn wir dies hier versuchen (*Der tödlich verunglückte Schulze saß am Steuer*), so wird offenbar, daß dieser Bezugssatz nach Art des Polizeiberichts gebaut ist: *Der Mörder nahm die Nachricht von seiner gestern früh erfolgten Hinrichtung gefaßt entgegen.*

44 **Hauptsachen in Hauptsätze!** Der Regel: **Hauptsachen in Hauptsätze!** werden wir noch oft begegnen. Nehmen wir z. B. den Zeitungssatz: *Vom Pech verfolgt wurde gestern eine Frau von auswärts, der die Hinterachse des Handwagens brach, so daß Dünger auf die Straße flog.* Das Hauptereignis steht in dem Bezugssatz; obendrein taucht der Dünger, von dem vorher nicht die Rede war, allzu unvermittelt auf. Der Satz muß heißen: *Pech hatte gestern eine Frau von auswärts. Als sie ihren mit Dünger beladenen Handwagen über den Marktplatz zog, brach die Hinterachse, so daß die Ladung auf die Straße fiel.*

Wer Stilgefühl hat, der wird schon den Satz *Gestern besuchte ich meinen Bruder, der aber nicht daheim war* als etwas schief empfinden. Es ist keine Eigenschaft des Bruders, nicht daheim zu sein; *er war aber nicht daheim* ist wesentlich besser, wenn wir auch diesen Bezugssatz nicht zu scharf verurteilen wollen.

Stilverbot 9 *Verwenden Sie Bezugssätze nur dazu, Eigenschaften, Beschreibungen, Unterscheidungen und Mitteilungen früherer Ereignisse wiederzugeben! Verwenden Sie sie nicht, um wichtige, besonders künftige Geschehnisse oder andere Hauptsachen darin unterzubringen! Hauptsachen erfordern Hauptsätze.*

10. Keine Kanzleiausdrücke!

45 **Ursachen des Kanzleistils.** Das Neuhochdeutsche ist nicht aus der lebendigen Rede der Straßen und Stuben emporgewachsen, sondern sächsische und böhmische Kanzleien haben für ihre Zwecke eine gemeinsame Sprache der deutschen Gaue entwickelt, und daß Luther dieser Sprachform durch seine Bibelübersetzung zur allgemeinen Geltung verhalf, hat sie doch nicht vor der Erstarrung behütet. Nicht die Plauderkünste großer Geselligkeit, nicht der Schwung tapferer öffentlicher Reden haben dann unsere Sprache weitergebildet: Beamte und Gelehrte waren ihre Lehrmeister, und der Dunst von Akten, Kanzeln und Kathedern haftet der deutschen Prosa heute noch an. Der Kanzleistil ist in allen Sprachen konservativ und verschnörkelt, aber

im Deutschen finden wir leider auch fern von den Kanzleien eine Fülle von Wörtern und Wendungen, die in der Sprache des Alltags kein Gebildeter benützt, alle ausgezeichnet durch unnötige Länge und steife Umständlichkeit. Man braucht nur eine Auslese dieser Schnörkel aufzuzählen, um sie lächerlich zu machen. Ich setze das deutsche Wort jeweils daneben. Bitte decken Sie zunächst die rechte Seite zu und versuchen Sie selbst, statt des Kanzleiausdrucks eine natürliche Wendung einzusetzen! Freilich wird es Ihnen nicht immer gelingen:

Beispiele 46

nach Maßgabe der Vorschriften des § 16	nach § 16
zum Zweck näherer Prüfung	zur Prüfung
in Ansehung des nachgewiesenen Bedürfnisses	weil erforderlich
im Falle des Verlustes eines Stimmzettels ist Neuausstellung unzulässig	verlorene Stimmzettel werden nicht ersetzt
unter Weglassung der Namen	ohne die Namen
auf Grund obiger Darlegungen ergibt sich	nach diesen Darlegungen ergibt sich
anläßlich der diesbezüglichen Ermittlungen	bei diesen Ermittlungen
sie fuhr mittels eines Rucks empor	mit einem Ruck fuhr sie empor
der Flur ist unter Zuhilfenahme eines Besens zu reinigen	der Flur ist mit einem Besen zu reinigen
in Erwägung, daß der Raum von dem Amt dringend benötigt wird	da das Amt den Raum dringend benötigt
in meiner Eigenschaft als Vorsitzender des Ausschusses	als Vorsitzender des Ausschusses
das Museum ist Montag bis Donnerstag einschließlich geöffnet	das Museum ist Montag bis Donnerstag geöffnet
mit Ausnahme des Hauses 3	außer Haus 3
sowohl die Beamten als auch die Angestellten des Finanzamtes	die Beamten und Angestellten des Finanzamtes

Alle einfachen Ausdrücke sind dem Papierdeutschen verhaßt. Er hätte im Paradies gerufen: *Adam, wo befindest du dich?* Auch das häßliche Wort *beziehungsweise* (*respektive*, in Österreich *beziehentlich*) können wir durch *oder* ersetzen.

Stilverbot 10 *Ersetzen Sie die verstaubten Kanzleischnörkel durch Ausdrücke der lebendigen Rede!*

11. Als oder wie?

47 **Als oder wie.** *Wir müssen mehr Futtermittel einführen wie Dänemark.* Was ist hier gemeint? Sollen wir mehr Futtermittel als bisher einführen, so wie es die Dänen tun? Oder sollen wir mehr Futtermittel als die Dänen hereinlassen?

Oder: *Niemand anders hat gesprochen wie du.* Heißt das: *Kein anderer hat so gut gesprochen, wie du es getan?* Oder heißt es etwa: *Niemand außer dir hat gesprochen?*

Die beiden Beispiele zeigen: wir müssen *als* und *wie* unterscheiden. Nach dem Komparativ (Steigerungsform) und nach *anderer* steht *als: schöner als, anders als.* Nach dem Wörtchen *so* dagegen muß *wie* gesetzt werden, *so schön wie du.* Besonders Lehrer pflegen in dieser Unterscheidung streng zu sein. (Es heißt *sowohl . . . als auch*, jedoch diese Papierblüte werden wir noch ausmerzen.)

Stilverbot 11 *Nicht Wie, sondern Als: nach Komparativ und nach anders. Nicht Als, sondern Wie: nach so und nach Vergleichen ähnlicher Dinge!*

Fragen

Der Schüler fragt

Schüler: Sie haben eine Reihe von Fällen genannt, in denen wir die Leideform benützen sollen. Ich weiß einen weiteren Fall, der das Passiv erfordert.

Lehrer: Nämlich?

Schüler: Wenn die Tatform ständig das Wort *ich* mit sich brächte, denn zu viele *ichs* muß man vermeiden.

Lehrer: Diese Ansicht ist vielverbreitet, aber falsch. Natürlich redet ein gebildeter Mensch nicht ständig von sich selber. Aber wenn er aus sachlichen Gründen seine eigene Person erwähnen muß, dann soll er auch den Mannesmut haben, das Wort *ich* zu verwenden.

Schüler: Aber es ist doch z. B. in Briefen vielfach üblich, das Wort *ich* wegzulassen.

Lehrer: Leider! Aber diese Manier ist ganz ungebildet. *Teile Ihnen ergebenst mit:* so schreibt man nicht mehr.

Schüler: Aber es gibt doch im Kaufmannsstil viele Umschreibungen für das Wort *ich*.

Lehrer: Wer eine Firma eigenen Namens besitzt, schreibt ruhig *ich*. Wenn er natürlich für eine Firma mit einer Rechtspersönlichkeit tätig ist, z. B. für den Norddeutschen Lloyd, so kann er nicht *ich* schreiben, sondern muß wohl oder übel: *der Unterzeichnete* oder – bei zwei Unterschriften – *der Links-* oder *Rechtsunterzeichnete*. Dagegen sind Wendungen wie *meine Wenigkeit* unmodern und lächerlich.

Schüler: Viele Schriftsteller sagen doch auch statt *ich* lieber *wir*.

Lehrer: Man nennt das den Pluralis modestiae, die Mehrzahl der Bescheidenheit, im Gegensatz zum Pluralis majestatis der Herrscher: *Wir, Wilhelm II., von Gottes Gnaden Deutscher Kaiser*. Der Bescheidenheitsplural ist – besonders bei Gelehrten – noch oft üblich.

Schüler: Aber auf alle Fälle ist es doch unzulässig, Sätze mit *ich* anzufangen.

Lehrer: Unsinn! Bei den Klassikern beginnt ein Drittel ihrer Briefe mit *ich*. Natürlich soll man nicht mehrere Sätze hintereinander mit *ich* anfangen; das würde gegen einen Grundgedanken der Stilkunst verstoßen, nämlich gegen den Wunsch nach Abwechslung. Alles Eintönige ist langweilig.
Aber im übrigen schreiben Sie ruhig das Wort *ich* dort, wo es sachlich hingehört. Sie brauchen also nicht aufs Passiv überzugehen, nur um das Wort *ich* zu vermeiden. *Ich habe die Waren an Sie abgesandt* und nicht: *Die Waren sind an Sie abgesandt worden.*

Schüler: Sie haben über falsche und echte Bezugssätze gesprochen. Da habe ich noch eine Frage: was für ein Fürwort sollen wir eigentlich an den Anfang der Bezugssätze stellen: *der*, *die*, *das* oder *welcher*, *welche*, *welches?* Sollen wir also sagen: *der Mann*, *der das getan hat* oder *der Mann*, *welcher das getan hat?*

Lehrer: Der, *die*, *das* ist kürzer, sprachüblicher und daher besser. Namentlich die Schulen haben eine heftige Abneigung gegen *welcher*, und manche Sprachpäpste haben die *Welcherei* mit allen Höllenstrafen bedroht. In Wirklichkeit ist *welcher* bisweilen sogar von Vorteil; wir können Wiederholungen eines Wortes umgehen: *die*, *die die Verwendung von welcher ausnahmslos verbieten*, *neigen vielleicht zur Übertreibung;* hier wäre *welche* eine gute Abwechslung. Aber wir müssen auch Sprachgewohnheiten berücksichtigen. So wollen wir *welcher* lieber ganz vermeiden.

Besonders häßlich ist *derjenige*, *welcher*. Diese Wendung kommt in der Redesprache nie vor. Oder würden Sie sagen: *Derjenige*, *welcher Pech anfaßt*, *besudelt sich?* Wir sagen kurz *wer* . . .

Schüler: Eine andere Frage zu Ihren Kanzleiausdrücken. Kann nicht der Verzicht auf solche langgewohnten Schnörkel unhöflich wirken?

Lehrer: Schreiben Sie nur sonst höflich, dann wird der Empfänger diese Verzierungen nicht vermissen.

Schüler: Aber gibt es nicht auch im üblichen Kaufmannsdeutsch bestimmte umständliche Wendungen, die manche Kunden vermissen würden, wenn man sie wegließe?

Lehrer: Es gibt in der Tat auch ein Kaufmanns-Kanzlei-Deutsch; wir sprechen vom Stil der Geschäftsbriefe noch am Schluß des Lehrgangs. Aber Sie werden heute schwerlich noch einen Kaufmann finden, der von seinen Korrespondenten solche Schnörkel verlangt wie: *Antwortlich Ihres geehrten Gestrigen* oder *Stets mit Vorliebe zu Ihren Diensten*, wobei diese Vorliebe jedem Kunden vorgespiegelt wird. Diese Art Kaufmannsstil ist mit Recht parodiert worden in dem berüchtigten Satz: *In Ihrem Allerwertesten vom 2. Jan. finde ich noch einen dunklen Punkt*, *den ich bei meinem nächsten Dortsein mündlich näher berühren werde.*

Der Lehrer fragt

Wann verwenden wir die Leideform (Passiv)?	1. Wenn wir einen Vorfall vom Standpunkt des Leidenden aus darstellen: *Ich wurde von einem Hund gebissen.* 2. Wenn der Täter unbekannt oder unwichtig ist: *Das Museum wird um 5 Uhr geschlossen.* 3. Wenn der Täter verschleiert werden soll: *Durch diese Wünsche ist die Lieferung verzögert worden.*

Was sollen Bezugssätze enthalten?	Sie sollen beschreiben, unterscheiden oder vorausgegangene Ereignisse nachtragen.
Welche Bezugssätze nennen wir falsche Bezugssätze?	Solche, die eine neue wichtige Tatsache enthalten, womöglich sogar ein Ereignis, das sich erst später abgespielt hat.
Wie heißt das Fürwort für Bezugssätze?	*Der*, *die*, *das*.
Warum sollen wir *welcher* vermeiden?	*Welcher* ist der Redesprache fremd.
Warum sollen wir ausgesprochene Kanzleiausdrücke vermeiden?	Sie sind unnötig lang und papieren, d. h. dem gesprochenen Deutsch unbekannt.
Wie ersetzt man *bzw.*?	Durch *oder*. Wenn das nicht geht, dann durch Teilung des Satzes.
Wie ersetzt man *mit der Maßgabe*?	Man streicht es weg und beginnt den nächsten Satz mit *doch* oder *aber*.
Wann steht *als*, wann *wie?*	Nach Komparativ und *anders: als*, nach *so: wie*.

Aufgaben

Verbessern Sie die Sätze 1–16, soweit sie falsch sind!

1. Durch die Satzung kann vorgeschrieben werden.
2. Als Fabriken gelten Betriebe, in denen Gegenstände gewerbsmäßig bearbeitet oder verarbeitet und hierzu mindestens zehn Arbeiter regelmäßig beschäftigt werden.
3. Wenn der Antrag von dem gesetzlichen Vertreter oder mit dessen Zustimmung gestellt wird, . . .
4. Werden ausgeschlossene Gegenstände zur Beförderung aufgegeben, so ist ohne Rücksicht darauf, ob ein Verschulden des Auftraggebers vorliegt oder nicht, nach Maßgabe der Ausführungsbestimmungen ein Frachtzuschlag zu entrichten. Ferner ist der entstandene Schaden zu ersetzen, auch sind die durch gesetzliche oder polizeiliche Bestimmungen vorgesehenen Strafen verwirkt.
5. Mit dem Stadtratsbeschluß wurde seitens der Kammer sich einverstanden erklärt.
6. Seitens meiner wurden viele starke Bedenken geäußert.
7. Meine Wenigkeit hat sich schon früher erlaubt zu betonen . . .
8. Teile Ihnen ergebenst mit, daß bestellte Pflanzen zum Versand bereitgestellt habe.

9. Ich wachte gestern gegen 6 Uhr auf. Ich frühstückte und ging sofort in den Wald, um Pilze zu suchen. Ich fand auch eine Stelle mit sehr schönen Pilzen, aber ich war nicht sicher, ob es wirklich Steinpilze waren. Ich nahm daher nur einen Teil mit.

10. Der König ließ ihr den Becher reichen, aus dem sie nippte und mit vielen Danksagungen hinwegeilte.

11. Mehrere hiesige Kinder spielten gestern im Hafen auf dem Eise; dabei fiel ein kleiner Junge ins Wasser, den mehrere Arbeiter wieder herauszogen.

12. Am Anfang erfolgte seitens Gottes sowohl die Erschaffung des Himmels als auch die der Erde. Die letztere war ihrerseits eine wüste und leere, und ist es auf derselben finster gewesen, und über den Flüssigkeiten fand eine Schwebung der Geistigkeit Gottes statt.

13. Diejenigen Personen, welche die Absicht haben, die militärische Laufbahn einzuschlagen, haben ihrerseits die Verpflichtung, sich als solche unverzüglich in den Besitz eines Gewehres zu setzen. Letzteres muß von denselben unter Zuhilfenahme einer schwerwiegenden Kugel vermittelst Pulver zur Ladung gebracht werden.

14. Im übrigen finden die Vorschriften des § 5 mit der Maßgabe entsprechende Anwendung, daß auszugsweise Abschrift beim Landrat niedergelegt wird.

15. Deutschland war ungefähr ebenso groß als Frankreich, hatte aber mehr Einwohner wie dasselbe.

16. Mir erscheint das mehr als Dummheit als wie als Verbrechen.

12. Wählen Sie die richtige Zeitform!

5. Lektion

Welches ist die richtige Zeitform? Das Zeitwort kennt, wie Sie wissen, drei Zeitstufen: *48*

Gegenwart (Präsens)	*ich schreibe,*
Vergangenheit (Imperfekt)	*ich schrieb,*
Zukunft (Futurum)	*ich werde schreiben.*

Diese Zeitstufen bezeichnen die **Dauer** einer Handlung. Wir brauchen aber noch Formen, um die **Vollendung** einer Handlung zu kennzeichnen. Was ich in der Gegenwart abgeschlossen und vollendet habe, bezeichne ich mit dem **Perfekt** *ich habe geschrieben.* Was ich schon in der Vergangenheit vollendet hatte, bezeichne ich mit dem **Plusquamperfekt** *ich hatte geschrieben.* So entsteht folgende Tabelle:

	Vergangenheit	Gegenwart
Dauer	*ich schrieb* (**Imperfekt**)	*ich schreibe* (**Präsens**)
Vollendung	*ich hatte geschrieben* (**Plusquamperfekt**)	*ich habe geschrieben* (**Perfekt**)

Das **Imperfekt** ist die Zeitform der Erzählung: *Mein Vater kränkelte damals schon und starb im Februar 1916.*
Das **Perfekt** ist die Feststellung eines Geschehnisses, das abgeschlossen ist, dessen Folgen aber noch in die Gegenwart reichen können: *Wie geht es Ihrem Vater? Er ist am 2. Februar 1916 gestorben.*
Aber diese Unterscheidung wird nicht immer streng durchgeführt. Die Norddeutschen bevorzugen das Imperfekt, auch für vollendete Tatsachen; die Süddeutschen lieben das Perfekt, auch für Erzählungen.
Nun muß ich freilich noch etwas hinzufügen: wenn wir eine Erzählung besonders lebendig gestalten wollen, erzählen wir sie im Präsens. Wir nennen diese Art der Darstellung das **historische Präsens:** *Plötzlich höre ich einen Hilferuf. Ich gehe sofort in der Richtung . . .*
Wenn wir schließlich ein vergangenes Ereignis innerhalb einer Darstellung erwähnen müssen, die im Präsens erzählt wird, so müssen wir das Perfekt gebrauchen: *Ich gehe sofort in der Richtung weiter, in der ich die Rufe gehört habe.*

Stilverbot 12 *Verwenden Sie die Zeitformen nicht willkürlich! Gewöhnlich erzählt man im Imperfekt. Handlungen, die vorausgegangen waren, berichtet man im Plusquamperfekt. Will man lebhaft erzählen, so erzählt man im Präsens. In diesem Fall berichtet man vorangegangene Handlungen im Perfekt.*

Diese Stilregel klingt schwieriger, als sie ist. An den Aufgaben werden Sie merken, daß Sie die richtige Zeitstufe gefühlsmäßig treffen.

13. Ist die deutsche Sprache eine schwierige?

49 **Saure Kirschen.** Kein Mensch sagt in lebendiger Redesprache: *Dieses Haus ist ein großes* oder *Der Unterricht ist ein guter.* Man sagt: *Das Haus ist groß* und *Der Unterricht ist gut;* warum zwei Wörter, wenn eines genügt? *Die deutsche Sprache ist schwierig,* aber nicht *eine schwierige.* Schiller hat ja auch nicht gesagt: *Der Wahn ist ein kurzer und die Reue ist eine lange.*
Nur in einem einzigen Falle darf man das Eigenschaftswort mit *ein* verbinden: wenn wir eine bestimmte Sorte unterscheiden wollen. *Diese Kirsche ist eine saure* heißt: sie gehört zur Art der sauren Kirschen.

Stilverbot 13 *Die deutsche Sprache ist schwierig, aber nicht eine schwierige.*

14. Vorsicht mit was!

50 **Wann dürfen wir *was* sagen?** Was halten Sie von folgenden Sätzen: *Das Haus, was ich gestern gekauft habe* oder *Er versucht die Frage den Schülern zu erklären, was sie sich nur unaufmerksam anhören.* Ich hoffe, die Sätze gefallen Ihnen nicht, aber warum mißfallen sie Ihnen?
Das Wort *was* ist zunächst ein Fragewort. Als Fragewort haben wir es eben verwandt (*Was halten Sie . . .*), und in der Frage ist seine Verwendung klar.
Aber *was* ist außerdem ein bezügliches Fürwort wie *der* und *welcher.* Aber hier darf man es nur mit Vorsicht verwenden. Es darf sich nämlich nur beziehen auf unbestimmte Sachen (*alles, was; manches, was du hast; das, was ich eben gesagt habe*) oder auf ein Eigenschaftswort (*das Beste, was ich weiß*). Es kann sich

dagegen nie beziehen auf ein Hauptwort. Es muß daher heißen: *Das Haus, das ich gekauft habe.* Es soll sich auch nicht beziehen auf einen ganzen Satz; solche *was*-Sätze klingen hart und sind besser zu vermeiden. Es muß also in unserem zweiten Beispiel heißen: *aber sie hörten sich das nur unaufmerksam an.* Bezugssätze mit *was* sind bequem und daher beliebt, aber sie klingen unschön.

Setzen Sie was als Bezugswort nie hinter ein Hauptwort oder hinter einen ganzen Satz, sondern nur hinter eine unbestimmte Sache oder ein Eigenschaftswort! *Stilverbot 14*

15. Stilschlampereien

Nicht schludern! Wie gefallen Ihnen folgende acht Sätze? *51*

a) *Alle Briefe von und an meine Schwester habe ich aufgehoben.*

b) *Wir müssen ihn sofort holen und sagen . . .*

c) *Er ging zusammen mit seinem Vater und Mutter nach Hause.*

d) *Wir hatten selten günstiges Wetter.*

e) *Vor dem Sofa prangte ein Tigerfell, das sein Onkel selbst erlegt hatte.*

f) *Der Tod trat durch einen Schlaganfall ein* oder *Der Tod wurde infolge eines Schlaganfalls herbeigeführt.*

g) *Trotzdem ich ihn oft gewarnt habe, hat er das Saufen nicht aufgegeben.*

h) *Ein vornehmer, aber hochgewachsener Herr.*

Ich hoffe, Sie haben selbst das Gefühl: jeder dieser Sätze enthält einen kleinen Schnitzer. In den ersten drei Sätzen hat der Schreiber ein paar Worte weggelassen, die er aus grammatischen Gründen nicht weglassen dürfte. Es muß heißen:

a) *Alle Briefe von meiner Schwester und an meine Schwester . . .*

b) *Wir müssen ihn sofort holen und ihm sagen . . .*

c) *Er ging mit seinem Vater und seiner Mutter nach Hause.*

Warum?

a) Die Präposition (Verhältniswort) *von* erfordert den Dativ, die Präposition *an* den Akkusativ, also muß man die *Schwester* zweimal auftreten lassen, einmal im Dativ und einmal im Akkusativ.

b) *Holen* regiert den Akkusativ, *sagen* den Dativ.

c) Der *Vater* ist männlich, daher *mit seinem Vater*, die *Mutter* ist weiblich, daher *mit seiner Mutter*. Jede Kürzung ist hier ein grammatischer Fehler.

Und wie steht es mit dem Satz d? Das Wetter war *selten günstig*, also meist schlecht! Oder war es *günstig wie selten?* Die Formel *selten günstig* ist weit verbreitet, aber sie besagt das Gegenteil dessen, was sie sagen soll.
Und wie steht es mit dem Tigerfell? Offenbar hat der Onkel nicht das Fell erlegt, sondern den Tiger. Also muß es heißen: *das Fell eines Tigers, den* . . . Bei all diesen Beispielen hat sich der Schreiber kurz, aber falsch ausgedrückt.
Die drei anderen Sätze enthalten Fehler verschiedener Art. Sie haben nur gemeinsam, daß diese Fehler häufig sind und sich leicht vermeiden lassen.
Das Beispiel f verwechselt die Präpositionen *durch* und *infolge*. Wir können die Ursache eines Geschehens nur dann mit *durch* bezeichnen, wenn das Verbum **transitiv** (Verdeutschung: zielend) ist. Transitiv nennt man Verben, die ein Objekt im Akkusativ haben können, also z. B. *töten*, *schlagen*, *überreden*, *bearbeiten*, *gewinnen*. Sie können die transitiven Verben auch daran erkennen, daß Sie von ihnen die Leideform bilden können (*er wurde getötet*, *geschlagen*, *überredet* usw.). Die übrigen Verben sind **intransitiv,** z. B. *geschehen*, *eintreten*, *sterben*, *frieren*. Hier können Sie kein Passiv bilden. Bei den intransitiven Verben müssen wir die Ursache mit *infolge* angeben. Die beiden Sätze in Beispiel f müssen also heißen: *Der Tod wurde durch einen Schlaganfall herbeigeführt* oder *Der Tod trat infolge eines Schlaganfalls ein.*
In dem Beispiel g beginnt der Nebensatz mit *trotzdem*. Das Wort *trotzdem* ist hier so verwendet wie *obgleich* oder *obwohl*. Sie können diese Verwendung oft lesen. Sie ist neuerdings gestattet, aber dennoch nicht gut. *Trotzdem* soll man nur im Hauptsatz verwenden. Also: *Obwohl ich ihn oft gewarnt habe, hat er trotzdem das Saufen nicht aufgegeben.*
Der letzte Fehler, im Beispiel h, ist ein Fehler des Backfischstils. *Aber* kann nur einen Gegensatz bezeichnen: *Sie ist schön, aber dumm.* Wenn kein Gegensatz besteht, können wir nur ein Komma setzen.

Stilverbot 15 *Keine Stilschlampereien!*

16. Kein falsches um zu!

Um zu. Die Kirche unterscheidet Sünden verschiedener Art. 52
Die geringfügigsten Sünden nennt sie „läßlich". So gibt es auch läßliche Stilsünden. Sie machen den Stil nicht gerade unerträglich, aber sie stören und sind vor allem den Lehrern verhaßt. Die folgenden fünf Stilsünden sind läßliche Sünden.
Robert Blum eilte nach Wien, um dort bald darauf erschossen zu werden. Eilte er wirklich zu diesem Zweck nach Wien?
Wir dürfen *um zu* nur setzen, wenn wir eine Absicht ausdrükken wollen, und zwar muß das Subjekt des Satzes die Absicht hegen. Der Satz: *Der Lehrer holte die Kinder auf das Denkmal, um besser sehen zu können*, ist Unsinn, denn der Lehrer konnte dadurch nicht besser sehen. Richtig wäre: *Die Kinder kletterten auf das Denkmal, um besser sehen zu können.* Wenn wir aber beginnen: *Der Lehrer holte die Kinder herauf*, so dürfen wir nur fortfahren: *damit sie besser sehen konnten.*
Noch ein dritter Fehler wird in den *um-zu*-Sätzen oft gemacht: ein *um-zu*-Satz darf nie von einem Hauptwort abhängen, sondern nur von einem Zeitwort: *Meyer hat sich unter Mitnahme einer Geldsumme, um die Miete zu bezahlen, aus der Wohnung entfernt*, ist schlechtes Deutsch. *Meyer hat sich aus der Wohnung entfernt und dabei eine Geldsumme mitgenommen, um die Miete zu bezahlen.*

Um zu nur in Sätzen, die eine Absicht des Subjekts ausdrücken! Sie dürfen nicht von einem Hauptwort abhängen. Stilverbot 16

17. Wenn mit würde

Würde. Wir können bei jedem Zeitwort den Konjunktiv der 53
Vergangenheit auf zwei Arten bilden: durch Beugung des Verbs *(ich käme, ich stürbe, ich könnte)* oder mit dem Hilfszeitwort *würde (ich würde kommen, ich würde sterben, ich würde können)*. Aber jetzt müssen Sie sich eine Regel merken, für die es keine logische (d. h. verstandesmäßig zwingende) Begründung gibt. Sie beruht einfach auf dem Sprachgebrauch und heißt:

In wenn-Sätzen und anderen Bedingungssätzen kein würde! Stilverbot 17

Sie dürfen also nicht sagen: *Wenn er kommen würde, könnten wir abreisen*, sondern es muß heißen: *Wenn er käme, könnten wir abreisen.*

Es fällt uns manchmal schwer, diese Regel zu befolgen. Denn bei manchen Zeitwörtern lauten Indikativ und Konjunktiv gleich. *Es wäre keine Übertreibung, wenn ich ihn als einen Dummkopf bezeichnete.* Hier merkt man dem Wort *bezeichnete* überhaupt nicht an, daß es ein Konjunktiv ist. Wir neigen daher dazu, zu sagen: *wenn ich ihn als einen Dummkopf bezeichnen würde.* Aber die Schulregeln verbieten *wenn* mit *würde*, und daran müssen wir uns halten.

Auch in den Bedingungssätzen ohne *wenn* dürfen wir *würde* nicht bringen. Also nicht: *Würde ich auf Genesung hoffen, so würde ich die Kur gebrauchen*, sondern: *Hoffte ich auf Genesung, so . . .*

18. Der gedörrte Obsthändler

54 **Zusammensetzungen mit Adjektiven.** Was halten Sie von einer *reitenden Artilleriekaserne*? Offenbar ist sie nichts Rechtes. Denn wenn man ein Eigenschaftswort vor ein zusammengesetztes Hauptwort setzt, bezieht es sich immer auf den zweiten Teil der Zusammensetzung. Wir können daher auch nicht von *ausgestopften Tierhändlern, kleinem Kindergeschrei* oder *zahlreichen Familienvätern* reden. Wir können auch nicht von einem *Bauverbot an unfertigen Straßen* sprechen. Wir müssen sagen: *Verbot, an unfertigen Straßen zu bauen.*

Stilverbot 18 *Eigenschaftswörter vor zusammengesetzten Hauptwörtern beziehen sich immer nur auf den zweiten Teil des Hauptwortes!*

19. Hin und her

55 **Hin und her.** Unterscheiden Sie *hin und her*! Geht die Bewegung zu dem Erzähler oder – wenn es keinen Erzähler gibt – zu dem Subjekt des Satzes, so heißt es *her*; geht sie von ihm weg, so heißt es *hin*. Man kann sich das an dem Vers Goethes merken:

Da stand es gut um unser Haus,
Nur viel herein und nichts hinaus.

Man ruft auch, wenn es klopft, *Herein!*, nicht *Hinein!*
Also: *Ich rief ihn zu mir herauf.*

Aber: *Ich warf ihn die Treppe hinunter.*
Oder: *Karl kam zu mir herein.*
Aber: *Karl warf noch etwas Zucker in die Tasse hinein.*

Her und hin nicht verwechseln! Stilverbot 19
Her bedeutet: zu mir. Hin bedeutet: von mir weg.

20. Stattgefundene Feiern

Stattfinden. *Bei der gestern stattgefundenen Feier war der Bürgermeister anwesend.* Warum mißfällt uns die *stattgefundene Feier*? Nun, *stattgefunden* ist ein Passiv-Partizip (Mittelwort der Leideform). *Stattfinden* ist ein intransitives Verb, und von intransitiven Verben kann man kein Passiv bilden. *Es wird stattgefunden* gibt es nicht. Also kann man auch nicht von einer *stattgefundenen Feier* sprechen, ebensowenig auch von einer *stattgehabten*, denn auch das Zeitwort *statthaben* läßt sich nicht ins Passiv setzen. Es ist im übrigen der Redesprache unbekannt. Wir müssen also sagen: *Bei der gestern veranstalteten Feier* oder *Bei der Feier, die gestern stattgefunden hat*, oder einfach *Bei der gestrigen Feier*. 56

Bilden Sie kein Passiv-Partizip von Verben, die kein Passiv haben! Stilverbot 20

Fragen

Der Schüler fragt

Schüler: Ihre Darlegungen über die verschiedenen Zeitstufen scheinen mir recht schwer verständlich.

Lehrer: Dann muß ich sie noch einmal und besser erklären. Nehmen wir wieder ein Beispiel: Wir setzen einen bestimmten Satz nacheinander in die verschiedenen Zeitstufen. Beginnen wir mit der einfachen Erzählung: *Thomas und Ursula gingen durch den verschneiten Winterwald und kamen an der Stelle vorbei, an der er sie zum erstenmal geküßt hatte.* Was sind das für Zeitstufen?

Schüler: Gingen ist Imperfekt, und *geküßt hatte* ist Plusquamperfekt.

Lehrer: Gut! Nun wollen wir denselben Vorfall einmal im sogenannten historischen Präsens erzählen. Sie wissen, daß wir die Zeitstufe der Gegenwart anwenden, wenn wir die Erzählung besonders lebendig machen wollen: *Thomas und Ursula gehen durch den verschneiten Winterwald und kommen an der Stelle vorbei, wo er sie zum erstenmal geküßt hat.* Welche Zeitstufen sind das?

Schüler: Gehen ist Gegenwart, *geküßt hat* ist Perfekt.

Lehrer: Jetzt müssen Sie sich nur noch klarmachen, daß das Perfekt außerdem auch verwendet wird, um vollzogene Tatsachen festzustellen, also z. B. in Mörikes Vers:

> *Ihr tausend Blätter im Walde wißt:*
> *Ich hab Schön-Rotrauts Mund geküßt.*

Der Knabe erzählt nicht, er stellt eine Tatsache fest, deshalb wählt er das Perfekt.

Vielleicht hilft Ihnen auch die folgende kleine Tabelle:

Zeitstufen	*Verwendungen*
Präsens	a) für die Darstellung gegenwärtiger Handlungen und Tatbestände (Dauer in der Gegenwart);
	b) für die Erzählung vergangener Ereignisse, wenn wir sie besonders lebhaft gestalten wollen (historisches Präsens);
Imperfekt	für die Erzählung von Ereignissen oder Tatbeständen der Vergangenheit (Dauer in der Vergangenheit);
Perfekt	a) für die Feststellung von Ereignissen und Handlungen, deren Abschluß in die Gegenwart reicht (Vollendung in der Gegenwart);
	b) für die Erzählung vorausgegangener Ereignisse, wenn die Haupthandlung im Präsens erzählt worden ist;
Plusquamperfekt	für die Erzählung vorausgegangener Ereignisse, wenn die Haupthandlung im Imperfekt erzählt wurde.

Schüler: Sie haben gesagt: *wenn* nie mit *würde*! Aber wie steht es mit dem Satze: *Wenn er käme, würde ich mich freuen?*

Lehrer: Der Satz ist völlig richtig. *Würde* steht hier ja nicht in dem Bedingungssatz, sondern in dem Hauptsatz. Da muß es stehen.

Der Lehrer fragt

Wann verwenden wir das Präsens?	Für die Darstellung gegenwärtiger Vorfälle und Tatbestände (Dauer in der Gegenwart). Außerdem dann, wenn wir die Erzählung vergangener Ereignisse besonders lebhaft gestalten wollen (historisches Präsens).
Wann verwenden wir das Imperfekt?	Für die Erzählung vergangener Ereignisse oder Tatbestände (Dauer in der Vergangenheit).
Wann verwenden wir das Perfekt?	Für die Feststellung von Ereignissen oder Tatbeständen, deren Abschluß in die Gegenwart reicht (Vollendung in der Gegenwart); außerdem für die Erzählung vorausgegangener Ereignisse, sofern die Haupthandlung im Präsens erzählt wird.
Wann verwenden wir das Plusquamperfekt?	Für die Erzählung vorausgegangener Ereignisse, wenn die Haupterzählung im Imperfekt gehalten ist.
Wann dürfen wir *was* als Bezugsfürwort verwenden?	Nur wenn es sich auf eine unbestimmte Sache oder auf ein Eigenschaftswort bezieht (*alles*, *was* oder *das Beste*, *was*).
Wann dürfen wir in Bedingungssätzen (*wenn*-Sätzen) *würde* verwenden?	Nie!
Wann nur dürfen wir Sätze mit *um zu* bilden?	Um eine Absicht des Subjekts zu bezeichnen.
Wenn wir zu einem zusammengesetzten Hauptwort (z. B. *Kleiderhändler*) ein Eigenschaftswort hinzufügen: worauf bezieht es sich dann?	Auf den zweiten Teil des zusammengesetzten Wortes. Daher nur z. B. *tüchtiger Kleiderhändler*, aber nicht *getragener Kleiderhändler*.
Wann setzen wir *her* und *hin*?	*Her* bezeichnet die Bewegung zum Erzähler oder – wenn kein Erzähler vorhanden ist – zum Subjekt des Satzes; *hin* bezeichnet die Bewegung von ihm weg.

Aufgaben

Verbessern Sie die nachstehenden Sätze, soweit sie falsch sind!

1. Ich habe gestern eine große Dummheit gemacht. Ich bin über den Marienplatz gegangen und habe in einem Laden eine wunderschöne Schale gesehen. Sie war so ähnlich wie die, welche mein Sohn kürzlich zerschlagen hat, nur größer wie jene. Ich habe sie kurzerhand gekauft, aber schon nach einer Stunde hat es mich gereut, weil ich gar nicht genug Geld dafür habe.

2. Wie ich gestern über den Stachus fahre, springt plötzlich ein Kind von drei Jahren gerade vor meinen Wagen. Ich reiße das Steuer nach rechts und trete die Bremse, daß ich selbst gegen das Steuer flog. Meine Frau schrie vor Schrecken, wie sie noch nie in ihrem Leben geschrien hatte, aber der Wagen stand wirklich gerade vor dem Jungen.

3. Ist die Aufgabe Nr. 2 eine besonders schwer zu lösende?

4. Eben bekomme ich die Nachricht, daß der Maschinenlieferant die Motoren nicht mitschickte.

5. Das Wohlwollen, was ich bei Ihnen immer gefunden habe, . . .

6. Das war das Dümmste, was er tun konnte.

7. Von einem solchen Dummkopf, wie er ist, will ich nicht einmal gelobt werden.

8. Die Waren, welche mir von Ihnen gesandt wurden, entsprechen nicht den Mustern.

9. Du mußt das anders machen wie bisher.

10. Ich legte ihm seine Fehler dar, was ihn offensichtlich verdroß.

11. Das mich betroffene Leid hat meine Gesundheit geschwächt.

12. Wenn er besser aufpassen würde, würde er bei diesem Satz den Fehler schnell finden.

13. Goethe ging nach Weimar, um dort noch über 60 Jahre zu leben.

14. Die Rückkehr des Fürsten in die Residenz, um dort den Winter zu verbringen, hat allgemeine Freude verursacht.

15. Fast 50 Jahre waren die beiden verheiratet, und dieser lange Ehemann hat nie den kleinsten Streit in seiner Familie gekannt.

16. Die aus Polen vertriebenen, aufgelösten Klosterjungfrauen sollen . . .

17. Wagen Sie es nicht, mein Haus zu betreten, sonst kommen sie schneller heraus als hinein!

18. Er rief laut: Hin zu mir! Darauf eilte sie zu ihm her.

19. Er ist dümmer wie die Polizei erlaubt.

Zusammenfassung der Lektionen 2 bis 5

Wir haben Stilsünden verschiedener Art betrachtet. Einige gehörten eigentlich in das Gebiet der Grammatik oder wenigstens in das Grenzgebiet zwischen Grammatik und Stilistik – denn diese Grenze ist durchaus flüssig –, so z. B. das Verbot des falschen Genitivs, des *wenn* mit *würde*, des falschen *hin* und *her*, des falschen *als* und *wie* oder des falschen Bezugsworts *was*. Andere betrafen die Wortwahl – so die Regeln über *derselbe*, über Wiederholung, über Doppelausdrücke und über Kanzleischnörkel. Von der Wortstellung handelte die Regel über die Zerreißung zusammengesetzter Verben, vom Satzbau das Verbot des Satzdrehs nach *und* und der Klemmkonstruktionen. Die Fragen der richtigen Zeitstufe führten schon in schwierigere Gebiete. So könnte es scheinen, als hätte ich willkürlich zwanzig Stilsünden herausgegriffen. Aber dem ist nicht so. Freilich habe ich diese Stilgebrechen nicht unter einem systematischen Gesichtspunkt herausgesucht, sondern unter einem pädagogischen, auf deutsch, ich habe nicht ausgewählt, was nach einem einheitlichen Plan für die Sprachwissenschaft zuerst darankommen müßte, sondern ich habe ausgewählt, was vom Standpunkt des Schülers aus am einfachsten dargelegt werden kann. Deshalb habe ich Stilgebrechen zusammengestellt, die besonders verbreitet sind und die sich im Grunde leicht vermeiden lassen. Es waren Fehler, bei denen ein einfaches Verbot genügt. Es ist nämlich immer leichter, etwas zu unterlassen, als etwas Bestimmtes zu vollbringen. Zum Glück gilt nun für die Stilkunst der Vers von Wilhelm Busch:

> „*Das Gute – dieser Satz steht fest –*
> *Ist stets das Böse, was man läßt.*“

Anders ausgedrückt: Wer sich die Stillaster abgewöhnt hat, hat schon einen großen Teil des Weges zum guten Stil zurückgelegt. Wenn Sie wirklich gelernt haben, Kanzleiausdrücke zu vermeiden, Wörter nur zu wiederholen, wo es berechtigt ist, keine Klemmkonstruktionen mehr zu bauen, hinter *und* den Satz nicht umzudrehen, und so weiter ..., dann werden Sie auch den Rest des Weges leicht bezwingen.

Denn ich will Ihnen ein Geheimnis verraten: Wir haben nicht nur diese zwanzig Stilsünden überwunden. Wir haben, ohne daß Sie es merkten, schon Patrouillen in das Gebiet vorgetrieben, das wir noch erobern müssen. Wir haben nämlich bei Erörterung der zwanzig Stilsünden einige allgemeine Grundsätze der Stilkunst kennengelernt. Die Kenntnis dieser Grundsätze wird es uns gewaltig erleichtern, mit den folgenden Lektionen fertig zu werden.

Und was sind diese Grundsätze? Da müssen wir uns einen Augenblick auf die Hintergründe unserer Stilregeln besinnen. Warum haben wir eigentlich *derselbe* und andere Kanzleiausdrücke verboten? Warum waren wir gegen Klemmkonstruktionen, gegen falsche Bezugssätze, gegen das Übermaß der Leideform, gegen die Zerreißung der zusammengesetzten Verben? Wenn Sie sich auf meine Begründungen besinnen, werden Sie finden, daß immer dieselben Argumente wiederkehren: Die verbotenen Stilformen sind redefremd, schwer verständlich oder unnötig lang.

Was folgt daraus? Es folgen daraus die Stilgrundsätze, die wir zunächst einmal nur vorläufig formulieren:

Schreibe, wie du sprichst!
Schreibe verständlich!
Schreibe knapp!

Wir werden in den nächsten Lektionen diese Grundsätze noch etwas genauer formulieren. Auch nützen Ihnen solche abstrakten Grundsätze für sich allein nicht das mindeste. Sie müssen lernen, wie man sie im einzelnen anwendet. Davon handeln die nächsten Lektionen.

Wiederholungsaufgaben für Lektion 2 bis 5

1. Schreiben Sie aus dem Kopf die zwanzig Stilverbote nieder!
2. Warum sollen Sie *derselbe* und andere Kanzleiausdrücke und die übermäßige Anwendung der Leideform vermeiden?
3. Wann darf man das gleiche Wort innerhalb weniger Zeilen wiederholen?
4. Wie kann man falsche Wiederholungen vermeiden?
5. Streichen Sie im nachstehenden Brief alle Fehler mit Rotstift an und schreiben Sie jeweils die Nummer der Stilregel daneben, gegen die verstoßen wurde!

Danke Ihnen für Ihre mehr wie ausführliche Darlegung, bin aber leider nicht in der Lage, an meinen Ausführungen etwas ändern zu können, und hoffe ich, daß Sie nach nochmaliger Prüfung derselben beipflichten werden. Es wird meinerseits nicht bestritten, daß die durch die infolge Stromsperre eingetretene Produktionsstockung unserer keimfreien Eisfabrik verursachte Situation von Ihrer Firma eine unangenehme bzw. bedrohliche wurde, was aber, wenn Sie mir einen neuen Auftrag hineinschicken würden, sich in den nächsten Monaten beheben lassen würde, welche durch die stattgefundenen Vergrößerungsbauten meine Leistungsfähigkeit stark erhöhen werden.

6. Übersetzen Sie den Brief in ein natürliches Deutsch!

7. Geben Sie für die folgenden Wörter die deutschen Fachausdrücke und erklären Sie, was sie bedeuten: Pronomen, Inversion, Pleonasmus, Relativsatz, Dativ, Prädikat, Passiv, Verb, Adverb, Subjekt, adverbiale Bestimmung, Adjektiv, Imperfekt, Akkusativ und Plusquamperfekt!

8. Geben Sie je ein Beispiel für folgende Begriffe: Satzdreh nach *und*, Klemmkonstruktion, Kanzleiausdruck und falscher Bezugssatz!

9. Was ist der Unterschied zwischen Hauptwort und Satzgegenstand, zwischen Wesfall und Indikativ, zwischen Adverb und Perfekt?

Zweite Stufe
DIE ZWANZIG STILREGELN

1. Wähle das treffende Wort!

Der besondere Ausdruck. In der Bergpredigt finden wir folgende Sätze: *1*

Und warum machet ihr euch Gedanken wegen eurer Lebensbedürfnisse? Schauet die Blumen in der Natur, wie sie an Größe zunehmen, sie verrichten keinerlei Arbeit; ich erkläre euch, daß ein Fürst in seinem herrlichsten Gewande nicht so geschmückt ist wie sie. Wenn nun die Vorsehung Gottes die pflanzlichen Organismen so verschönert, die doch nur kurze Zeit bestehen und bald zu den gewöhnlichsten Zwecken verbraucht werden, um wieviel eher wird er nicht euch zu einer Bekleidung verhelfen.

Lautet die Stelle wirklich so? O nein! Sie heißt vielmehr in der Lutherischen Übersetzung:

Und warum sorgt ihr für die Kleidung? Schauet die Lilien auf dem Felde, wie sie wachsen; sie arbeiten nicht, auch spinnen sie nicht.
Ich sage euch, daß auch Salomo in all seiner Herrlichkeit nicht bekleidet gewesen ist als derselbigen eine.
Und wenn Gott das Gras auf dem Felde also kleidet, das doch heute stehet und morgen in den Ofen geworfen wird: sollte er das nicht viel mehr euch tun, o ihr Kleingläubigen?

Wie unterscheiden sich die beiden Texte? Stellen wir einige Unterschiede übersichtlich nebeneinander:

Gedanken machen	*sorgen*
Lebensbedürfnisse	*Kleidung*
Blumen in der Natur	*Lilien auf dem Felde*
an Größe zunehmen	*wachsen*
Arbeit verrichten	*spinnen*
Fürst	*Salomo*
pflanzliche Organismen	*Gras*
verbraucht werden	*in den Ofen geworfen werden*

Sie sehen, links steht immer ein allgemeiner, rechts ein spezieller oder – wie wir deutsch sagen wollen – ein besonderer Ausdruck. Was lernen wir aus diesem Beispiel? Wir haben oft die Wahl zwischen zwei Ausdrucksmöglichkeiten, zwischen dem allgemeinen und dem besonderen Wort. Wir können z. B. von einem Lebewesen sagen: *es ißt.* Aber das ist ein sehr allgemeiner Ausdruck. Viel anschaulicher sind die besonderen Ausdrücke, die wir für den Vorgang des Essens haben, also z. B. *futtern, etwas zu sich nehmen, speisen, naschen, stopfen, schmausen, schnabulieren, frühstücken, verdrücken, verschlucken, vespern, einhauen, mampfen, löffeln, sich den Leib vollschlagen, sich gütlich tun, Fettlebe machen* usw. Jedes dieser Wörter hat eine etwas andere Bedeutung. Aber nur wenn wir solche Wörter verwenden, schreiben wir genau und eindringlich. Wie viele Wörter gibt es für das Ende einer Bewegung! *Ein Zug bremst, ein Schiff dreht bei, ein Auto stoppt, ein Flugzeug landet, ein Redner hält inne oder stockt, eine Maschine kommt zum Stillstand, ein Wanderer macht halt, ein Vogel läßt sich nieder, ein Müder setzt sich, ein Roman endet, ein Lied klingt aus, ein Schrei verhallt:* jedesmal benötigen wir ein anderes Verb.

Wie viele besondere Ausdrücke gibt es für die Empfindungen der Unlust: *sich abhärmen, sich ängstigen, sich ärgern, ausstehen, etwas durchmachen, klagen, kränkeln, leiden, sich sorgen, trauern, verzweifeln, Schmerz dulden, erleiden, fühlen, Sorge haben, untröstlich sein, dem Kummer erliegen, etwas satt haben, auf Nadeln sitzen, wie auf glühenden Kohlen sitzen, vom Schicksal heimgesucht werden, den Leidenskelch bis auf die Hefe, bis auf den Grund leeren, unangenehm berührt werden, ihm wird wind und weh, blümerant, bittere Erfahrungen machen, teuer bezahlen, sich Sorge machen, kein Auge schließen, benachteiligt werden, die Haare stehen zu Berge, besorgt, betroffen, betrübt, kummervoll, sorgenvoll, verwundet, arm, armselig, bedauernswert, bejammernswert, beklagenswürdig, bemitleidenswert, betrübend, beweinenswert, deprimiert, düster, elegisch, elend, erbärmlich, ergreifend, freudlos, niedergedrückt, niedergeschlagen, reizbar, schmerzerfüllt, schwermütig, tatenlos, traurig, trostlos, trübselig, überdrüssig, unbefriedigt, unglücklich, unglückselig, unselig, untröstlich, unzufrieden, wehmütig, verzagt, verzweifelt sein.*

Oder ich kann von einem Menschen schlechthin sagen: er ist *dumm*. Aber viel eindringlicher spreche ich, wenn ich unterscheide zwischen *albern, beschränkt, blöde, fade, gedankenlos, schal, seicht, schwachköpfig, stümperhaft, talentlos, töricht, unbegabt, unbesonnen, unreif, unvernünftig, unwissend* usw.

Veranschaulichen wir uns das durch ein Schema! Der Allgemeinbegriff Wagen z. B. zerfällt in eine Reihe von Unterbegriffen: Droschke / Einspänner / Dogcart / Equipage / Fuhre / Karren / Kutsche / Omnibus / Troika / Tandem / Viktoria /

Landauer / Karosse / Kremser / Rikscha / Stellwagen / Auto / Kabriolett / Limousine / Taxe / Autobus / Draisine. Sie werden ein wenig erstaunt sein, wie lang die Liste ist. Haben Sie keine Angst: niemand verlangt von Ihnen, daß Sie solche Listen griffbereit im Kopfe haben. Ich könnte das auch nicht! Ich habe sie vielmehr aus einem Wörterbuch der sinnverwandten Wörter abgeschrieben. Wichtig ist nur: Wenn Sie einen bestimmten Wagen vor sich sehen, müssen Sie wissen, wie man ihn nennt.

Tote Verben. Ein besonders betrübliches Beispiel allgemeinen Ausdrucks sind jene Verben allgemeinster Natur, die man die toten Verben nennen könnte: *sein*, *haben*, *sich befinden*, *liegen*, *machen*, *sich ereignen*, *es gibt*. Nehmen wir wieder ein paar Beispiele: 2

allgemeiner Ausdruck	*besonderer Ausdruck*
Ein hoher Turm stand in der Abenddämmerung.	*Ein hoher Turm ragte in das Abenddämmern.*
Der Drachen war sehr hoch in der Luft.	*Hoch in der Luft hing der Drachen.*
In dem Gewässer waren viele Fische.	*Fette Karpfen schwammen in dem Teich.*
Über die Wiese lief langsam ein Pferd.	*Über die Wiese trabte ein Schimmel.*
Auf dem Marktplatz war eine ungeheure Menge.	*Hunderte von Menschen drängten sich auf dem Marktplatz.*
Ein Lastauto kam vorbei.	*Ein Lastauto ratterte vorbei.*
Abends gehe ich gemütlich vor dem Haus auf und ab.	*Abends schlendere ich gemütlich vor dem Haus auf und ab.*
In dieser Öde gibt es keine Blumen und Vögel.	*Keine Blume duftet in dieser Öde, kein Vogel singt in dieser Einsamkeit.*
Die Stadt war voll Aufregung.	*Vor Aufregung zitterte die Stadt.*
Hier befindet sich eine Brücke über den Fluß.	*Hier schwingt sich eine Brücke über den Fluß.*
Am Ende des Tals liegt ein Kirchturm.	*Am Ende des Tals hebt sich ein Kirchturm aus dem Wiesengrund.*

Als sich dies neue Unglück bei ihr ereignete.	*Als dies neue Unglück über sie hereinbrach.*

Es gibt keinen guten Stil ohne den genauen, den treffenden Ausdruck. Und genau ist immer nur der spezielle, der besondere Ausdruck, nicht der allgemeine.
Wer flüchtig beobachtet und sich schlampig ausdrückt, der wählt immer den allgemeinen Ausdruck. Der allgemeine Ausdruck ist bequem: er paßt zur Not immer. Allgemeine Begriffe sind weit, aber leer. Sie sind deshalb auch unanschaulich und langweilig; alles Eigentümliche geht verloren.
So können wir jetzt die erste große positive Stilregel niederschreiben. Sie klingt einfach, aber wer sie wirklich zu befolgen vermag, der wird immer einen vortrefflichen, einen eindringlichen Stil schreiben.

Stilregel 1 *Wählen Sie den besonderen Ausdruck, nicht den allgemeinen!*

Bequemer ist es natürlich, sich mit allgemeinen Ausdrücken zu begnügen. Kinder (aber auch viele, unkonzentrierte Erwachsene) erzählen am liebsten in der Form: *Da kam gestern der Dings und sagte: Wenn wir heute noch nach Dings wollen, müssen wir bald los.* Von diesem *Dings*-Stil müssen wir uns möglichst weit entfernen.

3 **Weltkenntnis.** Aber – so werden Sie fragen – wie finden wir nun den treffenden, den speziellen Ausdruck? Den richtigen Ausdruck findet, wer die Welt kennt! Die allgemeinen Phrasen entstammen einer Wirklichkeitsverdünnung, einer Blindheit für das Gegenständliche, einem Mangel an Erfahrung, einer Unwissenheit, die durch die Unbestimmtheit des Ausdrucks verhüllt werden soll. Dies gilt im kleinen wie im großen. Wer gelernt hat, gut zu unterscheiden und sich scharf auszudrücken, der wird nicht immer *Geräusch* sagen, sondern zwischen *Gebraus, Gebrüll, Gedröhne, Gedudel, Gehupe, Gejodel, Geklapper, Geklirr, Geklopfe, Geknarr, Geknatter, Geplapper, Geplätscher, Gepolter, Geprassel, Gequietsche, Gerassel, Gerumpel, Gezeter* unterscheiden.
Ein vortreffliches Mittel, um den Wortschatz zu erweitern, ist das Studium des „Bilder-Duden" (Bibliographisches Institut, Mannheim). Er enthält einige hundert Bilder; zu jedem Teil

des Bildes ist eine Zahl gesetzt, und in einem Verzeichnis neben dem Bild finden Sie, wie der Teil heißt; mehr als 25000 Wörter unserer Sprache sind so veranschaulicht. Ich gebe auf Seite 266f. ein Beispiel und empfehle Ihnen, erst allein zu überlegen, was jede Nummer bedeutet. Sie werden eine merkwürdige Feststellung machen: viele der Wörter gehören zwar zu Ihrem passiven, aber nicht zu Ihrem aktiven Wortschatz!
Was heißt das?

Aktiver und passiver Wortschatz. Wir müssen bei unserm Wortschatz unterscheiden zwischen Wörtern, die wir verstehen, und Wörtern, die wir selbst gebrauchen, zwischen dem passiven und dem aktiven Wortschatz. Der „aktive" „„sprechende" Wortschatz ist bei allen Menschen geringer als der „passive", „stumme". Es gibt eine Fülle von Wörtern, die bei den meisten Menschen gleichsam schlummern; zur genauen Wortwahl gehört aber ein griffbereiter Wortschatz. Alles kommt darauf an, möglichst viele Wörter aus dem passiven in den aktiven Wortschatz herüberzubefördern. 4

Hierzu helfen Ihnen solche Bücher wie der Bilder-Duden. Wenn Sie mit der nötigen Liebe und Geduld die zehn oder zwölf Landschaftsbilder im Bilder-Duden studiert haben, dann wird Ihnen beim Spazierengehen die Landschaft ganz anders erscheinen. Und wenn Sie das halbe Dutzend Tafeln über Kleidung durchgesehen haben, werden Sie endlich im Gespräch mit Frauen zu deren Überraschung jede Rüsche eine Rüsche nennen. Sie werden nach der Lektüre des Buches die Musikinstrumente – von den dortigen vier Tafeln gebe ich hier eine als Beispiel – richtig benennen; Sie werden nicht mehr beim Spaziergang „Schau mal, der große Vogel" sagen, sondern „Da ist ein Hühnerhabicht!" Sie werden wissen, was *gezähnt*, *gezackt* und *gekerbt* ist, wie es im Theater heute hinter der Bühne aussieht, wie man sich bei einem Rennen fachmännisch ausdrückt, und so fort. Sie bereichern auf diese Weise nicht nur Ihre Sprache, sondern Ihr Leben. Der Mensch sieht vieles nur, wenn er an Hand von Namen gelernt hat zu unterscheiden. Ein Eisenbahner sieht einen Rangierbahnhof anders an als ein Laie. Alle diese Dinge finden Sie in dem Bilder-Duden.
Ein ähnliches Buch ist der Sprachbrockhaus (Verlag Brockhaus, Wiesbaden). Er enthält zum großen Teil Erklärungen; der Bilderteil ist nicht so umfangreich, aber doch auch sehr nützlich.

Mancher wird über solche Bilder lächeln, denn neun Zehntel der Wörter waren ihm geläufig. Aber wissen Sie und Ihre Kinder wirklich ganz genau, was man Stores und Markisen und Lambrequins und Vorreiber und Blendrahmen nennt? Wer stets den genauen, den besonderen Ausdruck wählt, wirkt als Mensch, der die Welt kennt.

5 **Nacherzählungen.** Der besondere Ausdruck macht den Stil anschaulich und gehaltvoll. Das läßt sich leicht beweisen. Lesen Sie irgendeinem Bekannten eine Seite Prosa eines guten Erzählers vor und bitten Sie ihn, nach einer halben Stunde niederzuschreiben, was er gehört hat. Wenn er nicht ein besonders begabter Mensch ist, wird sein Text viel allgemeiner und verblasener sein als der Urtext. Ein Beispiel, der Anfang des berühmten Romans *Das Gemeindekind* von Ebner-Eschenbach:

> Im Oktober 1860 begann in der Landeshauptstadt B. die Schlußverhandlung im Prozeß des Ziegelschlägers Martin Holub und seines Weibes Barbara Holub.
>
> Die Leute waren gegen Ende Juni desselben Jahres mit zwei Kindern, einem dreizehnjährigen Knaben und einem zehnjährigen Mädchen, aus ihrer Ortschaft Soleschau im Pfarrdorfe Kunovic eingetroffen. Gleich am ersten Tage hatte der Mann seinen Akkord mit der Gutsverwaltung abgeschlossen, seinem Weib, seinem Jungen und einigen gedungenen Taglöhnern ihre Aufgabe zugewiesen und sich dann zum Schnaps ins Wirtshaus begeben. Bei der Einrichtung blieb es während der drei Monate, welche die Familie in Kunovic zubrachte. Das Weib und Pavel, der Junge, arbeiteten; der Mann hatte entweder einen Branntweinrausch oder war im Begriff, sich einen anzutrinken. Manchmal kam er zur gemeinschaftlichen Schlafstelle unter dem Dach des Schuppens getaumelt, und am nächsten Tag erschien dann die Familie zerbläut und hinkend an der Lehmgrube. Die Taglöhner, die nichts hören wollten von der ihnen zugemuteten Fügsamkeit unter die Hausordnung des Ziegelschlägers, wurden durch andere ersetzt, die gleichfalls „kehr-um-die-Hand" verschwunden waren. Zuletzt traf man auf der Arbeitsstätte nur noch die Frau und ihre Kinder. Sie, groß, kräftig, deutliche Spuren ehemaliger Schönheit auf dem sonnverbrannten Gesicht, der Bub plump und kurzhalsig, ein ungeleckter Bär, wie man ihn malt oder besser nicht malt. Das Mädchen nannte sich Milada und war ein feingliedriges, zierliches Geschöpf, aus dessen hellblauen Augen mehr Leben und Klugheit blitzte als aus den dunklen Barbaras und Pavels zusammen.

Die Wiedergabe sieht dann etwa so aus:

> Vor ein paar Jahren fand ein Prozeß gegen den Maurer Holub und seine Frau statt. Die Familie war vor einigen Monaten von Soleschau

nach Kunovic gekommen. Sie brachten einen Knaben von 13 und ein Mädchen von 10 Jahren mit. Sofort nach seinem Eintreffen machte er einen Akkord mit dem Gut, ließ sein Weib und seinen Jungen arbeiten und ging ins Wirtshaus Schnaps trinken. So verfuhr er während der ganzen Zeit, die er in Ku. blieb. Die Frau und der Sohn mußten arbeiten, während er betrunken war. Wenn er betrunken in die gemeinsame Wohnung heimgekehrt war, verprügelte er meist seine ganze Familie und seine Arbeiter. Letztere ließen sich dies nicht gefallen und wechselten daher häufig. Schließlich bekam er überhaupt keine Leute mehr. Die Frau war kräftig und ehemals offenbar schön gewesen, der Junge plump und ungeschickt. Das Mädchen hieß Milada, war schlank und lebhaft und hatte kluge Augen.

Prüfen Sie die Unterschiede genau, dann wissen Sie, warum Marie von Ebner eine große Schriftstellerin war.
Es gibt viele Wege, den Wortschatz zu mehren. Die wichtigsten sind Wortsuchübungen und aufmerksames Lesen. Wie man Wortsuchübungen veranstaltet, können Sie in den Aufgaben dieses Abschnittes nachlesen. Vom gründlichen Lesen wird das letzte Kapitel handeln.

Fragen

Der Schüler fragt

Schüler: Offen gesagt: alles klingt viel schwieriger als auf der ersten Stufe! Den Satzdreh nach *und* zu unterlassen und auf *derselbe* zu verzichten: das war nicht schwierig. Aber wo nehme ich immer den besonderen Ausdruck her?

Lehrer: Wie jede Fertigkeit ist das eine Sache des Willens und der Übung. Sie müssen sich zunächst einmal ganz klarmachen: nur wenn ich mich um den besonderen Ausdruck bemühe, kann ich einen eindringlichen Stil schreiben. Wenn Sie von dieser Einsicht ganz durchdrungen sind, ist der Rest Übungssache.

Schüler: Und wie übt man das?

Lehrer: In dieser Lektion sind die Aufgaben besonders wichtig. Sie sind so wichtig, daß ich auch in die Aufgaben der folgenden Lektionen immer wieder einige Wortschatzübungen einstreuen werde. Es sind zugleich wahre Denksport-Aufgaben.

Schüler: Und was für Aufgaben sind das?

Lehrer: Ich werde Sie zunächst fragen, wie die Oberbegriffe zu bestimmten Begriffen heißen, also z. B.: Wie heißt der Oberbegriff zu Hund und Katze?

Schüler: Tier! Das ist nicht schwer. Aber den Oberbegriff zu finden ist ja das Gegenteil dessen, worauf es in der Stilkunst ankommt. Denn da soll ich ja die Unterbegriffe ermitteln und einsetzen.

Lehrer: Ganz richtig! Das Suchen nach den Oberbegriffen soll nur als eine Art Kopfmassage die Zusammenhänge klären. Dann kommt – das ist der Kern der Aufgaben – in den verschiedensten Formen der Auftrag, die Unterbegriffe zu finden. Ich werde Sie z. B. fragen: Wie heißen die Unterbegriffe von *sehen*?

Schüler: Glotzen, *gucken*, *spähen*, *schauen* usw.

Lehrer: Ich werde Ihnen ferner eine Anzahl Wörter vorlegen und Sie bitten, sie in bestimmte „Wortfelder“ einzuordnen.

Schüler: Was heißt das?

Lehrer: Als „Wortfeld“ bezeichnet man den Sinnzusammenhang eines Wortes. In das Wortfeld *sich freuen* gehört z. B. *vergnügt sein*, *lachen*, *froh sein*, *strahlen* usw.

Schüler: Das kann nicht schwer sein.

Lehrer: Dann werde ich Ihnen Sätze nennen, die einen allgemeinen Begriff enthalten, z. B. die toten Verben wie *sein*, *haben*, *machen*, und werde Sie bitten, diese Verben durch speziellere Ausdrücke zu ersetzen. In anderen Sätzen werde ich Ihnen die Auswahl zwischen mehreren Wörtern überlassen, aus denen Sie das passendste herausfinden müssen. Oder ich werde Ihnen Beispiele geben, in denen ein Wort durch einen Strich ersetzt ist, und Sie müssen das betreffende

Wort finden. Schließlich werde ich Ihnen Gruppen und Sätze vorlegen, in denen einzelne Wörter vertauscht sind und wieder richtig angeordnet werden müssen.

Schüler: Man könnte ja auch alle sinnähnlichen Wörter zu einem bestimmten Begriff heraussuchen.

Lehrer: Auch das wird Ihnen nicht erspart bleiben. Ich werde Sie auch nach den Gegensätzen zu bestimmten Begriffen fragen, also etwa: Was ist das Gegenteil von *verschlechtern*?

Schüler: Verbessern.

Lehrer: Sie verbessern sich merklich! Sie werden staunen, wie Ihr Wortschatz allmählich wachsen wird.

Der Lehrer fragt

Wie bezeichnet man das logische Verhältnis der Begriffe *Möbel* und *Tisch*?	Oberbegriff und Unterbegriff, oder allgemeiner Begriff und besonderer Begriff.
Nach welchem Begriff muß man beim Schreiben suchen, um die Dinge treffend zu bezeichnen?	Nach dem genau passenden Unterbegriff.
Was ist der Nachteil der allgemeinen Begriffe?	Sie sind weit und leer, d. h. sie umfassen viele Dinge und sagen nichts Bestimmtes aus. Sie sind daher langweilig und unanschaulich.
Welche Verben kann man als tote Verben bezeichnen?	Die allgemeinsten Verben, also *sein*, *haben*, *sich befinden*, *machen*, *es gibt*.
Was heißt aktiver und passiver Wortschatz?	Der aktive Wortschatz sind die Wörter, die wir laufend gebrauchen, der passive diejenigen, die wir verstehen, aber selbst nicht benützen.

Aufgaben und Denkübungen

1. Was ist der Oberbegriff zu folgenden Begriffspaaren?
   a) *Tisch – Stuhl.* b) *Tatze – Pfote.* c) *Wein – Bier.*
   d) *Kirche – Kapelle.* e) *Bruder – Schwester.* f) *Arbeit – Spiel.*

2. Nennen Sie zwei oder drei Unterbegriffe zu folgenden Oberbegriffen:
   a) *Handwerker.*
   b) *Zeitabschnitt.*
   c) *stehlen.*

3. Ordnen Sie nachstehende Wörter so, daß das allgemeinste zuerst und das speziellste zuletzt steht, also z. B. *Lebewesen – Tier – Säugetiere – Hund – Pudel.*

a) *Gerät – Ding – Waffe – Schießeisen – Pistole.*
b) *Flüssigkeit – Wein – Körper – Getränk – Burgunder.*
c) *Verwandter – Mitmensch – Nachkomme – Enkel.*

4. Ordnen Sie die nachstehenden Wörter in folgende Wortfelder:
verwundert sein | *zornig sein* | *traurig sein* | *Mut haben*
stutzen, aufbrausen, sich abzehren, sich unterfangen, wagen, glotzen, trotzen, einschnappen, sich entrüsten, getrauen, staunen, schwernehmen, schmollen, sieden, sich grämen, Augen machen.

5. Was macht das Feuer? (z. B. *brennen, flackern*). Ordnen Sie die Wörter in der Reihenfolge der Helligkeit!

6. Wie heißt das Gegenteil von *reden, sterben, gebrauchen, gefallen, prahlerisch, lachen?*

7. Wie sagt man kürzer für *heiter machen, müde machen, schläfrig machen, ängstlich machen?*

8. Setzen Sie ein genaueres Verb an Stelle von *tun* und *machen* in folgenden Sätzen: *Tu die Bücher in den Schrank! Tu die Blumen in die Vase! Mach das Bild an die Wand! Der Buchbinder macht ein Buch.*

9. Welche sinnverwandten Wörter gibt es für *furchtsam?*

10. Wählen Sie jedesmal von den in Klammern stehenden Wörtern das passendste:

Als ich gestern früh auf die Straße trat, hörte ich lautes (Geschrei, Rufen, Geplauder, Geräusch). Ein Mann (fuhr, raste, eilte, stürmte) auf einem Rad die Straße entlang, (verfolgt, beschimpft, überholt, gestoppt) von einem Polizisten und mehreren Leuten. Der Polizist (bremste, verhaftete, überholte, hielt an) einen zufällig des Weges kommenden Radler, (bestieg, schwang sich auf, nahm Platz auf) dies Rad und setzte so die (Jagd, Verfolgung, Hetze, Gaudi) fort. Als sich auch noch ein Motorrad den Verfolgern (zugesellte, anschloß, hinzufügte), gelang es bald, den Dieb (zu überwältigen, zu erfassen, einzuholen).

11. Verbinden Sie die zusammengehörigen Wörter durch Linien (z. B. Milch – sterilisieren):

a)		b)	
sauer	Wein	Gewohnheiten	einbalsamieren
herb	Sekt	Pilze	bewahren
versalzen	Ragout	Eier	auf Eis legen
bitter	Honig	Früchte	einlegen
süß	Suppe	Leichen	trocknen
prickelnd	Mandarine	Schinken	einmachen
gepfeffert	Marmelade	Fleisch	sterilisieren
aromatisch	Tee	Milch	einpökeln
fade	Limonade		
vergoren	Essig		

12. Ordnen Sie folgende Wörter nach dem Grad der Trunkenheit: *angeheitert*, *betrunken*, *bezecht*, *besoffen*, *schwer geladen*, *sternhagelvoll*, *im Tran*, *beschwipst*.

13. Ersetzen Sie in den folgenden Sätzen die Verben *sein*, *haben*, *sich befinden*, *machen* durch treffendere Ausdrücke:

a) *Über uns ist ein sternenklarer Himmel.*
b) *Draußen auf dem See war ein heftiger Wind.*
c) *Auf diesem Felsengipfel lebte ein Adler.*
d) *In dem offenen Kamin war ein Feuer.*
e) *Karl machte den ganzen Tag lang nichts.*
f) *Das Meer macht hier eine Bucht.*

14. Was ist der Unterschied zwischen folgenden Wörtern? Bilden Sie Beispielsätze!

a) *klappen* und *klappern*; b) *verdrossen* und *bekümmert*; c) *erbittert* und *verbittert*; d) *wanken* und *taumeln*; e) *tasten* und *tappen*; f) *weiblich* und *weibisch*; g) *unglaublich* und *ungläubig*; h) *sparsam* und *spärlich*.

7. Lektion

2. Meidet Modewörter!

6 **Modeausdrücke.** Bismarck schloß seine berühmteste Rede im Reichstag mit den Worten: *Wir können durch Liebe und Wohlwollen fraglos leicht bestochen werden – vielleicht zu leicht –, aber ausgerechnet durch Drohungen ganz gewiß nicht! Wir Deutsche fürchten Gott, aber sonst absolut nichts in der Welt, und die Gottesfurcht ist es schon, die uns den Frieden lieben und pflegen läßt. Wer ihn aber trotzdem bricht, der wird sich überzeugen, daß die prima Vaterlandsliebe, welche 1813 die gesamte Bevölkerung des damals relativ schwachen, kleinen und ausgesogenen Preußen restlos unter die Fahnen rief, heutzutage ein Gemeingut der ganzen deutschen Nation ist, und daß jeder, der die deutsche Nation angreift, sie letzten Endes einheitlich gewaffnet finden wird und jeden Wehrmann hundertprozentig mit dem festen Glauben im Herzen: Gott wird voll und ganz mit uns sein!*

Wenn Sie aufmerksam gelesen haben, so werden Sie fühlen: es stimmt nicht alles. Und so ist es auch. Ich habe in die Rede neun Modewörter eingefügt und sie damit völlig verhunzt. Können Sie sie finden? Wenn Sie alle oder fast alle Einfügungen richtig herausgefunden haben, so haben Sie von Natur ein gutes Stilgefühl oder Sie haben es in den ersten Lektionen gewonnen. Es sind die Wörter: *fraglos, ausgerechnet, absolut, prima, relativ, restlos, letzten Endes, hundertprozentig, voll und ganz.*

7 **Beliebt als Beiwörter.** Besonders lästig sind jene Modewörter, die *mit konstanter Bosheit* als stets gleiche Eigenschaftswörter neben die stets gleichen Hauptwörter treten: *die brennende Frage, die vollendete Tatsache, die dunkle Ahnung, die unausbleibliche Folge, der schroffe Widerstand, der bittere Ernst, die unliebsame Störung, die nackte Wahrheit, der integrierende Bestandteil, die unabdingbare Forderung, der triftige Grund, die goldene Mitte, der bloße Verstand.* Geben Sie nie der Versuchung nach, solche abgegriffenen, verschmutzten Formelbeiwörter zu verwenden! Wenn Ihnen ein Hauptwort erklärt: „Das ist mein Beiwort, mit dem ich stets zusammen auftrete“, so erwidern Sie ihm: „Bei mir unter keinen Umständen.“

8 **Schablonenstil.** Der Schablonenstil verdirbt nicht nur das Schriftdeutsch, sondern auch die Umgangssprache. Wer hätte

nicht schon jene Enttäuschung erlebt, die Wilhelm Schneider mit den Worten geschildert hat:

Da ist ein junges Mädchen, dem man anmerkt, daß es eifrig und einsichtig Sport treibt. Sie ist schlank und biegsam, sie schreitet mit der Sicherheit eines edlen Tieres, und alle ihre Bewegungen bekunden eine Anmut, die das Ergebnis unermüdlicher Körperübungen ist und doch natürlich wirkt. Ihr Haar, ihr Gesicht, ihre Hände sind wohlgepflegt, ihr Einkommen und ihr guter Geschmack haben es ihr ermöglicht, sich schick und gediegen zu kleiden. Doch da tut sich der Mund auf, und man erfreut sich noch einen kurzen Augenblick an ihren untadeligen Zähnen – da geschieht das Unglück: sie spricht. Und sie schüttet ein so reiches Füllhorn von törichten Modeworten und -wendungen aus, daß man denkt: „Schönes Kind, hättest du doch den Mund nicht aufgetan!" In fünf Minuten hat man ihr wichtigstes sprachliches Rüstzeug zusammen, mit dem die Anspruchslose in allen Lebenslagen auskommt: *prima – sauber – fabelhaft – ganz groß – restlos – hundertprozentig – direkt – schlimm – zwangsläufig – letzten Endes – irgendwie – untragbar – eingestellt – Ausmaß – Komplex – hemmungslos – bin im Bilde – geht in Ordnung – kommt nicht in Frage (nicht in die Tüte) – das haut hin – daß ich nicht kichere – so siehst du aus – ich denk' nicht dran – so'n Bart.*

Nun freilich, so gehäuft treffen wir die verbrauchten Modewörter nur selten an. Aber es genügt, wenn wir auf einer Seite eines Romans ein halbes Dutzend finden:

Wenn seine schmale, gebräunte Aristokratenhand die dunkle Künstlerlocke mit unnachahmlicher Grazie aus der Stirn strich, dann herrschte Totenstille in jedem Konzertsaal. Er sandte einen seiner berühmt-berüchtigten Verführerblicke ins Publikum – wohlverstanden, meist holde Weiblichkeit von sechzehn bis sechzig, da ging es wie ein elektrischer Schlag durch manches sonst gefeite Frauenherz. Da erwachten längst vergessene Sehnsüchte und Wünsche. Ein seltsamer Schauer erfaßte die Zuhörer, vielmehr die Zuhörerinnen. Schmerzhaft und beglückend zugleich. Sein Blick, weltverloren, schwebte zur Decke. Die Hände senkten sich auf die Tasten, vermählten sich ihnen, wurden eins mit ihnen.

Kein wirklicher Pianist wird uns geschildert, kein wirklicher Mann und kein wirklicher Konzertsaal, sondern Schemengebilde, denn der Verfasser verfügt nur über Schemenausdrücke. Jede Wendung stammt aus der Rumpelkammer.

Prima. Und jetzt erinnern wir uns an die Stilregel des vorigen Abschnittes: den besonderen Ausdruck sollen wir suchen, nicht den allgemeinen. Modewörter sind allgemeine Ausdrücke schlimmster Art. Sie fressen die bunte Fülle der Eigenwörter *9* auf. Statt zu unterscheiden zwischen *angenehm, dienlich, erfreulich, gewinnbringend, günstig, kostbar, meisterhaft, schätzenswert, standesgemäß, vorteilhaft, wertvoll, wohltätig, wünschenswert, bewährt, blutvoll, echt, erprobt, gediegen, kräftig, unverdorben, segensreich, wohltuend, anständig, ausgezeichnet, beneidenswert, edel, einwandfrei, hervorragend, makellos, prächtig, unübertrefflich, vollkommen, vorzüglich, wundervoll*, statt all dieser 34 Wörter sagt man *prima* und hat sich jedes Nachdenken gespart, wie die Sache in Wirklichkeit ist. Eine Sache kann auf hundert verschiedene Arten hervorragend sein. Durch verwaschene Modewörter verwischt man die Unterschiede, die das Wesen der Welt ausmachen. Die Welt wird ein graues Einerlei.

Ob ich sage: „*Ich vertrete den Standpunkt, daß . . .*" oder „*Ich habe aus guten Gründen die Überzeugung . . .*": dem Sinn nach ist das das gleiche. Aber „*ich vertrete den Standpunkt*" ist abgegriffen und wirkt daher matter. Wenn ein neueingestellter Direktor, der ein verlustbringendes Unternehmen in Ordnung bringen soll, erklärt: *Ich gebe Ihnen voll und ganz die Versicherung, daß ich diese Aufgaben einer endgültigen Lösung zuführen werde:* das ist Formeldeutsch und unverständlich obendrein. *Ich verspreche, ich werde die Verluste beseitigen*, das ist der besondere, der kürzere und der nicht formelhafte Ausdruck. Machen wir uns doch einmal klar: Wozu schreiben wir eigentlich? Wir schreiben, um in dem Leser einen bestimmten Eindruck hervorzurufen. Wir wollen ihm eine Tatsache mitteilen oder wollen ihn zu einer Handlung veranlassen. Also müssen wir so schreiben, daß der Leser das Blatt oder das Buch nicht gleichgültig weglegt. Wir müssen eindringlich schreiben, mag es sich nun um eine Geschäftskorrespondenz oder einen Liebesbrief, um eine Abhandlung oder einen Schulaufsatz handeln. Modewörter, Schablonenwörter, Abklatschwörter sind nicht eindringlich, sie sind tot und langweilig. Also:

Stilregel 2 *Meiden Sie Modewörter!*

10 **Verrufsliste.** Aber – wie immer – fragen wir uns: Wie macht man das? Nun, zunächst legt man sich eine Liste der Modewörter und Modewendungen an. Sodann notieren wir uns, welche genaueren Wörter wir statt des Modeworts verwenden können. Wenn ich z. B. von einer Frau sage, *ich finde sie ver-*

heerend, so wissen wir lediglich, daß sie mir unsympathisch ist. Aber ob sie nun *langweilig* ist oder *nervös*, *vertrottelt* oder *hysterisch*, *unergiebig* oder *geschwätzig*, *töricht* oder *superklug*, *farb los* oder *gehässig*, *pedantisch* oder *zigeunerhaft*: über all diese Einzelheiten wissen wir nichts. Das Modewort frißt die genauen Wörter.

Wenn wir die Verrufsliste der Modewörter und die danebengesetzten lebendigen und genauen Wörter öfter durchlesen, dann lernen wir ganz von selbst, Modewörter zu meiden.

Fragen

Der Schüler fragt

Schüler: Ich verstehe vollkommen, daß wir die allgemeinen Ausdrücke vermeiden und die besonderen suchen sollen, weil sie genauer und dadurch eindringlicher sind. Ich verstehe auch, daß wir die Modewörter meiden sollen, weil sie schwammig und wirkungslos sind. Aber etwas anderes verstehe ich nicht. Sie haben doch gesagt: *Schreibe, wie du sprichst.* Aber beim Sprechen verwenden wir alle sehr viel allgemeine Ausdrücke und viele Modewörter.

Lehrer: Richtig! Und deshalb hatte ich kürzlich schon angedeutet: der Ratschlag *Schreibe, wie du sprichst* ist nur eine vorläufige Formulierung. Wir müssen vier Worte hinzufügen, nämlich: *aber mit mehr Sorgfalt.* Denn beim Schreiben haben wir mehr Zeit als beim Sprechen. Beim Sprechen kann niemand die Modewörter ganz vermeiden. Beim Schreiben können wir uns jedes Wort überlegen, ehe wir es zu Papier bringen. Was wir schreiben, soll so lebendig sein wie gesprochene Worte, aber es soll die Flüchtigkeit der Alltagssprache vermeiden.

Schüler: Ich finde aber, Sie haben unter den Modewendungen auch Ausdrücke angenommen, die wir gar nicht entbehren können, z. B. *einen Standpunkt vertreten, die Aufgabe lösen.*

Lehrer: Es liegt mir fern, Ihnen solche Ausdrücke ganz zu verbieten. Wir alle benützen sie bisweilen. Ich warne Sie nur vor dem Übermaß solcher festgefrorener Formeln. Überhaupt ist die Grenze zwischen Modeausdrücken und anderen Wortverbindungen natürlich völlig fließend. Sie können mit Ihrem Stil ganz zufrieden sein, wenn sie nur die abgegriffensten Wendungen vermeiden.

Schüler: Ist es nicht auch ein Modeausdruck, daß wir heute so viele Dinge mit Zusammensetzungen von *-mäßig* bezeichnen, also z. B. *verpflegungsmäßig waren wir schlecht dran?*

Lehrer: Das ist tatsächlich eine billige Modewendung. Sie soll die Wörter ersparen: *was die Verpflegung angeht.* Oft wird sie ganz schematisch angewandt. Man sagt nicht mehr: *Er hat ein gutes Gehalt*, sondern *gehaltsmäßig ist er gut gestellt.*

Schüler: Sie haben mir geraten, eine Verrufsliste verbrauchter Wörter anzulegen. Soll ich nicht umgekehrt auch eine Liste besonders empfehlenswerter Wörter, also eine Vorzugsliste, anlegen?

Lehrer: Was für Wörter wollen Sie in die Vorzugsliste aufnehmen?

Schüler: Z. B. Wörter, die ich in einem Buche finde und die sonst nirgends stehen.

Lehrer: Wörter, die nur von einem Schriftsteller ausgedacht und nicht in den allgemeinen Sprachgebrauch aufgenommen worden sind, sollen Sie überhaupt nicht verwenden. Sie schreiben sonst einen gesuchten, papierenen Stil. Lassen Sie die Finger von solchem Stilschwindel. Sie können sich höchstens in der Vorzugsliste Wörter vormerken, die zu Ihrem passiven Wortschatz, aber nicht zu Ihrem aktiven Wortschatz gehören. Wann haben Sie z. B. folgende Wörter gebraucht: *wittern*, *brüten*, *ausklügeln*, *beflissen*, *ermuntern*, *vorwitzig*, *belauern*, *Faselei?*

Schüler: Seit Jahren nicht.

Lehrer: Sie können solche Wörter sich am besten aus guten Wörterbüchern heraussuchen; ich will Ihnen einige angeben:
Franz Dornseiff: Der Deutsche Wortschatz nach Sachgruppen.
Hugo Wehrle: Deutscher Wortschatz.

Der Lehrer fragt

Welche Absicht haben wir bei jeder Art des Schreibens?	Wir wollen bei dem Leser eine bestimmte Vorstellung hervorrufen.
Wie müssen wir schreiben, um diesen Zweck zu erreichen?	Wir müssen eindringlich schreiben, d. h. lebendig, treffend, klar und knapp.
Welche Stileigenschaften haben Modeausdrücke?	Sie sind verbraucht und dadurch eindruckslos, allgemein und verschwommen.
Können wir auf Modewörter ganz verzichten?	Beim Sprechen kommen wir nicht ohne sie aus. Beim Schreiben aber sollen wir Modewörter möglichst wenig verwenden.
Welchen Zusatz müssen wir daher an unsern Stilgrundsatz **Schreib, wie du sprichst** anhängen?	**Aber mit mehr Sorgfalt.**

Aufgaben und Denkübungen

Welche Wendungen können Sie an Stelle der folgenden abgegriffenen Ausdrücke verwenden?

1. Der Vorschlag der Gegenseite ist untragbar.
2. Da ich vollkommen im Bilde bin, kann ich den Gedanken nicht von der Hand weisen, daß wir jetzt auf das Ganze gehen sollten.
3. Die Frauenkirche in München ist ein prima Anblick.
4. Max Piccolomini benahm sich tadellos.

5. Ich möchte nicht verfehlen, auf die triftigen Gründe hinzuweisen, die uns zu den schönsten Hoffnungen berechtigen.

6. Seine tiefschürfenden Darlegungen, die mit einer persönlichen Note geschrieben sind, beweisen einen Gelehrten großen Formats.

7. Ausgerechnet diese Leute, denen es blendend geht, wollen dieser brennenden Frage von durchschlagender Bedeutung, einer Sache, die den Stempel der Einmaligkeit trägt, trotz unserer tiefschürfenden Darlegungen, die sich nicht von der Hand weisen lassen und mit endgültigen Lösungen Hand in Hand gehen, nicht Rechnung tragen.

3. Wider die Hauptwörterei

8. Lektion

Die Hauptwörter-Seuche. Wir kommen jetzt zu dem schwierigsten Kapitel dieses Lehrgangs. Wir müssen von einer Sprachkrankheit reden, die sich tief eingefressen hat, so tief, daß sie nicht leicht zu überwinden ist. Wir müssen sie gründlich studieren, um sie überwinden zu können. *11*

Beginnen wir wieder mit einem Beispiel, einem bekannten Sprichwort: *Bei Lebewesen von begrenzter geistiger Begabung ist bei allzu großem Wohlbefinden oft die Neigung zu Tanzübungen auf glattem Untergrunde vorhanden.*

Zum Glück hat das Sprichwort nicht diesen kindischen Wortlaut, sondern es heißt: *Wenn es dem Esel zu wohl ist, geht er aufs Eis tanzen.*

Was ist der Unterschied der beiden Fassungen? Das Sprichwort bringt nur zwei Hauptwörter (*Esel* und *Eis*), die Fassung im Kanzleideutsch sechs. Das Sprichwort enthält zwei Verben, die Kanzleifassung nur das eine farblose ,,ist vorhanden".

Bevor wir Schlüsse ziehen, ein zweites Beispiel: Bekanntlich hat Cäsar nach einer Schlacht die Botschaft nach Rom gesandt: *Ich kam, sah, siegte.* Nehmen wir an, er hätte geschrieben: *Nach erfolgter Ankunft und Besichtigung der Verhältnisse war mir die Erringung des Sieges möglich.* Stellen wir wieder die Unterschiede zusammen:

Urtext	*Kanzleifassung*
drei Verben	ein totes Verb
kein Hauptwort	fünf Hauptwörter
vier Worte	vierzehn Worte
anschaulich	abstrakt
schlagend	verwaschen

Man nennt die erste Art Stil den verbalen Stil, also Zeitwortstil, die zweite den nominalen oder Hauptwortstil.

Nun haben Sie vermutlich den Einwand auf der Zunge: Das sind ja erfundene, sinnlose Beispiele. Nehmen wir also einen Satz aus dem Leben: *Was die Entscheidung über Fragen einer Erhöhung der vorgesehenen Kosten der Errichtung der Umfriedigung und die hierdurch gegebenenfalls nötige Erhöhung der Beanspruchung der Anlieger nach Maßgabe des Umfangs ihrer Beteiligung angeht, so bleibt dies weiterer Erwägung vorbehalten.*

Der Satz ist ein prächtiges Beispiel der Hauptwörterei: 37 Wörter, davon nur zwei Verben – obendrein ganz farblose –, aber acht Hauptwörter auf -ung, die alle Handlungen wiedergeben. Cäsar hätte geschrieben: Ich werde noch entscheiden, ob die Anlieger bei höheren Kosten mehr zahlen müssen: 13 Wörter, nur zwei Hauptwörter, und alles klar und unzweideutig.

12 **Handlungen durch Verben.** Was lernen wir aus diesen Beispielen? Wir lernen: Handlungen soll man durch Verben ausdrücken! Das Verbum ist das Rückgrat des Satzes. Zwingt man die Handlung in ein Hauptwort, so bricht man dem Satz das Rückgrat. Er wird schlaff, schwunglos, langweilig, unanschaulich.

Daß wir uns nicht mißverstehen! Sie sollen nicht etwa einen Stil ohne Hauptwörter schreiben! Hauptwörter sind natürlich unentbehrlich! Als Hauptwörterseuche bezeichnet man nur jenen Stil, der auch Handlungen in Hauptwörter zwängt und daher ein Übermaß von Hauptwörtern enthält. Noch ein Beispiel: *Die Vorschriften über Strafaufschub finden auf Gefängnis- oder Haftstrafen, die an Stelle uneinbringlicher Geldstrafen festgesetzt sind, mit der Maßgabe Anwendung, daß das Gericht über Gewährung der Strafaussetzung erst beschließt, sobald feststeht, daß der Fall der Vollstreckung der Ersatzstrafe gegeben ist.* Beim ersten Durchlesen ist der Satz schlechthin unverständlich. Er ist unverständlich, weil er dreimal Handlungen durch Hauptwörter wiedergibt (*Anwendung*, *Gewährung*, *Vollstrekkung*). Sie werden aber staunen, wie klar sich der Inhalt ausdrücken läßt. Versuchen wir ihn zu verbessern. Erstens: Strafen, die an Stelle uneinbringlicher Geldstrafen verhängt werden, pflegt man *Ersatzstrafen* zu nennen. Sodann: die beliebte Wendung *mit der Maßgabe* kann man immer streichen und durch einen Satz mit *aber* oder *doch* ersetzen. Außerdem kann man statt *die Vorschriften über Strafaufschub finden Anwendung* kürzer sagen: *Strafen können aufgeschoben werden.* Schließlich: *daß der Fall der Vollstreckung gegeben ist* heißt kürzer: *wenn die Strafe vollstreckbar ist.* Dann ergibt sich die Fassung: *Auch Ersatzstrafen können aufgeschoben werden, aber das Gericht kann darüber erst beschließen, wenn sie vollstreckbar sind.* Vergleichen Sie diesen kurzen verständlichen Wortlaut mit dem unübersichtlichen Geschwafel des ursprünglichen Textes und Sie werden die nötige Abscheu gegen die Hauptwörterei bekommen.

Geben Sie Handlungen in Verben wieder! Meiden Sie das Übermaß der Hauptwörter! Stilregel 3

Wir können aber die Hauptwörterseuche nicht eindämmen, wenn wir nicht die einzelnen Formen, die Spielarten, betrachten, unter denen sie auftritt.

Streckverben. Die einfachste Spielart der Hauptwörterkrankheit sind die Streckverben. Jedes Verbum kann man auseinanderstrecken, indem man das Verbum in ein Hauptwort verwandelt und ein farbloses Zeitwort hinzufügt. Also nicht: *Ich bedaure, daß Sie das beschlossen haben*, sondern: *Ich gebe meinem Bedauern Ausdruck, daß dieser Beschluß gefaßt worden ist.* Namentlich Menschen, die von Natur Langweiler und Kanzleiräte sind, neigen zu dieser Form der Hauptwörterei. Sie sind zu faul, um zu *besprechen*, zu *prüfen* und zu *entscheiden.* Sie *treten in Erwägungen ein*, sie *nehmen die Sache in Bearbeitung*, sie *stellen etwas unter Beweis* (weil sie die Juristen in ihrer Fachsprache so reden hören, wenn für eine zweifelhafte Sache der *Beweis angeboten* werden soll) und *fällen schließlich* – so Gott will – *eine Entscheidung.* 13

Meiden Sie die Streckverben! Stilregel 4

Der Ausdruck *Streckverben* ist noch nicht allgemein bekannt. Wenn Sie ihn in einem Examen anwenden, müssen Sie ihn erläutern.

Keine Wortketten. Aber die Streckverben sind nicht das einzige Mittel, möglichst viel Hauptwörter in einem Satz unterzubringen. Sehr geeignet sind hierfür auch die sogenannten Wortketten: *Gegen die Ablehnung der Zulassung zur Eintragung oder gegen die Versagung eines Antragsscheines ist Einspruch zulässig.* Jede Handlung ist hier durch ein Hauptwort wiedergegeben. Kleidet man die Handlungen in Verben, so wird der Satz kürzer und klarer: *Wird die Zulassung abgelehnt oder der Antragsschein versagt, so ist Einspruch zulässig.* 14
Wenn man einen so elend gebauten Satz in natürliches Deutsch bringen will, muß man versuchen, Verben an Stelle von Hauptwörtern zu setzen. Bisweilen ist das nicht ganz leicht: *Das Verführerische des Genusses der Frucht des Baumes der Erkenntnis des Guten und Bösen verleitete Adam und Eva zum ersten Sündenfall.* Ruhig zerschneiden: *Die Frucht vom Baum der Er-*

kenntnis des Guten und Bösen zu genießen, diese verführerische Verlockung verleitete Adam und Eva zum ersten Sündenfall.

Stilregel 5 *Bilden Sie keine Wortketten, d. h. leimen Sie nicht mehrere Hauptwörter durch Genitive oder Verhältniswörter aneinander, sondern stellen Sie selbständige Verben nebeneinander!*

Oft ersetzt man eine Genitivkette am besten durch selbständige Sätze, die man mit einem Doppelpunkt anschließt. Also nicht: *damit drängt sich die Frage des Wertes des Sports auf*, sondern: *damit drängt sich die Frage auf: Welchen Wert hat der Sport?*

15 **Hauptwörter auf -ung.** Um die Hauptwörterei ganz zu durchschauen, wollen wir einmal einen Augenblick die verschiedenen Arten der Hauptwörter betrachten. Da sind zunächst die konkreten Dinge: *der Tisch, das Haus, der Bleistift.* Dann sind weiter die abstrakten Begriffe: *Traum, Anmut, Gerechtigkeit.* Mit solchen Hauptwörtern kann man den Unfug der Hauptwörterei nicht begehen. Es sind gleichsam echte Hauptwörter. Dann aber kommen solche Hauptwörter wie *Durchführung, Erwägung, Genehmigung;* sie sind sichtlich aus Verben gebildet und bergen eine Handlung. Sie sind es, deren Übermaß den Hauptwortstil kennzeichnet. Die Hauptwörterei hat aber sogar eine prächtige Reihe neuer derartiger Hauptwörter gezeugt, indem sie einfach beliebige Zeitwörter, ja sogar zusammengesetzte Zeitwörter und ganze Wortgruppen mit der geduldigen Silbe *-ung* in Hauptwörter verwandelt hat. So entstand die *Inkraftsetzung, die Zurruhesetzung* und *die Bevorschussung.* Oder noch schöner: *Das Vorbringen des Angeklagten machte einen sehr schlechten Eindruck, denn seine Beinhaltung stand im Widerspruch zu seiner sonstigen Haltung.* An die Be-inhaltung muß sich der Leser eben gewöhnen.

16 **Infinitiv als Hauptwort.** Es gibt noch mehr künstliche Hauptwörter. Man kann aus der Grundform jedes Verbs ein Hauptwort machen – *das Gehen, das Schlafen, das Tanzen* –, und oft sind diese substantivierten Infinitive unentbehrlich. Aber sooft Sie diese als Hauptwörter verkleideten Verben einsetzen, prüfen Sie, ob nicht ein eigener Satz mit richtigen Zeitwörtern klarer wäre. Denn das Zusammenbasteln solcher Kunsthauptwörter, das Einfügen dieser oft wenig handlichen Ungetüme in den Satz, vollends das Abhängigmachen weiterer Worte von

diesen Infinitiven und das hierdurch bewirkte Unübersichtlichmachen des ganzen Satzes, dies ganz unnatürliche In-die-Hauptwörterei-Verfallen, ist wenig schön. Da haben Sie gleich ein Beispiel für dies Laster. Der Satz muß natürlich heißen: Es ist wenig schön, wenn Sie künstliche Hauptwörter zusammenbasteln, solche Ungetüme in Ihre Sätze einfügen, womöglich noch andere Wörter von ihnen abhängig machen und hierdurch den Satz auch unübersichtlich gestalten; kurz, es ist unschön, wenn Sie in die Hauptwörterei verfallen.

Beispiele. Es bedeutet nämlich einen gewaltigen stilistischen Unterschied, ob eine Handlung durch ein wirkliches Verb ausgedrückt wird oder durch kunstgezeugte Hauptwörter. *17*

Hauptwortstil	Verbaler Stil
Anträge auf Inanspruchnahme der Unterstützungseinrichtungen sind unter Beifügung des Mitgliedsbuches mit dem Nachweis gezahlter Beiträge direkt an die Geschäftsstelle zu richten.	Die Geschäftsstelle nimmt Unterstützungsanträge unmittelbar entgegen; das Mitgliedsbuch mit dem Nachweis der gezahlten Beiträge muß beiliegen.
Wird der Unterstützungsfall hervorgerufen durch die Tätigkeit des Mitglieds für den Bund, so wird von der Einhaltung einer Wartezeit abgesehen.	Die Wartezeit fällt weg, wenn das Mitglied infolge seiner Tätigkeit für den Bund unterstützungsbedürftig geworden ist.
Diese außerordentliche Maßregel war infolge der Erscheinung mehrerer Schiffe ohne Flagge an den südwestlichen Küsten, welche auf einige Handelsschiffe Jagd machten, getroffen worden.	An den südwestlichen Küsten waren mehrere Schiffe ohne Flagge erschienen und hatten auf einige Handelsschiffe Jagd gemacht; man hatte daher diese außerordentliche Maßnahme ergriffen.

So kommen wir zu einer weiteren Stilregel wider die Hauptwörterseuche:

Wenn Sie in Ihrem Text ein Hauptwort mit -ung finden, das eine Handlung bezeichnet, so prüfen Sie, ob Sie es nicht durch einen Satz ersetzen können! *Stilregel 6*

Fassen wir zusammen: Wenn wir Handlungen in Hauptwörtern wiedergeben, so wird der Satz unanschaulich, unlebendig, breit und unklar. Es sind dies gerade die Eigenschaften, die den Stil weniger eindringlich machen. Deshalb wollen wir Handlungen in Verben wiedergeben.

Fragen

Der Schüler fragt

Schüler: Sie haben in dieser Lektion vier Stilregeln gebracht: eine allgemeine gegen die Einkleidung von Handlungen in Hauptwörter und drei besondere gegen die Verwendung von Streckverben, gegen die Bildung von Wortketten und gegen die Verwendung von Wörtern auf -ung zur Bezeichnung von Handlungen. Eigentlich sind doch die letzten drei Regeln nur Anwendungen der ersten Regel. Waren eigentlich wirklich so viele Regeln nötig?

Lehrer: Sicherlich! Sie haben mir eben selbst einen Beweis geliefert. Denn Ihre Sätze wimmelten ja von Hauptwörtern auf -ung. Im natürlichen Stil hätte man gesagt: Sie haben in dieser Lektion vier Stilregeln gegeben. Die erste, allgemeine, warnte davor, Handlungen in Hauptwörter einzukleiden. Die drei besonderen verboten, Streckverben zu verwenden, Wortketten zu bilden und Handlungen durch Hauptwörter auf -ung wiederzugeben.

Schüler: So klingt es tatsächlich flüssiger.

Lehrer: Trösten Sie sich! Es geht jedem Menschen so, daß er gelegentlich in die Hauptwörterei hineinschlittert. Hauptwörter sind eben bequem.
In einem Volkshochschulkurs diktierte ich zum Schluß den Hörern zwölf Ratschläge. Den letzten fing ich so an: Niemand kann im Deutschen *sofort* einen längeren Aufsatz in gutem Stil schreiben. Man muß ihn mehrmals durchlesen, und zwar erst einmal auf inhaltliche Richtigkeit, dann auf Knappheit und Vermeidung von groben Stilfehlern, schließlich auf Meidung der Hauptwörterei, auf Anschaulichkeit und Lebendigkeit.
Als ich soweit war, merkte ich: ich war beim Kampf gegen die Hauptwörterei selbst in das Übel geraten. Ich ließ den Satz durchstreichen und diktierte: Lesen Sie mehrmals durch, was Sie geschrieben haben; prüfen Sie zunächst, ob der Inhalt richtig ist, achten Sie beim zweiten Durchlesen darauf, ob die Darlegung knapp ist und ob Sie alle Stilschlampereien vermieden haben. Beim dritten Mal sorgen Sie dafür, daß der Ausdruck lebendig und anschaulich ist, und streichen Sie die unnötigen Hauptwörter.

Schüler: Wenn das geschieht am grünen Holz, was soll am dürren werden?

Lehrer: Das dürre Holz, das ja in diesem Falle seinem Alter nach eigentlich das grüne ist, soll aufpassen und sich Mühe geben. Dann wird es diesem Übel entrinnen.

Schüler: Aber ist denn die Hauptwörterei schlechthin ein Übel? Ich glaube, ich weiß einige Sätze, in denen Streckverben unentbehrlich sind.

Lehrer: Da bin ich neugierig!

Schüler: Zuerst stattete er dem Bürgermeister einen Besuch ab. Wenn ich da sagen würde: *Zuerst besuchte er den Bürgermeister*, so bekäme der Satz einen andern Sinn, denn *Besuch abstatten* ist feierlicher als *besuchen.*

Lehrer: Sie haben recht. In solchen Fällen kann man nicht von bloßen Streckverben sprechen. Hier haben die beiden Formen verschiedene Bedeutungen.

Schüler: Und was halten Sie von dem Satz: *Er legte ein umfassendes Geständnis ab.* Unmöglich kann ich sagen: *Er gestand umfassend.*

Lehrer: Auch hier haben Sie recht. Das Streckverbum ist in diesem Fall unvermeidlich, um für das Eigenschaftswort Raum zu schaffen.

Schüler: Dann hat man aber gar keinen sicheren Maßstab in der Hand.

Lehrer: Stilfragen sind keine bloßen Regelfragen. Sie sind oft nicht schematisch zu entscheiden, sondern erfordern – wie jede praktische Tätigkeit – ein gewisses Fingerspitzengefühl. Aber im ganzen können wir schon dabei bleiben: Handlungen erfordern Verben.

Der Lehrer fragt

Durch welche Wortarten sollen wir Handlungen wiedergeben?	Durch Verben (Zeitwörter).
Wie nennt man einen solchen Stil?	Verbalen Stil.
Welche Nachteile hat es, wenn wir Handlungen durch Hauptwörter darstellen?	Der Hauptwortstil (nominaler Stil) ist unanschaulich, breit, unklar, unlebendig.
Welche Arten von Hauptwörtern können wir unterscheiden?	Konkrete (Baum, Haus, Nacht), ursprüngliche abstrakte (Treue, Liebe, Schönheit), künstliche Handlungs-Hauptwörter (Durchführung, Erwägung, Inbetrachtziehung).
Welche Hauptwörter sind schädlich?	Die der dritten Gruppe, namentlich wenn sie im Übermaß auftreten.
Womit ersetzt man Streckverben?	Durch das natürliche Verb, das im Hauptwort steckt.
Wann sind Streckverben nötig?	Wenn ein Eigenschaftswort hinzugefügt werden muß oder wenn das Streckverb einen andern Sinn hat als das ursprüngliche Verb.

Durch welche Mittel können Wortketten gebildet werden?	Durch Genitive oder Verhältniswörter.
Wie beseitigt man Wortketten?	Durch neue Haupt- oder Nebensätze; manchmal kann man auch einzelne Teile ganz streichen.
Was sollen Sie, wenn Sie einen Text durchprüfen, mit den Wörtern auf -ung tun?	Prüfen, ob in ihnen nicht Handlungen stecken, für die man besser ein eigenes Zeitwort einfügen sollte.

Aufgaben und Denkübungen

Bringen Sie folgende Sätze in flüssiges Deutsch:

1. *Die Heranbildung geeigneter Kräfte hat unter Heranziehung des neuen Lehrmaterials zu erfolgen, für dessen restlose Ausnützung Herr Müller verantwortlich ist.*

2. *Die Unterhaltung während der Aufführung ist verboten.*

3. *Störungen und Beeinträchtigungen des Unterrichts durch Herausrufen der Lehrer oder einzelner Kinder aus dem Lehrzimmer wie auch der Eintritt Unberechtigter in die Schulräume sind möglichst hintanzuhalten.*

4. *Wegen nachteiliger Wirkung der Ausübung des verliehenen Rechtes kann der davon Betroffene nicht die Unterlassung der Ausübung oder die Beseitigung einer auf Grund des verliehenen Rechtes errichteten Anlage verlangen.*

5. *Der Kreiswahlleiter hat unmittelbar nach der Feststellung des endgültigen Ergebnisses durch den Wahlausschuß dem Reichswahlleiter mitzuteilen . . . .*

6. *Der Abstimmungsleiter hat unmittelbar nach Feststellung des Eintragungsergebnisses dem Reichswahlleiter über das Eintragungsergebnis im Stimmkreis zu berichten.*

7. *Er trägt hierbei als Dienstabzeichen die rote Mütze, und zwar auch in den Fällen, in denen die Zugabfertigung dem Zugführer übertragen ist.*

8. *In Ermangelung einer anderweitigen Verständigung zwischen den Parteien . . .*

9. *Wo zwei Lehrer vorhanden sind, muß die Trennung der Schulpflichtigen nach Geschlechtern durchgeführt werden.*

10. *Schutzvorrichtungen, die den Stimmberechtigten die Kennzeichnung oder Beantwortung der Fragen der Stimmzettel und die Einlegung der Stimmzettel in die Umschläge so ermöglichen, daß ihr Tun ungesehen bleibt . . .*

Drittes Kapitel: Satzbau

1. Baut kurze Sätze!

9. Lektion

Kurze Sätze. Wissen Sie, was eine Eisenbahn ist? Wenn nicht, können Sie es aus einer Begriffsbestimmung (lateinisch Definition) des Reichsgerichts ganz leicht erkennen: 18

Eine Eisenbahn ist ein Unternehmen, gerichtet auf wiederholte Fortbewegung von Personen oder Sachen über nicht ganz unbedeutende Raumstrekken auf metallener Grundlage, welche durch ihre Konsistenz, Konstruktion und Glätte den Transport großer Gewichtsmassen beziehungsweise die Erzielung einer verhältnismäßig bedeutenden Schnelligkeit der Transportbewegung zu ermöglichen bestimmt ist, und durch diese Eigenart in Verbindung mit den außerdem zur Erzeugung der Transportbewegung benutzten Naturkräften – Dampf, Elektrizität, tierische oder menschliche Muskeltätigkeit, bei geneigter Ebene der Bahn auch schon durch die eigene Schwere der Transportgefäße und deren Ladung usf. – bei dem Betriebe des Unternehmens auf derselben eine verhältnismäßig gewaltige, je nach den Umständen nur bezweckterweise nützliche oder auch Menschenleben vernichtende und menschliche Gesundheit verletzende Wirkung zu erzeugen fähig ist.

Es liegt nahe, zu fragen: Was ist dann ein Reichsgericht? Die Definition würde heißen:

Ein Reichsgericht ist eine Einrichtung, welche eine dem allgemeinen Verständnis entgegenkommen sollende, aber bisweilen durch sich nicht ganz vermeiden lassende, nicht ganz unbedeutende bzw. verhältnismäßig gewaltige Fehler im Satzbau auf der schiefen Ebene des durch verschnörkelte und ineinandergeschachtelte Perioden ungenießbar gemachten Kanzleistils herabgerollte Definition, welche eine das menschliche Sprachgefühl verletzende Wirkung zu erzeugen fähig ist, liefert.

Was lernen wir aus diesen Sätzen? Wir lernen: Man soll keine langen Sätze bauen, insbesondere keine Schachtelsätze, bei denen die einzelnen Satzteile ineinandergekeilt sind. Sie sind unklar und unlebendig; sie verstoßen damit gegen eine Grundforderung jedes guten Stils.

Sie werden nun einwenden: Schachtelsätze dieser Länge sind ja gottlob selten. Mit dieser Feststellung haben Sie recht, aber auch Schachtelsätze mittlerer Länge sind unklar und unlebendig genug. Um Ihnen gegen überlange Sätze eine ewige Abneigung einzuflößen, gebe ich Ihnen zwei Beispiele:

König Ludwig I. von Bayern an den Bildhauer Ritschel über das Goethe-Schiller-Denkmal in Weimar: Habe Ihr Schreiben vom 7. dieses Monats, in welchem Sie mir die Anzeige machen, daß am 13. dieses Monats das von Ihnen verfertigte Modell der Dichtergruppe in München eintreffen werde, empfangen, welche Anzeige ich, der ich bezüglich der Herstellung dieses Denkmals, wozu ich, was Ihnen bereits bekannt, das Erz als Geschenk gab, außer diesem weiter nichts zu tun habe, mich aber recht sehr freue, das Modell von einem so ausgezeichneten Künstler wie Sie sind, hergestellt zu sehen, mit Vergnügen gelesen, Sie zugleich gerne der Gesinnungen meiner Wertschätzung versichernd, Ihr Ihnen wohlgewogener Ludwig.

Die Bedeutung der Gewinnung der Erkenntnis, daß der Stand der Sterne, genauer gesagt bestimmter Sterne, im Augenblick der Geburt unter Berücksichtigung des Ortes derselben, sofern die Berechnung sorgfältig und von einem geschulten Astrologen, der natürlich auch über die laufenden Fortschritte dieser Wissenschaft – denn es handelt sich um eine Wissenschaft, auch wenn manche Doktrinäre, welche nichts davon verstehen, aber trotzdem darüber reden, das bestreiten – auf dem laufenden sein muß, gemacht wird, entscheidend ist, ist ungeheuer. (Stil und Inhalt sind gleich töricht.)

Hätte man nun diese Sätze auch anders formen können? Wir wollen es versuchen.

König Ludwig: Ich habe Ihr Schreiben vom 7. dieses Monats erhalten, mit dem Sie mir mitteilten, daß am 13. Ihr Modell der Dichtergruppe in München eintreffen wird. Wie Sie wissen, habe ich das Erz für das Denkmal gestiftet – darüber hinaus habe ich damit nichts zu tun. Ich freue mich aber sehr, ein Modell zu sehen, das ein so ausgezeichneter Künstler wie Sie hergestellt hat. In herzlicher Wertschätzung Ihr Ihnen wohlgewogener Ludwig.

Der Stand bestimmter Sterne im Augenblick der Geburt ist entscheidend. Diese Erkenntnis ist von großer Bedeutung. Freilich muß die Berechnung sorgfältig und von einem geschulten Astrologen ausgeführt werden; er muß auch über die Fortschritte seiner Wissenschaft unterrichtet sein, denn um eine Wissenschaft handelt es sich, auch wenn unwissende Doktrinäre das bestreiten.

Sie sehen, man kann diese Sätze mühelos zerschlagen und umformen. Sie sind dann sofort gut verständlich und lassen sich bequem lesen.

Die Frage: Kurze Sätze oder lange Sätze? ist eine Kernfrage der Stilkunst. Neben der Neigung zu allgemeinen Ausdrücken und zur Hauptwörterei ist der Hang zu den überlangen Sätzen das schlimmste Stillaster der Deutschen.

Sie müssen sich zunächst zwei vorläufige Stilregeln über den Satzbau einprägen. Wir geben ihnen noch keine Nummer, weil wir sie im Laufe der Untersuchung noch etwas besser formulieren werden.

Bauen Sie keine langen Sätze; im allgemeinen nicht mehr als 15–20 Wörter!
Bauen Sie nicht zu viele Nebensätze. Hauptsachen gehören in Hauptsätze!

Diese beiden Regeln hängen natürlich eng miteinander zusammen. Kurze Satzgefüge pflegen nicht viele Nebensätze zu enthalten.
Aber Sie können diese beiden Stilregeln nur befolgen, wenn ich Ihnen zeige, mit welchen Hilfsmitteln man das Übermaß der Nebensätze und damit die langen Satzgefüge vermeidet.

Haupt- und Nebensätze. Man kann jede Mitteilung in die Form eines Hauptsatzes oder eines Nebensatzes kleiden. Ich gebe Ihnen wieder Beispiele: *19*

in Nebensatz-Form	in Hauptsatz-Form
1. *Man soll keine langen Sätze bauen, da sie schwer verständlich sind.*	*Man soll keine langen Sätze bauen, denn sie sind schwer verständlich.*
2. *Obwohl sie manche Enttäuschung erlebt hatte, versuchte sie es immer von neuem.*	*Sie hatte zwar manche Enttäuschung erlebt, aber trotzdem versuchte sie es immer wieder von neuem.*
3. *Ich sprang hinzu, um ihr zu helfen.*	*Ich sprang hinzu, ich wollte ihr helfen.*
4. *Ich bin so erkältet, daß ich gleich schlafen gehe.*	*Ich bin erkältet, ich gehe daher gleich schlafen.*
5. *Er fuhr nach Berlin, wo er seine Frau traf.*	*Er fuhr nach Berlin und traf dort seine Frau.*
6. *Als ich dies gehört hatte, reiste ich ab.*	*Ich hörte dies und reiste sogleich ab.*
7. *Wenn wir jetzt nicht weggehen, kommen wir zu spät.*	*Wir müssen jetzt weggehen, sonst kommen wir zu spät.*
8. *Der Leser, der bis hierhin gelesen hat, wird schon ungeduldig.*	*Bis hierhin hat der Leser gelesen, jetzt wird er ungeduldig.*
9. *Das Leben, das man auf dem Lande führt, ist gesund.*	*Das Leben auf dem Lande ist gesund.*

10. *Ich sehe, daß die Sache nicht so einfach ist.*	*Ich sehe: die Sache ist nicht so einfach.*
11. *Wir werden noch sehen, daß Karl II. hierzu nicht imstande war.*	*Karl II. war hierzu nicht imstande, wie wir noch sehen werden.*
12. *Er sagte zu ihm, er solle sofort nach Hause gehen.*	*Er sagte zu ihm: Gehen Sie sofort nach Hause.*

Sie sehen: alle Arten von Nebensätzen kann man in Hauptsätze umformen. Zur besseren Übersicht schreibe ich Ihnen – entsprechend den eben gegebenen Beispielen – die verschiedenen Arten von Nebensätzen auf und zugleich die Art der Umformung. Sie müssen, um die nachstehende Tabelle zu verstehen, auch die Beispiele betrachten.

Nebensatz	Hauptsatz
1. Begründung: *da, weil*	*denn, nämlich, daher*
2. Einschränkung: *obwohl, auch, wenn*	*trotzdem, zwar – aber*
3. Zweck: *um – zu*	*ich will, nämlich*
4. Folge: *so – daß*	*so sehr*
5. Ort: *wo, wohin, woher*	*dorthin, dort, dorther*
6. Zeit: *nachdem, als, während*	*dann, und, zugleich*
7. Bedingung: *wenn, falls*	*sonst, andernfalls*
8. u. 9. Bezugssatz: *der, welcher*	*und, aber, nun, auch* oder *Beifügung*
10. u. 11. Nebensätze nach Verben des Wahrnehmens	Doppelpunkt, neuer Hauptsatz oder eingeschalteter Satz mit *wie*
12. Nebensätze nach Verben der Anordnung	Doppelpunkt: Befehlssatz

20 **Der Doppelpunkt.** Ein wichtiges Umschaltmittel, mit dem wir aus Nebensätzen Hauptsätze machen, ist der Doppelpunkt. Die meisten verwenden ihn nur, um Beispiele oder Aufzählungen einzuleiten. Aber er erspart auch ungelenke Nebensätze mit *daß* und ersetzt das papierene *nämlich*.

Ich habe die Sache genau geprüft und finde, daß die Schwierigkeit leicht zu beheben ist.	*Ich habe die Sache eingehend geprüft: die Schwierigkeit ist leicht zu beheben.*
Dann sprudelte er heraus, was er auf dem Herzen hatte, nämlich Fragen, Bitten, Beschwörungen, Drohungen.	*Dann sprudelte er heraus, was er auf dem Herzen hatte: Fragen, Bitten, Beschwörungen, Drohungen.*

Der Doppelpunkt eröffnet neue Darlegungen, kennzeichnet eine Wendung des Gedankens: kurz, er bringt in die Schriftsprache hinein, was wir im Gespräch durch Tonfall und Gebärde zum Ausdruck bringen, wenn wir einen wichtigen Satz einleiten wollen. Er erspart uns oft ein *die Sache verhält sich wie folgt*. Hinter einem Bedingungssatz liefert uns der Doppelpunkt ein verstärktes, lebendigeres *so*: *Wenn Sie sich diese Satzbau-Regeln aneignen: Sie werden es nie bereuen.*

Wann Nebensätze? Wir haben also gesehen: Man kann jeden Nebensatz in einen Hauptsatz umformen. Jetzt kommt die nächste Frage: Welche Nebensätze sollen wir in Hauptsätze umformen oder – besser gesagt – welche Mitteilungen sollen wir in die Form von Hauptsätzen kleiden? *21*

Die Antwort ist einfach: Wir wählen die Form eines Hauptsatzes, wenn der Inhalt des Satzes besonders wichtig ist oder wenn andernfalls ein Übermaß von Nebensätzen entsteht und dadurch das Satzgefüge unübersichtlich wird (Satzgefüge, in denen Nebensatz an Nebensatz geleimt ist, nennt man Ketten- oder Treppensätze). Kurz gesagt: Hauptsachen in Hauptsätze! Es ist klar: diese Regel wird in vielen Fällen beide Lösungen zulassen. Häufig ist beides richtig: Hauptsatzform und Nebensatzform. Ich gebe Ihnen einige Beispiele, bei denen nach meinem Empfinden beide Wege gleich gut sind:

Wenn auch die Unterordnung oft die Sätze unübersichtlich macht, so können wir doch nicht ganz auf sie verzichten.	*Zwar macht die Unterordnung oft die Sätze unübersichtlich; trotzdem können wir nicht ganz auf sie verzichten.*
Da die Ware wieder den Mustern nicht entsprochen hat, senden wir sie gleichzeitig zurück.	*Die Ware hat wieder den Mustern nicht entsprochen. Wir senden sie daher gleichzeitig zurück.*
Er wird sein Ziel nicht erreichen, weil er zu bequem ist.	*Er wird sein Ziel nicht erreichen, er ist zu bequem.*

Freilich: wenn Sie genau hinhören, besteht fast immer zwischen Beiordnung und Unterordnung (das ist die Verwendung von Nebensätzen) ein gewisser Unterschied. Die Unterordnung hat den Beigeschmack des Verstandesmäßigen: sie eignet sich deshalb mehr für logische, für wissenschaftliche Darlegungen. Die Beiordnung entspricht stärker der Alltagsrede; sie eignet sich mehr für gefühlsbetonte Mitteilungen; niemand wird in ein Gebet oder in eine Liebeserklärung viele Nebensätze einflechten. Als Theodor Körner 1813 seinem Vater schreibt, er wolle sich als Freiwilliger melden, wählt er immer wieder die Form des Hauptsatzes:

nicht:	sondern:
Vielleicht sagt Dir Dein bestochenes väterliches Herz, daß Theodor zu größeren Zwecken da ist.	*Vielleicht sagt Dir Dein bestochenes väterliches Herz: Theodor ist zu größeren Zwecken da.*
Meine Meinung ist die, daß zum Opfertod für die Freiheit und für die Ehre seiner Nation keiner zu gut sei.	*Meine Meinung ist die: zum Opfertode für die Freiheit und für die Ehre seiner Nation ist keiner zu gut.*
Ich weiß, daß Du manche Unruhe wirst erleiden müssen.	*Ich weiß: Du wirst manche Unruhe erleiden müssen.*

22 **Asthmastil.** Nun werden Sie vielleicht sagen: Was soll ich mir erst lange den Kopf zerbrechen, ob Haupt-, ob Nebensätze! Da die Hauptsätze oft besser und anscheinend nie schlechter sind als Nebensätze, so schreibe ich einfach ausnahmslos Hauptsätze. Aber diese anscheinend einfache Lösung ist unmöglich. Ein Stil, bei dem Hauptsatz auf Hauptsatz folgt, wäre eintönig. Er würde einer Grundforderung der Stilkunst widersprechen, der Forderung der Abwechslung. Es gibt nun einmal in der Welt wichtige und weniger wichtige Dinge: unmöglich können wir sie alle in derselben Form vorbringen. Ich gebe Ihnen wieder ein Beispiel: *Theodor ritt bis an den Garten, sprang vom Pferde, kroch durch den Zaun und flog nach der Laube, wo Ursula ruhte, schlich sich zu ihr hin und stürzte zu ihren Füßen. Freudig hob sie ihn empor. Er setzte sich an ihre Seite, sank an ihre Brust und schwamm in Seligkeit. Das alles war das Werk einer Minute.*

Gleichbleibende Helle ohne Licht und Schatten ist quälend. Wenn ich Ihnen schon oft gepredigt habe: Hauptsachen in Hauptsätze, so muß ich Ihnen auch predigen: Nebensachen in Nebensätze. Der reine Hauptsatzstil wird unerträglich, wenn die Hauptsätze auch noch künstlich kurz gehalten werden. Es entsteht dann eine Art Asthmastil.

Keine gleichartigen Nebensätze hintereinander. Aber wir müssen nicht nur ein Übermaß von Nebensätzen vermeiden, wir müssen auch diejenigen Nebensätze, die wir bringen, möglichst lebendig und klar durchformen. Es gibt einige Arten von Nebensätzen, die besonders störend wirken; sie lassen sich unschwer ersetzen. *23*

Es beleidigt unser Ohr, wenn zwei gleichartig gebaute Nebensätze aufeinander folgen: *Ich bitte Sie, immer wieder zu versuchen, überlange Sätze zu zerschlagen.* Deutsch: *Ich bitte Sie: versuchen Sie immer wieder, überlange Sätze zu zerschlagen*, oder auch: *Ich bitte Sie, bei überlangen Sätzen immer wieder zu versuchen, ob Sie sie nicht zerschlagen können.*

Oder: *Ich erblickte ihn, als ich auf die Straße trat, als ich ihn besuchen wollte.* Deutsch: *Ich erblickte ihn, als ich auf die Straße trat, um ihn zu besuchen.*

Besonders lästig wirkt es, wenn Sie an einem Hauptsatz vorn und hinten je einen wenn-Satz anleimen. *Wenn sich die Verwaltung mit der Anzeige begnügt, so ist die Art der Beseitigung als genehmigt anzusehen, wenn die Verwaltung nicht innerhalb 8 Tagen nach der Anzeige widersprochen hat.* Auf Deutsch muß der Satz heißen: *Wenn sich die Verwaltung mit der Anzeige begnügt und nicht binnen 8 Tagen widerspricht, so ist die Art der Beseitigung genehmigt.*

Keine Häufung von daß-Sätzen. Unschön wirkt auch Häufung von daß-Sätzen; sie haben etwas Papierenes. In der Redesprache sind sie selten. Man kann daß-Sätze auf zwei Wegen vermeiden. Entweder läßt man das Wörtchen *daß* weg und formt einen sogenannten uneingeleiteten Nebensatz, oder man bildet einen Infinitiv-Satz mit *zu;* meist ist nur der eine der beiden Wege gangbar. *24*

Er schrieb, daß er in einigen Tagen kommen werde.	*Er schrieb, er werde in einigen Tagen kommen.*
Er befahl, daß sofort ein Gesetz ausgearbeitet werde.	*Er befahl, sofort ein Gesetz auszuarbeiten.*

Keine Vorreiter. Eine Sorte von Nebensätzen ist besonders widerwärtig und zum Glück auch besonders leicht umzubrin- *25* gen; das sind jene, die von einem Vorreiter abhängen. Solche Vorreiter sind z. B. *der Umstand, daß . . ., die Absicht, daß . . ., es scheint, daß . . ., es ist allgemein bekannt, daß . . ., ich habe keinen Zweifel, daß . . .* usw. Alles Wesentliche folgt in dem daß-Satz.

Meist kann man den Vorreiter einfach wegstreichen; in manchen Fällen muß man ihn durch Umstandswörter (*anscheinend, bekanntlich* usw.) ersetzen und so den Nebensatz in einen Hauptsatz verwandeln.

Es ist bekannt, daß alle Versuche, die Lehrmethoden zu verbessern, auf hartnäckigen Widerstand gestoßen sind.

Bekanntlich sind alle Versuche, die Lehrmethoden zu verbessern, auf hartnäckigen Widerstand gestoßen.

Der Umstand, daß erst mehrere Gutachten eingeholt und die Gutachter ausreichend über die Schwierigkeiten des Kanalbaues, die sich ständig vermehrten, unterrichtet werden mußten, hat die Arbeiten verzögert.

Es mußten erst mehrere Gutachten eingeholt werden. Die Gutachter mußten über die ständig wachsenden Schwierigkeiten unterrichtet werden. Diese Tatsachen haben die Arbeiten verzögert.

Am schlimmsten toben die Vorreiter im Kaufmannsstil. Der Kaufmann empfindet sie als Ausdruck der Höflichkeit, als eine Art einleitende Verbeugung. Man fällt nicht mit der Tür ins Haus. Auch erleichtern die Vorreiter das Diktieren; man kann sie automatisch ansagen und gewinnt Zeit zum Nachdenken:

Was sodann die Angelegenheit der bei Ihnen nicht angekommenen Popeline-Hemden betrifft, so bedauern wir, Ihnen die Mitteilung zukommen lassen zu müssen, daß sich diese Sache noch in der Schwebe befindet, indem wir uns gestatten, die Bemerkung hinzuzufügen, daß wir uns im gegenwärtigen Augenblick zu einer weiteren Stellungnahme nicht in der Lage sehen.

Leider konnten wir den Verbleib der bei Ihnen nicht eingetroffenen Popeline-Hemden noch nicht klären. Wir kommen so bald wie möglich darauf zurück.

Alle Vorreiter sind aus zwei Gründen verdrießlich: sie machen den Satz unrhythmisch und schwerverständlich. Schwerverständlich, denn man versteht einen Satz weit besser, wenn die Hauptsache im Hauptsatz steht. Unrhythmisch, denn es bedarf eines gewissen Gleichgewichts zwischen dem Hauptsatz, dem Tragglied der Periode, und den Nebensätzen, sonst verletzt der Satz unser Gefühl für Ebenmaß.

Direkte und indirekte Rede. Ein Sonderfall innerhalb des Problems der Haupt- und Nebensätze ist die direkte (wörtliche) und indirekte (abhängige) Rede. 26

direkt:	indirekt:
Ich sagte ihm: „Du mußt mehr arbeiten, wenn du etwas erreichen willst.“	Ich sagte ihm, er müsse mehr arbeiten, wenn er etwas erreichen wolle.

Die wörtliche Rede ist lebendiger, aber auch unruhiger. Die abhängige Rede mildert das. Vor allem, wenn Sie ein Hin und Her von Rede und Gegenrede erzählen wollen (Wechselrede), dann wird der Text leicht ermüdend, falls Sie alles in direkter Rede wiedergeben. Sie müssen daher manchmal den einen, manchmal den anderen Weg wählen, den Weg der abhängigen Rede vor allem dann, wenn zahlreiche Äußerungen wiedergegeben werden müssen.

Wie Sie aus den Beispielen gesehen haben, steht die abhängige Rede im Konjunktiv. Also: *Fritz läßt sagen, er komme um 5 Uhr und könne dann alles Nötige veranlassen.* (Also nicht: *er kommt* und *er kann.*) Nun gibt es hier aber eine schwierige Ausnahme. Ärgerlicherweise lauten nämlich im Deutschen im Plural (Mehrzahl) der Konjunktiv und der Indikativ der Gegenwart völlig gleich: *Die Eltern lassen sagen, sie kommen um 5 Uhr und können dann alles Nötige veranlassen.* Man kann dem Wort „*kommen*“ nicht ansehen, daß es Konjunktiv sein soll. In diesem Falle ist es üblich, den Konjunktiv der Vergangenheit zu verwenden, also: *sie kämen um 5 Uhr und könnten dann alles Nötige veranlassen.*

Schaltzeichen. Noch ein kleiner praktischer Ratschlag der Satzbau-Kunst! Auch wenn Sie sich bemühen, lange Sätze zu vermeiden: bisweilen wird Ihnen doch ein etwas längeres Gebilde in die Feder geraten. Denn manchmal strömen so viele Gedanken auf uns zu, daß wir nicht die richtige Übersicht behalten und dann – um nur nichts unter den Tisch fallen zu lassen – doch den einen oder anderen Gedanken schnell noch in unsern Satz hineinschachteln. Wenn wir also einen Satz einschachteln müssen – und manchmal ist es unvermeidlich –, müssen Sie dem Leser das Verständnis mit zwei Gedankenstrichen – vor und hinter der Einschaltung – erleichtern, wie ich es in diesem und auch in dem vorherigen Satz getan habe. Eine Einschal- 27 tung, die zwischen zwei Gedankenstrichen steht, nennt man Parenthese und die Gedankenstriche auch „Schaltzeichen“. Jetzt können wir versuchen, die Ergebnisse unserer Überlegungen in einigen Stilregeln zusammenzufassen:

Stilregel 7 *Bauen Sie kurze oder mittellange Sätze, möglichst nur fünfzehn bis zwanzig Wörter! Aber auch keine Zwergsätze im Asthmastil!*

Stilregel 8 *Damit Ihre Sätze nicht zu lang werden, dürfen Sie nicht zu viele Nebensätze bauen. Hauptsachen in Hauptsätze, Nebensachen in Nebensätze! Der Satz muß durchsichtig bleiben. Die Unterordnung eignet sich mehr für verstandesmäßige, die Beiordnung für gefühlsbetonte Texte. Ein reiner Hauptsatzstil ist eintönig.*

Stilregel 9 *Vermeiden Sie ein Übermaß von papierenen daß-Sätzen. Sie können sie durch Infinitiv-Sätze oder auch durch uneingeleitete Nebensätze ohne daß ersetzen.*

Stilregel 10 *Wenn sie in einem Satz etwas einschalten, so setzen Sie die Einschaltung zwischen Gedankenstriche. Auch der Doppelpunkt macht oft die Gliederung des Satzes klarer.*

Fragen

Der Schüler fragt

Schüler: Ich wundre mich, daß Sie weit mehr für Beiordnung sind als für Unterordnung. Die Unterordnung bringt doch weit besser zum Ausdruck, in welchem logischen Verhältnis die Sätze stehen.

Lehrer: Unsinn! Sie können die Begründung mit *denn* oder *daher* genau so gut geben wie mit *da* und *weil*, die Einschränkung genau so gut mit *zwar* wie mit *obwohl*. Auch ist es bei klar gebauten Sätzen gar nicht nötig, bei jedem Satzanfang den logischen Zusammenhang durch Bindewörter herauszuarbeiten. Heißt eigentlich das bekannte Volkslied:

Zwei Königskinder konnten,
obwohl sie einander so lieb hatten,
nicht zusammenkommen,
weil das Wasser viel zu tief war?

O nein! Es heißt bekanntlich:

Es waren zwei Königskinder,
die hatten einander so lieb,
sie konnten zusammen nicht kommen,
das Wasser war viel zu tief.

Trotzdem hat noch nie jemand den logischen Zusammenhang dieser Sätze verkannt. Das ist nun freilich ein Volkslied, eine Ballade, zu deren Stilmitteln die fugenlose Beiordnung gehört, aber wir können auch in der Prosa Bindewörter weglassen, wenn der Zusammenhang ohnehin klar ist, (denn) wir sollen dem Leser (zwar) eine bekömmliche Kost vorsetzen, aber wir sollen ihm nicht den Brei in den Mund schmieren. Ein wenig Gedankenarbeit sollen wir dem Leser überlassen: (denn) er hält dann den Gedanken leichter für seinen eigenen.

Schüler: Ja, aber haben nicht Ihre mittellangen Sätze auch ihre Nachteile? Kann man nicht eine einheitliche Gedankenkette in einem langen Satz viel überzeugender wiedergeben als in einem kurzen?

Lehrer: Lassen Sie sich nicht so einen Unsinn einreden! Der Punkt zerreißt den Zusammenhang des Gedankens durchaus nicht. Die Gedankenentwicklung wird nur klarer, wenn man sie auf mehrere Sätze verteilt.

Schüler: Mir ist schon aufgefallen, daß Sie sogar vor *und* und *sondern* manchmal einen Punkt setzen.

Lehrer: Diese Art der Zeichensetzung ist in der Tat nicht allgemein üblich, aber sie hat ihre Vorteile: der Leser erhält gleichsam eine Atempause. Auch wirkt das Wort *sondern* viel gewichtiger, wenn ein Punkt vorausgegangen ist. Aber freilich ist diese Interpunktion – weil ungewöhnlich – nicht für Schulaufsätze geeignet. Oft genügt ein Strichpunkt oder Semikolon.

Schüler: Aber manchmal finde ich doch sehr lange Sätze bei Schiller oder Kleist.

Lehrer: In solchen Fällen müssen Sie an das Sprichwort denken: „*Eines schickt sich nicht für alle.*" Wer einen Don Carlos oder einen Michael Kohlhaas geschrieben hat, für den gelten andere Stilregeln als für Sie und für mich. Der Dichter kann längere Sätze bauen, ohne das Verständnis zu gefährden, weil er die unlernbare Kunst beherrscht, auch solche Gefüge durchsichtig zu halten. Bei Schiller stehen manche Sätze, deren Länge ihre Schönheit nicht schädigt, sondern steigert, indem die verborgenen Gesetze des Rhythmus die Wörter mehr sagen lassen, als sie aussprechen. Aber auch bei diesen schön geschwungenen Perioden handelt es sich nicht um solche Mammutsätze, wie wir sie am Anfang dieses Kapitels kennengelernt haben.

Der Lehrer fragt

Welche beiden Formen der Satzordnung unterscheiden wir?	Beiordnung (Hauptsätze) und Unterordnung (Haupt- und Nebensätze).
Wie nennt man Sätze, bei denen die einzelnen Satzteile ineinandergekeilt sind?	Schachtelsätze.
Wie heißen die Bindewörter für Nebensätze und für Hauptsätze bei Sätzen folgenden Inhalts?	
Begründung	da, weil – daher, denn
Einschränkung	obwohl, wenn auch – zwar
Zeitangabe	als, nachdem, während – dann, zugleich
Ortsangabe	wo, woher, wohin – dort, dorthin, dorther.
Welches sind die schlimmsten Stillaster?	Allgemeine Ausdrücke, Hauptwörterei, überlange Sätze.
Welche Länge soll im allgemeinen ein Satz nicht überschreiten?	15–20 Wörter.
Was ist der Nachteil der Zwergsätze?	Sie haben etwas Künstliches, Gehetztes, Asthmatisches.
Wann soll man Hauptsätze, wann Nebensätze bilden?	Hauptsachen gehören in Hauptsätze, Nebensachen in Nebensätze.

Warum kann man nicht unbeschränkt Nebensätze bilden?	Weil ein Übermaß an Nebensätzen das Satzgefüge lang und undurchsichtig macht.
Warum kann man nicht ausschließlich Hauptsätze bilden?	Weil dann der Stil eintönig wird und weil wir Nebensachen kein unnötiges Gewicht geben dürfen.
Für welches Stoffgebiet eignet sich mehr die Beiordnung, für welches die Unterordnung?	Für verstandesmäßige Darlegungen die Unterordnung, für gefühlsbetonte die Beiordnung.
Wie kann man daß-Sätze auflockern?	Mit Infinitivsätzen oder mit uneingeleiteten Nebensätzen ohne *daß*.
Welche Satzkonstruktionen versetzen eine Belanglosigkeit in den Hauptsatz und die Hauptsache in den Nebensatz?	Die sogenannten Vorreiterkonstruktionen *es ist bekannt, daß* usw.
Welches sind die deutschen Bezeichnungen für direkte und indirekte Rede?	Wörtliche und abhängige Rede.
Welche Vorteile und Nachteile hat die direkte Rede?	Sie ist lebendiger, wirkt aber auch schroffer.
Was ist eine Parenthese?	Eine Einschaltung.
Wie kann man Sätze mit Parenthesen übersichtlicher machen?	Durch sogenannte Schaltzeichen, d. h. Gedankenstriche vor und nach der Einschaltung.
Wo ist der Doppelpunkt allgemein üblich?	Vor der direkten Rede, vor Aufzählungen und Beispielen.
Wo kann man den Doppelpunkt noch verwenden, um ein Satzgefüge übersichtlicher zu machen?	Hinter Bedingungssätzen und an Stellen, wo er *die Sache verhält sich wie folgt* ersetzt.

Aufgaben und Denkübungen

Bringen Sie die Sätze 1–6 in durchsichtiges Deutsch:

1. *Als Sitz eines forstwirtschaftlichen Betriebes, der sich über mehrere Gemeindebezirke erstreckt, gilt die Gemeinde, in deren Bezirk der größte Teil der Forstgrundstücke liegt, sofern die beteiligten Gemeinden und der Unternehmer sich nicht über einen anderen Betriebssitz einigen.*

2. *Die Karthager waren des Krieges längst müde geworden, der ihre Geduld auf eine harte Probe stellte, ihren Handel störte und Geldopfer von ihnen verlangte.*

3. *Bei meinem Neudichten von Calderons phantastischem Schauspiel „Über allem Zauber Liebe", das in vielen Farben des Geschehens und des Verses schillert, von seinem genialen Frühwerk „Das Leben ein Traum" und von seinem erschütternden Volksschauspiel „Der Richter von Zalamea" (der in Heinrich George den gewaltigen Darsteller fand) ist mir die seltene zwiespältige Wesenheit des dramatischen Verses wieder so eindrücklich geworden, daß ich einige Bemerkungen dazu niederschreiben möchte.* (Wilhelm v. Scholz.)

4. *Derjenige, der denjenigen, der den Pfahl, der an der Brücke, die auf dem Wege, der nach Worms führt, liegt, steht, umgeworfen hat, anzeigt, erhält eine Belohnung.*

5. *Er hatte schon den Ernst des Daseins kennengelernt und war allen Gefahren, welche möglicherweise an ihn herantreten konnten und welcher ein jeder, der diese wilde Gegend zu jener Zeit, als diese Geschichte dort spielte, durchstreifte, gewärtig sein mußte, gewachsen.*

6. *Man muß es gestehen, daß der Grundsatz des großbritannischen Regiments: die Rede ihres Königs vom Thron sei als ein Werk seines Ministers anzusehen, da es der Würde eines Monarchen zuwider sein würde, sich Irrtum, Unwissenheit oder Unwahrheit vorrücken zu lassen, gleichwohl aber das Haus über ihren Inhalt zu urteilen, ihn zu prüfen und anzufechten berechtigt sein muß, daß, sage ich, dieser Grundsatz sehr fein ausgedacht sei.*

Zusammenfassung der Lektionen 6 bis 9

Die drei schlimmsten Stillaster sind

allgemeine Ausdrücke,
Hauptwörterei,
überlange Sätze.

1. Den allgemeinen Ausdruck vermeiden wir, indem wir nach dem besonderen Ausdruck suchen. Immer wieder müssen wir uns fragen: Gibt es nicht zu diesem Begriff einen treffenderen Unterbegriff? Eine besonders widerwärtige Art allgemeiner Ausdrücke sind die Modewörter und Modewendungen. Sie müssen wir vermeiden.

2. Die Hauptwörterei ist schwer zu überwinden. Wir müssen uns dazu erziehen, Handlungen nur in Verben wiederzugeben. Die drei gefährlichen Spielarten der Hauptwörterei sind:

Streckverben (*in Erwägung ziehen* statt *erwägen*),
Wortketten (*Die Genehmigung der Errichtung des Hauses des Präsidenten*),
Unechte Hauptwörter auf -ung (*Inerwägungziehung*).

Wir müssen Handlungen wiedergeben durch selbständige Haupt- und Nebensätze, nicht durch Hauptwörter auf -ung: das ist das Gegengift gegen die Hauptwörterei.

3. Wir müssen kurze oder mittellange Sätze bauen; nicht zu viele Nebensätze, aber auch nicht nur Hauptsätze. Ein Übermaß von Nebensätzen macht den Stil unklar, ein Übermaß von Hauptsätzen macht ihn eintönig. Hauptsachen in Hauptsätze, Nebensachen in Nebensätze! Wenn es sich um gefühlsbetonte Texte handelt, müssen wir die Nebensätze noch mehr einschränken, wie es die Alltagsrede auch tut.
Wenn der Satz etwas länger wird, müssen wir ihn durch Doppelpunkte und Gedankenstriche möglichst klar gliedern.

Wiederholungsaufgaben für Lektion 6 bis 9

1. Ersetze die Gedankenstriche durch passende Wörter: *Als ich gestern meinen Bleistift – – – wollte, – – – ich mich mit dem Messer in den Finger. Ich – – – die Wunde mit dem Munde aus, damit kein Schmutz hinein – –. Da sie stark – – –, mußte ich Watte – – – und etwas Mull herum – – –. Das Ende des Mulls – – – ich etwas auf, – – – einen Knoten und – – – so den Verband fest.*

2. Welche sinnverwandten Wörter gibt es für *antworten?*

3. Ordne die nachstehenden Wörter in die Wortfelder:

beharrlich | *bereitwillig* | *unvorbereitet* | *gewohnt*

beständig, willens, geneigt, hartköpfig, freihändig, anerzogen, stur, geläufig, eingewurzelt, standhaft, gebräuchlich, unabänderlich, regellos, unbeugsam, unausgerüstet, willfährig, einsatzbereit.

4. Ersetze in den folgenden Sätzen das Wort *zerstören* durch einen besonderen, genau passenden Ausdruck:
Das beschädigte Haus wurde zerstört, die Auflage des Buches wurde zerstört, der Hagel hat die Ernte zerstört, dieser Indianerstamm wurde zerstört, der Tiger hat die Leiche zerstört, der Bergrutsch hat die Hütte zerstört, durch diese Mittel wurde das Ungeziefer zerstört, er hat mit der Hand die Schrift völlig zerstört, die Festungen müssen zerstört werden.

5. Verbinde die zusammenhängenden Worte durch Striche:

Die Sorgen den Schlaflosen	*kränken*
Die Beleidigungen den Freund	*peinigen*
Das Kopfweh den Kranken	*schikanieren*
Der böse Nachbar den guten	*schleifen*
Der Unteroffizier den Soldaten	*bedrücken*
Die Räuber den Überfallenen	*mißhandeln*
Der Tyrann das Volk	*quälen*

6. Beantworte folgende Fragen:

Wieviel sind zwei Dackel und drei Dackel?	fünf Dackel
zwei Dackel und drei Pudel?	fünf –
vier Dackel und zwei Katzen?	sechs –
vier Dackel und zwei Eidechsen?	sechs –
vier Dackel und fünf Schmetterlinge?	neun –
vier Dackel und sechs Eichen?	zehn –

7. Nennen Sie 20 Landfahrzeuge!

8. Verbessern Sie den Satz: *Der Diener holte den Rock des Professors, den er endlich einmal reinigen wollte.*

9. Wie heißen die Werkzeuge des Tischlers?

10. Füge in folgende Sätze ein passendes Umstandswort ein:
a) *– ließ sich der alte Mann in den Stuhl sinken.*
b) *– sanken sie am Gipfel auf das Gras nieder.*
c) *Mit einem spöttischen Blick setzte sie sich – auf den Rand des Tisches.*
d) *– saß der fette Mann in dem Klubsessel.*

11. In nachstehenden 6 Sätzen sind die eingeklammerten Zeitwörter vertauscht. Wie müssen sie richtig lauten?
a) *(Fauchend) saß Achill in seinem Zelte, weil man ihm Briseis weggenommen hatte.*
b) *Der Löwe (schmollte) vor Wut.*

c) *Wegen solcher Kleinigkeiten derart zu (grollen), ist ein Zeichen schlechter Erziehung.*
d) *Wen heute nichts (erbittern) kann, kann morgen nichts begeistern.*
e) *Sie liebt, in solchen Fällen einige Stunden zu (toben).*
f) *Diese ständigen Quertreibereien müssen jeden Menschen (erzürnen).*

12. Ersetzen Sie die Modewendungen in folgenden Sätzen:
a) *Ich möchte es angesichts dieser katastrophalen Ergebnisse dahingestellt sein lassen, ob die Gegenseite wirklich auf der Höhe der Aufgaben stand.*
b) *Hier bietet sich ein Beispiel, wie sich der Schwerpunkt verlagert hat.*
c) *Es erübrigt sich zu betonen, daß wir voll und ganz unser Versprechen einlösen werden.*

Bringen Sie nachstehende Sätze in flüssiges Deutsch:

13. *Landungsplatz König Friedrichs des VI. am 5. Juli 1825 auf der Rückkehr von einer nach den durch die Sturmflut am 3. und 4. Februar desselben Jahres überschwemmt gewesenen Inseln und Halligen unternommenen Reise.*

14. *Die Exhumierung der Gebeine des Turnvaters Jahn und ihre Überführung in die in dem Westteil der auf dem alten Friedhof von der Deutschen Turnerschaft errichteten Turnhalle eingebaute Gruft wurde heute bewerkstelligt.*

15. *Ihr unbefangenes Auftreten zeigte, daß ihr vor der Kenntniserlangung ihrer Eltern von dem Bevorstehenden und dem zu erwartenden Unwillen derselben über ihren Entschluß nicht im mindesten bangte.*

16. *Die Sprachpflege wird bei der Behandlung der Aufsätze besonders auch auf die Vermeidung derjenigen landläufigen Fehler hinarbeiten, die namentlich im schriftlichen Ausdruck oft vorkommen, so des unnötigen oder unrichtigen Gebrauchs von Nebensätzen, der Bevorzugung der Leideform vor der Tätigkeitsform, der Verwendung entbehrlicher Fremdwörter und dergl. Auf bestimmtes Erfassen und Festhalten des Gegenstandes, auf klare und übersichtliche Gedankenführung und auf schlichten Ausdruck ist streng zu achten.*

17. *Das Vollstreckungsgericht kann dem Schützling, der durch sein Verhalten den Zweck der Schutzaufsicht zu vereiteln droht, insbesondere den Weisungen oder Ratschlägen des Helfers nicht folgt, sich der Schutzaufsicht entzieht oder zu entziehen sucht oder seine Pflichten nicht erfüllt, aufgeben, . . .*

18. *Da die von uns bestellten Leitz-Ordner, welche, wie wir jetzt festgestellt haben, im übrigen auch teurer gekommen wären als bei Ihrer Konkurrenz, noch immer nicht eingetroffen sind, obwohl wir uns von Ihnen als Liefertermin den 1. Juli hatten bestätigen lassen, um mit einem festen Eintreffen rechnen zu können, sehen wir uns zu unserem Bedauern genötigt, Sie zu ersuchen, unsere Bestellung zu streichen.*

19. *Da Friedrich die Vorbereitungen seiner Gegner teils kannte, teils sogar, wie es seinem mißtrauischen Charakter entsprach, noch überschätzte, rückte er eines Tages ohne Kriegserklärung in Sachsen ein.*

20. *Wenn unsere Gesellschafter keinen Einspruch erheben, können wir den Vertrag nächste Woche protokollieren, falls die behördliche Genehmigung dann vorliegt.*

21. *Er bat mich, Konstantin zu telefonieren, sofort zu uns zu kommen.*

22. *Er sagte, daß er die Ansicht, daß der Vertrag erneuert werden müsse, nicht teile.*

23. *Wenn die bestellten Sägeblätter nicht rechtzeitig eintreffen, was bei der bekannten Unpünktlichkeit dieses Lieferanten sehr gut möglich ist, muß Sägewerk I auf Doppelschichten gehen.*

24. Verwandeln Sie die folgenden Sätze aus der direkten in die indirekte Rede:

Er sagte: Um über den Wert der Geistesprodukte eines Schriftstellers eine vorläufige Schätzung anzustellen, ist es nicht gerade notwendig zu wissen, worüber oder was er gedacht habe; sondern zunächst ist es hinreichend, zu wissen, wie er gedacht hat. Von diesem Wie des Denkens nun ist ein genauer Abdruck sein Stil. Im stillen Bewußtsein dieses Bewandtnisses der Sache sucht jeder Mittelmäßige seinen ihm eigenen und natürlichen Stil zu maskieren. Jene Alltagsköpfe nämlich können schlechterdings sich nicht entschließen, zu schreiben, wie sie denken; weil ihnen ahnt, daß alsdann das Ding ein gar einfältiges Ansehn erhalten könnte. (nach Schopenhauer)

2. Kein Stopfstil! 10. Lektion

28 **Adverbiale Bestimmungen.** Bisher haben wir immer nur davon gesprochen, ob wir eine Mitteilung in die Form eines Haupt- oder eines Nebensatzes kleiden sollten. Es gibt aber noch eine dritte Möglichkeit: wir können sie als adverbiale Bestimmung in einen Satz einfügen. Wie Sie wissen, bezeichnen wir als adverbiale Bestimmung jene Satzteile, die zur Darstellung des Ortes, der Zeit oder der Art und Weise neben das Verb treten; es können Umstandswörter (Adverbien) oder auch – das ist die Regel – Hauptwörter in Verbindung mit Verhältniswörtern sein.

Nehmen wir ein Beispiel: Wir hatten vorhin die beiden Satzformen *Obwohl sie manche Enttäuschung erlebt hat, versucht sie immer von neuem aufzutreten.* Oder: *Zwar hat sie manche Enttäuschung erlebt, aber sie versucht doch immer von neuem aufzutreten.* In der Form einer adverbialen Bestimmung würde der Satz lauten: *Trotz mancher Enttäuschungen versucht sie immer wieder aufzutreten.* Andere der auf Seite 95 (Ziffer 19) genannten Sätze würden mit adverbialen Bestimmungen so aussehen: *Wegen der Schwierigkeiten des Verständnisses soll man keine langen Sätze bauen* oder *Nach Eintreffen dieser Nachricht reiste ich gleich ab.*

Sie sehen: Kurze adverbiale Bestimmungen sind ein brauchbares Stilmittel. Aber lange adverbiale Bestimmungen machen den Satz schwerfällig, besonders wenn es Hauptwörter auf -ung sind, vor denen ich Sie schon in dem Kapitel Hauptwörter gewarnt habe. Es entsteht dann der sogenannte Stopfstil.

29 **Stopfstil.** *In der Überzeugung, eine Erweiterung des Unternehmens auf Fabrikation von Stahlmatratzen würde durch Einsparung bisheriger Einkäufe zur weitgehenden Unabhängigmachung von den Vorlieferanten innerhalb eines Jahres beitragen, entschloß sich Meyer, unter Heranziehung aller seiner Gelder einen Anbau zu beginnen.*

Der Satz ist ein Blumenstrauß von Satzbaufehlern: viermal hat der Verfasser adverbiale Bestimmungen eingefügt (Überzeugung, Einsparung, Jahr, Heranziehung); obendrein hat er hierbei zweimal Handlungen in Hauptwörter gezwängt. Deutsch müßte der Satz heißen: *Meyer wünschte Einkäufe einzusparen und hierdurch das Unternehmen weitgehend von Vorlieferanten unabhängig zu machen; er entschloß sich deshalb, alle seine Gelder heranzuziehen und zusätzlich Stahlmatratzen zu fabrizieren; hierfür begann er einen Anbau.*

Bei jenem widerwärtigen und unrhythmischen Wurstsatz wird jeder merken, daß man lange adverbiale Bestimmungen vermeiden muß. Aber ich möchte noch einen Schritt weiter gehen. In der mündlichen Rede sagt niemand *bei Eintritt guten Wetters*, sondern *wenn das Wetter gut wird*. Luther sagt in der Weihnachtsgeschichte nicht *unter der Regierung des Landpflegers Kyrenius*, sondern *da Kyrenius Landpfleger in Syrien war*. Das Umgangsdeutsch und die volkstümliche Prosa geben die Umstände der Zeit, des Ortes und der Art nicht in Hauptwörtern an, sondern in Nebensätzen. Wir wollen aus dieser Erfahrung keine starre Regel machen. Die adverbialen Bestimmungen haben ja auch einen Vorzug: sie sind kürzer. Wir wollen also unsere Stilregel vorsichtig so formulieren:

Stilregel 11 *Seien Sie sparsam mit adverbialen Bestimmungen in Hauptwortform! Wenn sie lang sind, müssen sie durch Nebensätze ersetzt werden, sonst entsteht der Stopfstil. Aber auch wenn sie kurz sind, wirken sie leicht papierener als Nebensätze, namentlich wenn es sich um Wörter auf -ung handelt.*

3. Sparsam mit Partizipien!

30 **Angelehnte Anwendung des Partizips.** Sie haben in der ersten Lektion gehört: Das Deutsche kennt zwei Partizipien, ein aktives *lobend* und ein passives *gelobt*. In der Regel wird das Partizip angelehnt an ein Hauptwort: *das Gelobte Land;* es steht hier wie ein Adjektiv: von der *strahlenden Sonne* und den *lachenden Erben* bis zur *erledigten Arbeit* und dem *zerstörten Haus*. Aber drei Dinge müssen wir doch beachten: Erstens dürfen wir das Partizip nicht mit weiteren abhängigen Worten belasten: *die vergnügt zahlreiche Lieder singenden Kinder* sind uns weniger angenehm als die *singenden Kinder* schlechthin, gegen die sprachlich niemand etwas einwenden wird. Und warum haben wir gegen *die vergnügt zahlreiche Lieder singenden Kinder* Bedenken? Weil diese Wendung eine der verbotenen Klemmkonstruktionen darstellt: zwischen Artikel und Hauptwort schieben sich unübersichtlich mehrere Wörter. Wir können uns hier helfen, indem wir die Wortstellung ändern: *Die Kinder, vergnügt zahlreiche Lieder singend, . . .* Zweitens müssen wir uns klarmachen, daß bestimmte Partizipien einfach gestrichen werden können: *die getroffene Feststellung, die unternommenen Maßnahmen, die gemachten Erfahrungen, die geltenden Tarifbestimmungen, die bewiesene Ausdauer, nach der eingenommenen Mahlzeit:* ein Strich durch die Partizipien – und die Sätze bleiben genau so klar. Im Sprichwort heißt es ja auch nicht: *Man soll den Tag nicht vor dem eingetretenen Abend loben.* Das Passivpartizip eines allgemeinen Verbums des Handelns ist unnötig, wenn schon der Zusammenhang die Handlung ergibt. Drittens dürfen Sie niemals die an ein Hauptwort gelehnte Partizipform *zu lobend, zu lesend, zu ergreifend* verwenden. *Die an sich sehr zu lobende Bemühung einer Benutzung von Partizipien führt zu sehr zu tadelnden undeutschen Formen, wenn sie in dieser ungeschickt zu nennenden Weise ausgeübt wird.*

Verbale Anwendung. Soviel über das adjektivisch verwendete Partizip. Schwieriger ist die verbale Verwendung; losgelöst vom Hauptwort. Richtig gebraucht, kann es hier ganze Sätze ersparen. *Wenn die Strenge zu weit getrieben wird, verfehlt sie ihres weisen Zwecks, und der Bogen zerspringt, wenn er allzu straff gespannt wird.* Unstreitig ist die wirkliche Fassung: 31

Zu weit getrieben
Verfehlt die Strenge ihres weisen Zwecks,
Und allzu straff gespannt, zerspringt der Bogen

weit schlagkräftiger. Das Partizip ersetzt hier ein Verbum; man spricht von verbaler Verwendung.

Wann ist nun dies verbale Partizip richtig benützt? Wenn wir zwei Fehler vermeiden! Erstens dürfen wir auch das verbal verwandte Partizip nicht mit zahlreichen abhängigen Worten belasten und nicht mehrere Partizipien aneinanderreihen: *Bismarck war ein Mann des Maßes, allen Übertreibungen mit gelassener Stirn ausweichend, aber doch, wo es nötig war, auf seine Rechte entschlossen pochend.* Solche Sätze sind papieren; kein Mensch spricht so.

Zweitens müssen Sie den Fehler vermeiden, der Schiller in dem berüchtigten Satze unterlaufen ist: *Rauchend zog Karl sein Schwert zurück.* Gemeint ist: das Schwert rauchte. Streng genommen sagt der Satz aber, daß Karl rauchte. Noch schlagender ist das Beispiel aus der Ansprache eines Bürgermeisters: *Ange-*

füllt mit edlem Rheinwein, überreiche ich Eurer Exzellenz diesen Becher. Wer war gefüllt? Das Partizip bezieht sich immer auf das Subjekt des Satzes.

Ich vermute, diese beiden Warnungen werden Sie etwas kopfscheu gemacht haben, namentlich gegen das gefährliche verbal verwendete Partizip. Vielleicht haben Sie den Entschluß gefaßt, lieber auf dies Stilmittel ganz zu verzichten als in diese Schlingen zu fallen.

Ich könnte diesen Entschluß nicht schelten. Verbal gebrauchte Partizipien sind eine Sache der Stilmeister. Wir anderen wollen sie nur mit Vorsicht verwenden.

Stilregel 12 *Partizipien soll man in erster Linie angelehnt an ein Hauptwort verwenden, also wie ein Adjektiv. Wir dürfen sie aber nicht mit Ergänzungen belasten und dürfen nie die Form zu lobend verwenden. Auch können wir das Passiv-Partizip der Verben des allgemeinen Handelns (die getroffene Maßnahme) meist streichen. – Das Partizip in verbaler Anwendung ist mehr Sache der Stilmeister; es gibt Anlaß zu vielen Verstößen und wirkt leicht unnatürlich.*

Fragen

Der Schüler fragt

Schüler: Es fällt mir auf: wir stoßen auf verschiedene Fragen immer wieder von den verschiedensten Seiten. Die Klemmkonstruktion haben wir bei den kleinen Stilgebrechen erörtert und jetzt wieder bei der Besprechung des Partizips. Über Hauptwörter auf -ung haben wir bei der Frage der Hauptwörterei geredet und jetzt wieder bei den Fragen des Satzbaus.

Lehrer: Daß wir immer wieder auf die gleichen Probleme stoßen, hat seine guten Gründe. In welcher Reihenfolge bespreche ich mit Ihnen die Stilfragen? Nicht in systematischer Reihenfolge – übrigens gibt es hier auch kein allgemein anerkanntes System –, sondern in pädagogischer Folge, d. h. wir richten uns danach, wie sich die Dinge am leichtesten lernen. Deshalb habe ich zuerst die zwanzig häufigsten Stilgebrechen verschiedener Art vorweg erörtert. Ich habe mir damit die Bahn frei gemacht, um bei Erörterung der grundsätzlichen Fragen mich nicht mehr mit diesen Einzelfehlern aufhalten zu müssen. Auch konnte ich Ihnen dabei allmählich jenes Stilgefühl einflößen, das Sie dann bei den folgenden Lektionen gut brauchen konnten. Nunmehr gelangen wir zu diesen Stilgebrechen wieder im Laufe unserer planmäßigen Betrachtung aller Stilprobleme.

Schüler: Auch bei dieser lockeren Art der Darstellung habe ich das Gefühl, daß alle Fragen eng zusammenhängen.

Lehrer: Das liegt in der Natur der Sache. Denn wir müssen uns doch einmal folgendes klarmachen: Woher nehmen wir eigentlich unsere Stilregeln?

Schüler: Sie haben sie meist aus dem Gesichtspunkt abgeleitet, daß wir eine bestimmte Wirkung hervorrufen wollen, daß wir also *eindringlich* schreiben müßten.

Lehrer: Eindringlich schreiben wir aber nur, wenn wir *treffend*, *lebendig*, *klar* und *knapp* schreiben. Diese vier Forderungen liegen in der Natur der Dinge. *Treffend* müssen wir schreiben, sonst können wir dem Leser kein richtiges Bild der Sache vermitteln. *Lebendig* müssen wir schreiben, sonst langweilt sich der Leser und liest nicht weiter. *Klar* muß unser Text sein, sonst bekommt der Leser einen falschen Eindruck oder verzichtet überhaupt darauf, sich in dies Dunkel zu vertiefen. Und *knapp* müssen wir sein, weil wir alles auf der Welt mit sparsamen Mitteln erreichen sollen: wir dürfen die Zeit des Lesers nicht vergeuden. Wer weitschweifig ist, darf nicht auf die Aufmerksamkeit des Lesers hoffen. Wir können uns das mit einer Zeichnung – man nennt das graphische Darstellung – so klarmachen:

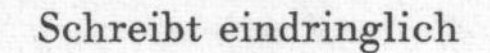

Alle unsere Stilregeln lassen sich aus diesen vier Forderungen ableiten.

Schüler: Ich verstehe Sie vollkommen. Ich habe zum Thema des Satzbaus noch eine nachträgliche Frage: Bisweilen geht doch ein Satz anders weiter, als er angefangen hat; ist das eigentlich zulässig?

Lehrer: Geben Sie ein Beispiel.

Schüler: Also z. B. das Wort aus der Bibel: *Seht euch vor vor den falschen Propheten, die in Schafskleidern zu euch kommen, inwendig aber sind sie reißende Wölfe* – statt *inwendig aber reißende Wölfe sind.*

Lehrer: Luther hat hier in der Tat einen Nebensatz zu einem Hauptsatz umgebogen. Man nennt das Satzbruch oder Anakoluth. Die Alltagssprache tut das leicht: *Wenn Sie schnell gehen und der Sechsuhrzug ist noch nicht weg* (statt *und der Sechsuhrzug noch nicht weg ist*), *dann kommen Sie noch rechtzeitig ins Theater.* Im geschriebenen Text dürfen Sie nie einen Satzbruch begehen. Stilmeister dürfen es tun, wenn sie einem Nebensatz besonderes Gewicht geben wollen.

Schüler: Können Sie mir schließlich noch einen Ratschlag geben, wie man überlange oder vollgestopfte Sätze am besten ausbessert?

Lehrer: Streichen Sie zunächst weg, was inhaltlich entbehrlich ist. Sodann zerlegen Sie den Satz in mehrere Teile. Ob Sie einen Gedanken in Form eines Hauptsatzes oder eines Nebensatzes oder einer adverbialen Bestimmung ausdrücken: das hängt von dem Einzelfall ab. Zum Hauptsatz müssen Sie greifen, wenn der Gedanke wichtig ist oder auch wenn der Satz andernfalls überfüllt oder überlang würde.

Der Lehrer fragt

Was nennt man Stopfstil?	Von Stopfstil sprechen wir, wenn in einem Satz zahlreiche adverbiale Bestimmungen in Hauptwörtern enthalten sind.
Wie kann man den Stopfstil vermeiden?	Indem wir die adverbialen Bestimmungen in Haupt- oder Nebensätze verwandeln.
Welche beiden Anwendungen des Partizips kennen Sie?	Die adjektivische und die verbale.

Welche drei Forderungen müssen wir bei der an das Hauptwort angelehnten Verwendung beachten?	1. Das Partizip nicht mit abhängigen Worten belasten! 2. Das Passiv-Partizip der Verben des allgemeinen Handelns ist oft entbehrlich. 3. Nie die Form *zu lobend* verwenden!
Welche drei Warnungen sind bei der losgelösten Verwendung wichtig?	1. Das Partizip nicht mit abhängigen Wörtern belasten. 2. Keine Partizipien häufen! 3. Das Partizip darf sich nur auf das Subjekt beziehen.

Aufgaben

Wandeln Sie die Sätze 1–5 in Sätze mit Partizipien:

1. Immer noch schwoll das Wasser des Flusses, indem es auf seinem Wege alles mit sich fortriß.
2. Auf diese Bank von Stein will ich mich setzen, die dem Wanderer zur kurzen Ruh bereitet ist.
3. Nachdem Maria Stuart in dieser Weise geschlagen und gedemütigt war, sah sie ein, . . .
4. Seine Frau, die mit Juwelen geschmückt war und einen riesigen roten Hut auf dem Kopf trug, betrat den Ballsaal.
5. Ich hörte es und lächelte.

11. Lektion

4. Wortstellung

32 **Freiheit der Wortstellung.** Ein großer Vorzug der deutschen Sprache ist die Freiheit der Wortstellung. Wir können z. B. in dem Satz: *Ich habe gestern Fritz das Messer weggenommen* die Wörter auf fünf verschiedene Arten stellen, je nachdem, welches Wort wir hervorheben wollen:

Ich habe gestern Fritz das Messer weggenommen.
Gestern habe ich Fritz das Messer weggenommen.
Das Messer habe ich Fritz gestern weggenommen.
Fritz habe ich das Messer gestern weggenommen.
Weggenommen habe ich Fritz das Messer gestern.

33 **Sinnwort am Anfang.** An dem Beispiel sehen Sie sogleich: die betonteste Stelle im Satz ist der Anfang. An den Anfang müssen wir das Wort stellen, das wir hervorheben wollen. Die deutsche Wortstellung ist nicht starr, sie ist durch das Denken bedingt. Denkbedingt ist die Wortstellung vor allem in der mündlichen Rede: „Haben Sie sich geärgert?" „Gelacht habe ich über das Geschwätz." Niemand würde antworten: „Ich habe über das Geschwätz gelacht."

Wenn wir ein inhaltlich scharf hervorgehobenes Wort des Satzes das Sinnwort nennen, so können wir die Hauptregel der Wortstellung kurz so formulieren: das Sinnwort möglichst an den Anfang! Freilich ist diese Wortstellung manchmal etwas ungewöhnlich. Wir müssen sie daher bei Gelegenheiten, bei denen auf eine landesübliche Schreibart Wert gelegt wird, z. B. im Schulaufsatz, mit Vorsicht verwenden. Nehmen wir einige Beispiele:

Übliche Wortstellung	Denkbedingte Wortstellung
Die Herbstsonne strahlte golden vom klarblauen Himmel.	*Golden vom klarblauen Himmel strahlte die Herbstsonne.*
Kann man es ihm verübeln, daß er angesichts dieser verzweifelten Lage den Mut verlor?	*Angesichts dieser verzweifelten Lage: kann man es ihm verübeln, daß er den Mut verlor?*
Der Herzog rief: „Ich werde das zu verhindern wissen!"	*„Das werde ich zu verhindern wissen!" rief der Herzog.*
Es ist leicht, Stilregeln aufzustellen, es ist schwer, sie zu befolgen.	*Stilregeln aufstellen ist leicht, Stilregeln befolgen ist schwer.*

Oft können wir das Sinnwort oder die Sinnworte nur dann vorziehen, wenn wir sie nachher durch ein Fürwort oder eine ähnliche Wendung wiederholen:

Man kann nicht länger die Torheit dieser Entscheidung verkennen, wenn man sich klarmacht . . .

Die Torheit dieser Entscheidung, man kann sie nicht länger verkennen . . .

Wir stehen vor der Aufgabe, alles in Ruhe der Reihe nach zu besprechen.

In Ruhe alles der Reihe nach zu besprechen: das ist die Aufgabe, vor der wir stehen.

Auch die Verneinung darf man nicht nachhinken lassen:

Nach alledem besteht ein Widerspruch zwischen der Verordnung und dem Wortlaut des Gesetzes nicht.

Nach alledem besteht kein Widerspruch . . .

Das Sinnwort braucht nicht gerade das allererste Wort zu sein, aber es muß im Vorfeld des Satzes stehen.

34 **Sinnwort am Schluß.** Aber jetzt kommt – wie so oft in Stilfragen – eine Einschränkung: manchmal können wir das entscheidende Wort nicht an den Anfang stellen, weil es erst vorbereitet werden muß, etwa beim Anfang eines Märchens: *Es lebte einmal im Schwarzwald eine arme Witwe.* In solchen Fällen müssen wir das Sinnwort an den Schluß stellen, denn der Schluß hat sehr viel mehr Redeton als die Mitte.

35 **Kleine Ratschläge.** Ein kleiner praktischer Ratschlag: Listenartige Aufzählungen gehören an den Anfang oder an den Schluß des Satzes; sonst verliert der Leser den Zusammenhang. *Ich habe Jannings in einer Reihe großartiger Rollen, als Fuhrmann Henschel, als Florian Geyer und am allerbesten als Hotelportier in dem Film ‚Der letzte Mann' im Verlauf der letzten zwanzig Jahre gesehen und bewundert.* Richtige Stellung: *Ich habe Jannings im Verlauf der letzten zwanzig Jahre in einer Reihe großartiger Rollen gesehen und bewundert: als Fuhrmann Henschel, usw.*

Bei langen Verzeichnissen ist es am übersichtlichsten, sie hinter dem Satz gesondert aufzuführen und jedem Glied eine neue Zeile zu geben.

Ungeschickte Wortstellung erzeugt leicht Mißverständnisse:

Heute abend Vortrag: Die Abstammung des Menschengeschlechtes vom Lehrer Kalb in Gera.

Abends Ball beim König, der sehr voll war.
Es hat dem allmächtigen Schöpfer gefallen, während er auf der Reise nach Mexiko abwesend war, unseren geliebten Bruder zu sich zu nehmen.

Jetzt können wir unsere Stilregel formulieren:

Stilregel 13 *Stellen Sie das Sinnwort des Satzes in das Vorfeld! Wenn das Sinnwort vorbereitet werden muß, kommt es in das Nachfeld. Bisweilen müssen wir ein Fürwort zu Hilfe nehmen, um das Sinnwort an die richtige Stelle setzen zu können. Listenartige Aufzählungen gehören übersichtlich an den Schluß des Satzes.*

Ein paar kleine Wortstellungsregeln müssen Sie sich noch nebenher merken; sie beruhen einfach auf Sprachgewohnheiten:

1. Das Wörtchen „sich“ darf man nie zu weit nach hinten setzen: *Er hat sich nach kurzer Überlegung zurückgezogen* (nicht *sich zurückgezogen*).

2. Angaben der Zeit, des Ortes und der Art und Weise folgen in dieser Reihenfolge, also z. B.: *Ich werde diese Frage morgen auf dem Spaziergang gründlich mit euch besprechen.*

3. Erinnern Sie sich des Stilverbots 5 über die Zerreißung des Zeitworts! (Seite 34, Ziffer 36).

4. Stellen Sie nie zwei Verhältniswörter (Präpositionen) hintereinander; das gibt sonst eine Reihe von mit Ungeschick aneinandergefügten Wörtern.

Fragen

Der Schüler fragt

Schüler: Die Lehre von der Wortstellung erscheint mir einfach, weil man sie gefühlsmäßig richtig treffen kann.

Lehrer: Ich gebe Ihnen hierfür noch einen guten Ratschlag: Schreiben Sie laut! Ich meine damit: lesen Sie sich laut vor, was Sie schreiben. Oder wenn das nicht geht, dann stellen Sie sich wenigstens vor, Sie müßten es laut vorlesen. Malen Sie sich aus, wie Ihnen ein Zuhörer gegenübersitzt. Dann schreiben Sie nämlich im Ton des Sprechstils und wählen unwillkürlich die „denkbedingte Wortstellung".

Schüler: Von den komischen drei Beispielen, die Sie gaben, beruht ja eines – das von dem Ball – einfach darauf, daß der Bezugssatz nicht hinter dem Bezugswort stand.

Lehrer: Natürlich! Aber oft sind solche Sätze gar nicht so leicht zu verbessern. Nehmen wir die Zeitungsanzeige: *Kindermädchen für ein zwei Monate altes Kind gesucht, das perfekt nähen und bügeln kann und auch zur Hilfe beim Kochen bereit ist.* Wie muß der Satz heißen?

Schüler: Wenn ich den Bezugssatz hinter *Kindermädchen* stelle, zerreiße ich den Hauptsatz. Am besten machen wir zwei Sätze: *Kindermädchen für ein zwei Monate altes Kind gesucht. Sie muß gut nähen und bügeln können und zur Hilfe beim Kochen bereit sein.*

Lehrer: Ohne es zu merken, haben Sie noch eine Veränderung angebracht. Sie haben das Fürwort in die weibliche Form *sie* und nicht in die sächliche *es* gesetzt, obwohl *das Mädchen* sächlich ist. Auf diese Weise haben Sie die Verwechslung mit dem Kinde verhindert. Eine solche Freiheit ist durchaus zulässig, wenn sie auch den Buchstaben der Grammatik zuwiderläuft. Denn niemand kann den Sinn mißverstehen.

Der Lehrer fragt

Welche Eigenart hat die deutsche Wortstellung im Vergleich zu anderen Sprachen?	Sie ist sehr viel freier.
Wie können wir die Freiheit der deutschen Wortstellung ausnützen?	Wir können die Wörter nach ihrem Sinn stellen (denkbedingt).
Wohin gehört das Sinnwort in der Regel?	In das Vorfeld des Satzes.
Wann ist diese Stellung des Sinnwortes nicht möglich?	Wenn es vorbereitet werden muß.
Wohin stellen wir es dann?	In das Nachfeld.

Welche Hilfe müssen wir manchmal in Anspruch nehmen, um das Sinnwort richtig stellen zu können?	Die Hilfe eines Fürworts.
Wohin gehören listenartige Aufzählungen?	An den Schluß.
In welche Reihenfolge stellt man aufeinanderfolgende adverbiale Bestimmungen?	Zeit, Ort, Art und Weise.

Aufgaben

Verbessern Sie Satz 1–8.

1. *Du schreibst so selten und hoffe ich, Du bist gesund.*
2. *Wir wollen in der üblichen Weise in Pasing morgen zusammentreffen.*
3. *Er hat trotz aller Ermahnungen sich nicht gebessert.*
4. *Bei dem Eintritt des Tierbändigers in den Käfig des Löwen sah derselbe nüchtern aus.*
5. *Er erzielte auf diese Weise die erhofften großen Gewinne nicht.*
6. *Ich sprang über mit Wasser gefüllte Gräben.*
7. *Sie tranken aus mit Kaffee gefüllten Tassen.*
8. *Ich erstelle Anzeige, daß ich soeben den Fritz Meyer in total besoffenem Zustand arretiert habe.*

Viertes Kapitel: Tonart

1. Wählt die richtige Stilschicht! 12. Lektion

Falsche Stilschicht. Bei einer Aufführung von *Kabale und Liebe* 36 ordnete vor 100 Jahren der Zensor an, Ferdinand dürfe nicht der Sohn, sondern nur der Neffe des Präsidenten sein. So mußte der unglückliche Jüngling ausrufen: *Es gibt eine Stelle in meinem Herzen, wo das Wort Onkel noch nie gehört worden ist!* Das Theater dröhnte vor Lachen. Das Wort *Onkel* hat einen Beigeschmack von Alltag und Gewöhnlichkeit; jeden pathetischen Stil richtet es zugrunde.

Jedes Wort hat seine eigene Atmosphäre. Es ruft in uns gewisse Anklänge wach, es beschwört bestimmte Erinnerungsbilder herauf. Je nach dieser Lebensluft gehören die Wörter verschiedenen Stilschichten an. Lesen Sie einmal die folgenden Beispiele daraufhin durch, ob jedes Wort in die gesamte Tonart der Darstellung paßt:

Shakespeares Lear: *Jeder Zentimeter ein König.*

Psalm 90: *Herr Gott, Du bist unsere Zuflucht für und für. Ehe denn die Berge wurden und die Erde und die Welt existierten, bist Du, Gott, von Ewigkeit zu Ewigkeit.*

Die Totenfeier für die Gefallenen ging um 3 Uhr los. Zuerst hielt der Pfarrer eine hübsche Ansprache.

Ich beschwöre dich: glaub an meine Liebe, glaube an die Echtheit meiner emotionalen Ausbrüche.

Achill wußte auf Anhieb, was er auf diese Nachricht zu tun hatte.

Ein Wörterbuch soll ein Heiligtum der Sprache gründen, ihren ganzen Schatz bewahren, allen zu ihm das Entree offenhalten.

Die Jungfrau von Orleans kämpfte, was das Zeug hielt (aus einem Schulaufsatz).

Der Papst setzte Karl dem Großen die Krone auf den Kopf.

Wenn ich ungeniert sprechen soll, halte ich den Mayer für einen dunklen Ehrenmann, wie sich der Dichterfürst Goethe ausgedrückt hat.

Aus einem Polizeibericht: *Auf Anruf des Reviers 3 begab ich mich unverweilt zu dem Schlachtermeister Hinterlechner und stellte fest, daß er im trunkenen Zustand seine Gemahlin mit einem Stiefelknecht aufs Haupt geschlagen und sodann in den Keller geschmissen hatte.*

Bevor Sie weiterlesen, urteilen Sie selbst: welche Wörter passen nicht in den Satz und warum passen sie nicht?

Zentimeter ist überaus prosaisch. *Existieren* gehört zu einer verstandesmäßigen Stilschicht. *Losgehen* ist ein Ausdruck ungepflegter Umgangssprache. *Hübsch* ist ein heiteres Wort des Alltags und paßt nicht zu Totenfeiern. *Emotional* gehört zur Sprachebene der Wissenschaft. *Auf Anhieb* ist ein schnoddriger Unterhaltungsausdruck. *Entree* ist ein banales Fremdwort. *Was das Zeug hielt* ist aus einer noch niedrigeren Ebene. In dem Satz über die Krönung war der *Kopf* zu niedrig, in dem Polizeibericht ist das *Haupt* zu hoch gegriffen. In den beiden letzten Beispielen sind die Wörter *Dichterfürst*, *unverweilt* und *trunken* zu feierlich.

37 **Stil-Schicht.** Man kann also z. B. unterscheiden

die dichterische Sprache gefühlsbetonter Prosa,
die Sprachebene der Bibel,
die Sprachschicht der Festredner und Ansprachen,
die Papiersprache der Amtsstuben,
die Sprachebene der Wissenschaft,
die Stilschicht der gepflegten Erzählung,
das Alltagsdeutsch des Umgangs,
die Sprachebene des Gassenjargons,
das Gaunerrotwelsch.

Aber diese Angaben stellen nur Beispiele dar. Oft hat auch ein einzelnes Wort einen bestimmten Beigeschmack. Die Übergänge zwischen den einzelnen Stilschichten sind unmerklich. Es wäre willkürlich und unfruchtbar, das Netz eines Systems auf dies fließende Wasser zu legen. Weit lehrreicher sind Beispiele. Ich stelle einige Gruppen sinnverwandter Wörter zusammen, die aus verschiedenen Stilschichten stammen:

schreiten, wandeln, wandern, spazieren, tippeln,
betrügen, düpieren, hinters Licht führen, narren, foppen, beschwindeln, beschummeln,
trunken, betrunken, voll des süßen Weins, angesäuselt, leicht animiert, besoffen, duhn,
ein Scherflein, eine Kleinigkeit, ein Gran, ein Hauch, ein wenig, etwas, ein bißchen, eine Idee,
pflichttreu, verläßlich, solide, sehr ordentlich,
bezeichnen, benennen, betiteln, benamsen, heißen,
alsbald, unverweilt, spornstreichs, sofort, gleich, im Nu, Knall und Fall, auf Anhieb.

Bei diesen Wörtern sind die Unterschiede der Stilschichten merklich; instinktiv wählt jedermann in solchen Fällen das richtige Wort. Schwierig wird das Problem bei jenen sinnverwandten Wörtern, deren Schichtunterschiede wir erst an praktischen Beispielen herausfühlen. Viele Wörter unserer Sprache haben eine papierene Atmosphäre; andere geben dem Satz etwas Saloppes; wieder andere verleihen ihm ein nüchtern-logisches Gepräge. Selbst die bescheidensten Bindewörter haben ihre eigene Lebensluft. Auch zwischen Wörtern wie *wenn* und *falls* besteht ein Schichtunterschied; nach *falls* bleibt es unbestimmt, ja unwahrscheinlich, ob die Bedingung eintreten wird. Der berühmte Testamentsanfang *Falls ich einmal sterben sollte* würde mit dem Wörtchen *wenn* ein wenig an Komik einbüßen.

Nicht immer ist der Unterschied der Stilschichten so kraß wie bei den Beispielen am Anfang. Aber auch kleine Änderungen im Ausdruck können eine völlig andere Lebensluft heraufbeschwören. Ich setze Ihnen zwei Texte nebeneinander, links in einem Durchschnittsdeutsch, rechts in dem Wortlaut Johann Peter Hebels: der Unterschied scheint gering, aber es weht ein poetischer Zauber um die anspruchslosen Sätze Hebels.

Wenn ich einmal über die nötigen Mittel verfüge, um mir ein kleines Gut kaufen und meine Braut heiraten zu können, und wenn Gott uns dann Kinder schenkt, dann werde ich für jedes Kind einen Baum pflanzen und ihm den Namen des Kindes geben. Der Baum ist dann sein erstes Kapital, und Kind und Kapital wachsen gleichzeitig. Und nach einigen Jahren kann das Kind schon auf den Baum steigen und seine Zinsen persönlich einziehen. Wenn aber eines der Kinder nach Gottes Willen sterben muß, dann werde ich den Herrn Pfarrer bitten zu genehmigen, daß das Kind unter seinem Baum beigesetzt wird. Sooft dann der Frühling wiederkommt und die Bäume im Schmuck ihrer Blüten, umflattert von Schmetterlingen, hoffnungsvoll dastehen, so lege ich mich auf die Erde und rufe hinunter: Totes Kind, dein

Wenn ich mir einmal so viel bei euch erworben habe, daß ich mir mein eigen Gütlein kaufen und meiner Schwiegermutter ihre Tochter heiraten kann, und der liebe Gott beschert mir Nachwuchs, so setze ich jedem meiner Kinder ein eigenes Bäumlein, und das Bäumlein muß heißen wie das Kind, Ludwig, Johannes, Henriette, und ist sein erstes eigenes Kapital und Vermögen, und ich sehe zu, wie sie miteinander wachsen und gedeihen und immer schöner werden, und wie nach wenigen Jahren das Büblein selbst auf sein Kapital klettert und die Zinsen einzieht. Wenn mir aber der liebe Gott eines von meinen Kindern nimmt, so bitte ich den Herrn Pfarrer und begrabe es unter seinem Bäumlein, und wenn alsdann der Frühling wiederkehrt, und alle Bäume stehen wie Auferstandene von den Toten in ihrer Verklärung da,

Baum blüht! Warte nur ruhig, auch deine Auferstehung wird noch kommen.

voll Blüten und Sommervögel und Hoffnung, so lege ich mich an das Grab und rufe leise hinab: Stilles Kind, dein Bäumlein blüht! Schlafe du indessen fort. Dein Maitag bleibt dir auch nicht aus.

Stilregel 14 *Verwenden Sie nur Wörter, die in die Stilschicht Ihres Textes hineinpassen!*

2. Kein Papierdeutsch!

38 **Wesen des Papierstils.** Jede Stilschicht hat ihr Daseinsrecht! In der Kaschemme wollen wir kein Festredendeutsch, im Gotteshaus kein Gaunerrotwelsch hören, aber an ihrem Ort sind beide am Platze. Aber *eine* Stilschicht gibt es, die wir nirgends dulden dürfen: das Papierdeutsch. Diese Sprache wird auch nirgends gesprochen. Oder haben Sie je erlebt, daß – als Sie gemütlich bei einem Glas Bier saßen – plötzlich ihr Freund Huber anfing: „*Was den in Erwägung gezogenen bzw. jetzt zu erörternden Sonntagsausflug angeht, so ist die Lage dieses Falles eine hochgradig verwickelte. Es darf wohl zur Kenntnis gebracht werden, daß derselbe ...*“? Weiter würde Huber nicht kommen, jeder würde ihn auslachen.

Als Papierdeutsch wird jene umständliche, vermittelst zahlreicher Kanzleiausdrücke aufgeputzte bzw. im Rahmen des Möglichen verlängerte und in niemals ein Ende findende Sätze und Klemmkonstruktionen gepreßte Ausdrucksform entschlußloser Schreibernaturen bezeichnet (da haben Sie gleich ein Muster), die eine ganze Reihe der schon gerügten Stilfehler in sich vereinigt. Kennzeichnend für den Papierstil sind nicht nur bestimmte Wörter, sondern vielmehr auch der Satzbau und die ganze Art, sich umständlich und unentschieden auszudrücken. Der Papierdeutsche sagt nicht *haben* und *können*, sondern *über etwas verfügen* und *sich in der Lage sehen.* Er liebt die Streckverben, er verehrt die Hauptwörter, namentlich die auf -ung, seine Heiligtümer sind die Kanzleiausdrücke, das Passiv erscheint ihm weit vornehmer, kurze Sätze hält er für ungebildet, er drückt alles so umständlich aus wie möglich, und wenn es nach ihm ginge, dürfte niemand vom *Christkind* sprechen, sondern nur vom *Jesus-Christus-von-Nazareth-Kind.*

Andere Beispiele des Papierstils: *Im Monat Juli ist die Bücherei nachmittags geschlossen.*
In der Zeit vom 1. Oktober bis 15. Dezember finden Aufführungen nicht statt.
Wer gegen diese Vorschrift verstößt, zahlt den Betrag von drei Mark.
Die Worte *Monat*, *Zeit*, *Betrag* sind reiner Schwulst. Streichen Sie sie durch, und der Inhalt bleibt der gleiche.
Eine andere Papierwendung ist das berüchtigte *sowohl . . . als auch. Sowohl Erna als auch Käthe sind heute 10 km gegangen.* Sagen Sie das je in lebendiger Rede? *Sowohl . . . als auch* wirkt immer papieren. Und merken Sie sich gleich bei dieser Gelegenheit: im gepflegten Deutsch vermeidet man Abkürzungen und schreibt Zahlen bis Hundert in Buchstaben (außer in Zeit- oder Seitenangaben usw.) Also: *zehn Kilometer*. Abkürzungen machen einen hemdsärmeligen Eindruck. Schreiben Sie also auch nicht *m̄* statt *mm*, nicht *u.* statt *und*, erst recht nicht &. Selbst die üblichen, im allgemeinen als zulässig geltenden Abkürzungen soll man in Büchern oder wichtigen Briefen lieber vermeiden. In Lehr- und Handbüchern mögen sie dazu dienen, Raum zu sparen.
Derjenige, welcher das nicht empfindet, hat kein durchgebildetes Sprachgefühl. Oder – weniger papiern – *wer das nicht empfindet . . .* Über die geschichtlichen Ursachen des Papierstils haben wir schon auf Seite 44 unter Ziffer 45 gesprochen. Eine andere Quelle des Papierstils liegt in unserem Volkscharakter: Der Deutsche, namentlich wenn er in die feste Rangordnung eines Beamtendaseins eingespannt ist, entbehrt oft des natürlichen Selbstgefühls und gefällt sich dann in kläglicher Unterwürfigkeit: *Euer Königlichen Majestät Allerhöchste Sauen haben meine alleruntertänigsten Kartoffeln gefressen.* Freilich, auch der Kaufmann schreibt häufig nicht eben königlich.
Was tun wir gegen den Papierstil? Wir befolgen die Stilregeln, die wir in diesen Lektionen gelernt haben. Der Papierstil ist nur eine Häufung längst beschriebener Fehler. Wir brauchen deshalb in diesem Abschnitt keine neue Stilregel zu bringen. Wer die früheren Regeln befolgt, kann keinen Papierstil schreiben. Das beste Gegengift gegen den Papierstil heißt: *Schreibe, wie du sprichst.* Hiervon handelt eine spätere Lektion.

Fragen

Der Schüler fragt

Schüler: Wie macht man sich am besten frei von dem Papierstil?

Lehrer: Ich muß Ihnen immer wieder dasselbe sagen: Stellen Sie sich vor, Sie schreiben nicht, sondern Sie sprechen. Malen Sie sich aus: vor Ihnen sitzt Ihr Freund, Ihr Sohn, Ihre Braut: wie würden Sie sich dann ausdrücken?

Schüler: Glauben Sie, daß wir Deutsche diesen Papierstil, der ja gleichsam eine Sammlung unserer Hauptstillaster ist, überwinden können?

Lehrer: Der Kampf gegen den Papierstil wäre ganz leicht, wenn vier der großen Sprachbildner unserer Zeit ihm den Abschied gäben: Schule, Zeitung, Rundfunk und Behörde.

Der Lehrer fragt

Was versteht man unter Stilschicht?	Verschiedene Ausdrucksebenen wie z. B. die dichterische Sprache, das Papierdeutsch, die Alltagssprache.
Warum darf man nicht Wörter aus anderen Stilschichten in den Text aufnehmen?	Weil sie die Einheitlichkeit des Stils durchbrechen wie ein andersfarbiger Fleck auf einem Kleide.
Was pflegt man als Papierdeutsch oder Papierstil zu bezeichnen?	Eine Ausdrucksweise, die sich besonders weit von der natürlichen, mündlich gesprochenen Sprache entfernt.
Was bevorzugt der Papierstil	
bei der Wortwahl?	Kanzleiausdrücke und lange Wörter.
beim Satzbau?	Schachtelsätze und Klemmkonstruktionen.
bei der Wortbiegung des Verbs?	Die Leideform.
Welche Geistesrichtung steht hinter dem Papierdeutsch?	Unentschiedenheit, Ängstlichkeit, Umständlichkeit.
Welche geschichtlichen Ursachen hat der Papierstil?	Das Neuhochdeutsch wurde zunächst nur geschrieben, nicht gesprochen.
Wieso hängt der Papierstil auch mit dem deutschen Volkscharakter zusammen?	Viele Deutsche neigen zu einer bedientenhaften Überhöflichkeit und zur Pedanterie.

Aufgaben und Denkübungen

1. Warum ist es stillos, wenn ein Lehrer bei einer Übersetzung Homers den griechischen Text mit *Aphrodite verduftete* wiedergibt?

2. Was ist an den folgenden Sätzen einer Inhaltsangabe von Schillers „Handschuh" zu beanstanden?
König Franz veranstaltete in seiner Menagerie eine Zirkusvorstellung – In hohem Bogen sprang ein Tiger in die Arena – Die Edelfrauen waren platt, als sie das sahen – Aber der Ritter hatte eine Mordswut, er schmiß ihr den Handschuh mitten ins Gesicht und haute ab.

3. Was mißfällt Ihnen an dem Satz: *Wir haben Ihre Bestellung vom 3. 8. gestern effektuiert und hoffen, daß unseres Büstenhalters herrliche Qualität Sie voll befriedigen wird!*

4. Welches Wort stammt aus einer anderen Stilschicht in dem Satze: *Das Antlitz Fritz Mayers ist vom vielen Schnapstrinken mit der Zeit immer röter geworden.*

5. *Auf Wunsch zahlreicher Kurgäste finden ab nächsten Sonntag Badegottesdienste statt.* Was mißfällt Ihnen an diesem Satz?

Bringen Sie die Sätze 6–8 in flüssiges Deutsch:

6. *Der Angehörige eines Landes verliert die Staatsangehörigkeit ... der Verlust tritt nicht ein ...*

7. *Er darf den Signalhebel nicht zurücklegen, es sei denn, daß dies erforderlich wird, um das Umstellen einer Weiche zur Abwendung einer Gefahr zu ermöglichen.*

8. *Hiernach war die Begangenschaft des Diebstahls des Schweines seitens des Angeklagten Huber von seiten des Gerichts als für festgestellt zu erachten.*

9. Was ist der Unterschied zwischen den Sätzen: *Er spie ihm ins Antlitz* und *er spuckte ihm ins Gesicht*. Oder: *Er saß trauernd im öden Gemach* und *er saß traurig in der leeren Stube.*

10. Einen besonderen, heiteren Fall von Papierdeutsch berichtete vor vielen Jahren der Deutsche Sprachverein. Der Hofmarschall einer Prinzessin hatte einer Schauspielerin einen Kranz mit einem Schreiben übersandt:
Ihren Dank werden Sie nach den Aktschlüssen Ihrer heutigen Abschiedsvorstellung Gelegenheit haben, von der Bühne aus durch Verneigung in die prinzliche Loge erfolgen zu lassen.
Eine Zeitung brachte diesen Brief mit einigen kritischen Bemerkungen. Sogleich erhielt sie von dem Hofmarschall einen empörten Brief: *Die Redaktion hat meine Stilistik als nicht völlig einwandfrei bezeichnet. Ich würde dankbar sein, wenn mir dortseits die Stellen angegeben würden, an welchen die Stilfehler nach dortseitiger Auffassung bestanden haben, sowie worin letztere erblickt wurden, und möchte einer gefälligen näheren Auseinandersetzung darüber entgegensehen dürfen.*

Noch ehe er im Besitz der Antwort war, hatte er schon ein neues Schreiben losgejagt. Es begann:

Der Redaktion teile ich bei deren, meinem bewußten an Frau ... gerichteten amtlichen Schreiben gewidmeten Interesse bezüglich des Inhalts des dortseits am meisten beanstandeten Schlußsatzes aufklärend mit, daß ich mit letzterem der Gefeierten zunächst anzeigen wollte ... sodann sollte die Mehrgedachte dadurch erfahren. ...

Aber auch das befriedigte ihn noch nicht, so sandte er am folgenden Tage einen dritten Brief ab:

Nachdem ich in zwei hintereinander folgenden Schreiben der Redaktion Dasjenige zu wissen getan habe, wovon ich sie unterrichten wollte, teile ich derselben in diesem dritten, vermutlich letzten ergebenst mit, daß ich unter dem gestrigen Datum bei der Staatsanwaltschaft, und zwar bei der hiesigen, gegen die Redaktion wegen Beleidigung usw. verübt durch die dortseitigen Bemerkungen zu einem von mir am 5. d. M. an Frau ... gerichteten amtlichen Schreiben Strafantrag gestellt habe, sowie daß die Staatsanwaltschaft meinem desfallsigen Antrag Folge gibt, so daß das Nähere meiner Antragsbegründung von der genannten Behörde aus zur dortseitigen Kenntnis gelangen dürfte, und ich dessen Angabe deshalb unterlasse. Ganz leicht ist nun einmal, was ich für etwaige spätere Fälle von Kritiken in Fürsorge für die Redaktion erwähne, mit mir nicht Kirschen essen.

Bringen Sie alle Briefe des Herrn Hofmarschalls in ein natürliches Deutsch.

3. Kein Schreistil!

13. Lektion

Falsche Verstärkung. „*Man sattle mir das buckligste meiner Kamele!*" ruft Holofernes in der Parodie, die Nestroy auf Hebbels ‚Judith' gemacht hat. Es gibt Leute, die immer im Superlativ (der Höchstform) reden: *das fabelhafteste Buch, das verheerendste Frauenzimmer, der wundervollste Abend.* In jedem Satz setzen sie Verstärkungswörter wie *sehr, durchaus, unbedingt, voll und ganz* oder sie benützen die jeweiligen Modewörter zur Tonverstärkung: *unglaublich, kolossal, prima, unerhört.* 39

Der Stilschreier verstärkt den Ausdruck und hofft, mit diesen wohlfeilen Stilmitteln seine Behauptungen glaubhaft zu machen. Aber diese Hoffnung trügt: *Jeder Superlativ reizt zum Widerspruch*, sagte Bismarck und strich seinen Mitarbeitern unbarmherzig alle Superlative.

Man gewöhne sich daran, wenn man eine Niederschrift beendet hat, alle *sehr, ganz, durchaus* und *unbedingt* wieder wegzustreichen. Der Text gewinnt an Nachdruck, denn diese Wendungen sind durch Abnutzung formelhaft geworden und in eine tiefere Stilschicht abgesunken; *einfach* ist stärker als *ganz einfach.*

Richtige Verstärkung. Die echten Mittel der Tonverstärkung sind anderer Art. Wir brauchen nicht zum Superlativ, nicht zu dem abgegriffenen *sehr*, nicht zu den herkömmlichen Schreiausdrücken zu greifen. Wir haben Stilmittel über Stilmittel, um sie zu ersetzen. Wir können, wie eben gesehen, ein Wort wiederholen *(er wurde reicher und reicher, er schrie und schrie).* Wir können zwei sinnverwandte Wörter nebeneinander setzen: *er ist ein gerissener, ausgekochter Kerl;* dies Stilmittel ist aber nur sparsam zu gebrauchen, weil es zur Wortmacherei verführt. Wir können auch einen Vergleich als Verstärkungsmittel wählen; statt *ich machte ein völlig ablehnendes Gesicht* schreibt Bismarck *ich machte ein Gesicht wie eine Gefängnistür.* 40

Wir können vor allem auch die Verstärkungssilben der Beiwörter benützen. Es gibt in der Welt Leute, die früher *bettelarm* waren, aber urplötzlich *steinreich* wurden; freilich ist die Sache dann gewöhnlich *oberfaul.* Und wer glaubt, man könne Hauptwörter nicht auf diese Weise steigern, der soll sich nur einmal vorstellen, daß ein *Hauptkerl*, der vielleicht ein *Erzverbrecher* ist, mit einem *Blitzmädel* zusammenkommt; dann wird es vielleicht einen *Heidenlärm* geben, aber auch eine *Mordsgaudi.*

Wer den Ton verstärken will, muß anschaulich und zugespitzt schreiben. Hiervon handeln spätere Lektionen.

Stilregel 15 *Schreiben Sie keinen Schreistil! Seien Sie sparsam mit dem Superlativ und den üblichen Verstärkungsworten. Wenn Sie ein Wort verstärken wollen, so verwenden Sie andere, lebendigere Mittel.*

Bestimmte Eigenschaftswörter lassen sich ihrer Natur nach nicht steigern (*tot, kupfern, recht, eindeutig, unmittelbar*). Bei Wörtern wie *weitverbreitet, vielgenannt* muß der erste Teil gesteigert werden: der *meistgenannte Dichter*, nicht der *vielgenannteste. Weitgehendst* ist falsch gebildet, *weitestgehend* freilich unschön.

4. Kein flauer Stil!

41 **Abschwächung des Ausdrucks.** *Der Schaden ist groß:* das ist ein klarer Satz. Wer nicht den Mut hat, sich entschieden auszudrücken, schreibt statt dessen: *Es wird mitgeteilt, daß mit der Entstehung eines nicht unbeträchtlichen Schadens zu rechnen sein dürfte.* Der *flaue* Stil nennt nichts beim Namen, er mildert jeden Ausdruck. Jedes Urteil wird durch *fast, gleichsam, sozusagen, wohl, kaum, doch, irgendein* wieder halb zurückgenommen, durch einen zähflüssigen Umstandsstil unbestimmt gehalten oder durch negative Formulierungen abgeschwächt.

Verfallen Sie nie in diesen Fehler. Nennen Sie eine Katze eine Katze!

Freilich gibt es auch Dinge, über die deutlich zu reden dem allgemeinen Herkommen widersprechen würde. Schreiben Sie nichts, was Sie sich schämen würden in Gegenwart Ihrer siebzehnjährigen Tochter auszusprechen. Die Abneigung gegen den flauen Stil darf nicht zum derben verführen.

Zu den schlechten Stilmitteln gehört auch das Schimpfen. Schimpfworte überzeugen nicht, sie stoßen ab. Der Leser nimmt instinktiv an, die unter lauten Schimpfworten vorgetragenen Ansichten seien offenbar nicht einem ruhigen Nachdenken, sondern der Aufregung des Schreibers entsprungen, und betrachtet sie daher von vornherein mit Mißtrauen. Wer grob sein will, muß so offenkundig recht haben, daß niemand daran zweifeln kann, sonst schadet seine Grobheit nur ihm selber.

Grobe Briefe müssen wir manchmal schreiben, um unsere Wut auszutoben. Aber ein vernünftiger Mensch schickt sie nicht ab, sondern läßt sie über Nacht liegen und zerreißt sie am nächsten Morgen.

Eine Sonderform der Ausdrucksmilderung ist der Euphemismus, d. h. der Ersatz eines peinlichen Wortes durch einen undeutlichen Ausdruck, z. B. *Ableben* statt *Tod*, oder *Beinkleider* statt *Hosen.*

> *Schreiben Sie keinen flauen Stil! Vermeiden Sie es, den Ausdruck furchtsam durch Worte wie fast und wohl oder durch vermindernde und umschreibende Ausdrucksweise abzuschwächen. Sie brauchen darum nicht in Derbheiten und Grobheiten zu verfallen.* **Stilregel 16**

5. Keine Phrasen!

Wesen der Phrase. Ein Redner will sagen: *Im Frühjahr schmilzt der Schnee.* Der Satz ist banal, d. h. er enthält etwas Allbekanntes, Selbstverständliches. Also putzt ihn der Redner auf mit den Worten, die er aus einer höheren Stilschicht nimmt. Er sagt: *Diese strahlende Weiße, die jetzt Ihr entzücktes Auge blendet, sie gehört nicht in die Bereiche des Ewigen; sie muß dahingehen, ehe der Mond sich wieder ründet.* 42

Solche Sätze nennen wir *Phrasen.* Eine Phrase wird gekennzeichnet durch zwei Eigenschaften: der Inhalt ist banal und die Form ist hochtönend. Jene Phrase vom Schnee ist leicht zu durchschauen. Aber es gibt auch gefährlichere Phrasen. Sie versuchen, einen tiefsinnigen Inhalt vorzutäuschen. Um das zu erreichen, bedienen sie sich allgemeiner, unbestimmter Ausdrükke. Bismarcks Verlobte, Johanna v. Puttkammer, schrieb einmal an ihn das Zitat: „*Treue ist das Feuer selber, welches den Kern der Existenz ewig belebt und erhält.*“ Bismarck vermied es sonst streng, seine Braut zu schulmeistern, aber Phrasen konnte er sein Leben lang nicht vertragen. So antwortete er ärgerlich: *Der Satz ‚Treue ist das Feuer selber, welches den Kern der Existenz ewig belebt und erhält‘ ist übrigens eine jener nebligen schweblichten Phrasen, bei denen es schwer ist, sich eine bestimmte Vorstellung zu machen, und die nicht selten Böses wirken, wenn sie namentlich von Frauen, die als Mädchen das Leben fast nur durch die Brille der Dichter geschaut haben (das Leben der weiteren*

Welt meine ich), aus der Poesie als Maßstab in die Wirklichkeit übertragen werden.

Wenn wir in einem Schulaufsatz lesen: *Schiller, dessen so herrliche Gedichte . . .*, so empfinden wir die abgebrauchte Wendung *so herrlich* so recht als phrasenhaft. *So recht*, das ist auch eine beliebte Schülerphrase.

Stilregel 17 *Schreiben Sie keine Phrasen, das heißt keine Sätze, deren Ausdrücke aus einer hohen Stilschicht stammen, deren Inhalt aber banal oder unecht ist! Schreiben Sie natürlich!*

6. Häufen Sie nicht die Eigenschaftswörter!

43 **Sparsam mit Adjektiven.** Bei dem Dichter Jean Paul, der ein tiefsinniger, versponnener Poet, aber ein allzu eigenwilliger Stilist war, steht einmal der Satz: *Dabei hatte der Knabe ein so gläubiges, verschämtes, überzartes, frommes, gelehriges, träumerisches Wesen.* Was empfinden Sie bei dieser Häufung von Eigenschaftswörtern? Ich vermute, Sie empfinden gar nichts! Dann geht es Ihnen so wie mir. Nehmen wir an, Jean Paul hätte nur von einem frommen und träumerischen Knaben gesprochen: das hätte einen bestimmten Eindruck hervorgerufen. Die anderen Eigenschaften hätte er dann dadurch schildern müssen, daß er den Knaben etwas tun oder sagen läßt, was seine Gelehrigkeit usw. erkennen ließ. Aber sechs Eigenschaftswörter auf einmal: da schlägt ein Wort das andere tot.

Was lernen wir aus diesem Beispiel? Wir lernen die Regel: Häufen Sie nicht die Eigenschaftswörter! Übermaß ist immer schädlich und ein Übermaß an Eigenschaftswörtern besonders! Warum? Das will ich Ihnen sagen. Um die Handlungen zu beschreiben, haben wir die Zeitwörter; um die Dinge und abstrakte Begriffe wiederzugeben, die Hauptwörter. Wozu haben wir Eigenschaftswörter? Um die Eigenschaften anzugeben, werden Sie antworten. Aber wollen wir denn alle Eigenschaften der Dinge erfahren, von denen die Rede ist? Gewiß nicht! Das wäre zu lang und zu langweilig. Wir wollen nur das Notwendige wissen. Welche Angaben über Eigenschaften sind nun notwendig?

44 **Arten des Adjektivs.** Notwendig ist zunächst das unterscheidende, das aussondernde Eigenschaftswort. Wenn jemand seiner

Frau schreibt: *Schicke mir meinen blauen Anzug*, so ist das Eigenschaftswort *blau* unentbehrlich. Er sondert einen Anzug aus den übrigen aus.

Aber nicht immer hat das Eigenschaftswort die Aufgabe, auszusondern. In der Regel dient es nur dazu, zu beschreiben oder zu schmücken. Bisweilen erfüllt es nicht einmal diese Aufgaben. Nehmen wir wieder ein Beispiel: Zwei Knaben, Fritz und Franz, hatten einen Aufsatz über ihren Schulausflug zu schreiben. Der Aufsatz von Fritz fing so an: *Gestern hatten wir Schulausflug nach Hintertupfingen. Die Eisenbahnfahrt war sehr nett. Wir wanderten von der Station durch ein reizendes Tal mit vielen großen Bäumen an einem rauschenden Flüßchen entlang nach Schloß Niederkempfling. Der Weg bot zum Schluß einen entzückenden Ausblick auf die hohen Berge. Das Schloß hatte eine erlesene Architektur und der Schloßwart führte uns durch die hohen Säle, in denen viele schöne Bilder hingen.*

Ich glaube, ich brauche nicht weiter abzuschreiben. Sie können sich schon selbst vorstellen, daß das Essen vorzüglich war, der Heimweg prachtvoll, die Bahnfahrt lustig, die Schüler zum Schluß ermüdet und das Ganze eine wundervolle Erinnerung. Haben alle diese Eigenschaften irgendeinen stilistischen Wert gehabt? Gewiß nicht! Sie sind viel zu allgemein. Wir wissen nicht mehr von diesen Dingen, als wir vorher gewußt haben.

Etwas anders lautete der Aufsatz von Franz: *Gestern rasselte mein Wecker schon um 5 Uhr früh. Aber trotz der frühen Stunde schwang ich die Füße sofort und nicht ungern aus dem behaglichen Bette, denn ich mußte ja nicht in die Schule, ich durfte in die Berge. Während der Bahnfahrt nach Hintertupfingen gab mein Freund Bröselmayer uns so viele verblüffende Rätsel auf, daß in unserem Abteil das Lachen nicht aufhörte. Dann wanderten wir durch ein breitausladendes Tal, das die Klafter, über Felsgeröll dahinbrausend, in das Alpenvorland geschnitten hatte, nach Süden. Graublättrige Weiden und zartgrüne Erlen entzogen das Flußufer unseren Blicken; spitze Pappeln umsäumten den Weg. Allmählich wurde der Blick auf das tiefverschneite Karwendel frei. Das Ziel unserer Wanderung, Schloß Niederkempfling, ist im heiteren Barockstil erbaut; ein Führer führte uns durch die hallenden, mit Statuen geschmückten Gänge und zeigte uns die etwas langweiligen Familienbilder des heimischen Adelsgeschlechtes der Kempflings.* Wie unterscheidet sich Franz von Fritz? Auch er ist kein Schriftsteller, aber er weiß einen langweiligen Gegenstand zu beleben. Er bleibt nicht im Allgemeinen stecken, er geht ins Besondere. Er nennt die Namen des Flusses, des Gebirges, des heiteren Schulfreundes, der Bäume. Was die Eigenschaftswörter angeht, so begnügt er sich nicht mit den allgemeinen und daher leeren Hülsen *schön*, *nett*, *entzückend*, bei denen man nichts sieht und sich nichts vorstellen kann, sondern er wählt die speziellen Wörter: *behaglich*, *verblüffend*, *breitausladend*, *zartgrün*, *spitz*, *tiefverschneit*, *heiter*; so wird die Darstellung anschaulich.

Ziehen wir einen Schluß: Auch bei den Adjektiven müssen wir uns hüten vor den allgemeinen, unbestimmten Begriffen. Wenn sich vollends ein allgemeines Hauptwort wie *Architektur* mit einem allgemeinen Eigenschaftswort wie *erlesen* verbindet, entsteht ein phrasenhaftes Gewäsch. Eigenschaftswörter sollen wir nur bringen, wenn sie etwas Neues sagen, was der Leser wissen muß. Verzierungen des Textes sind entbehrlich.

Notwendig sind – neben den aussondernden Eigenschaftswörtern – jene Beiwörter, die einem etwas unbestimmten Hauptwort eine feste Eigenart geben. Wenn Goethe im „*Werther*“ sagt: *Nein, ich betrüge mich nicht. Ich lese in ihren schwarzen Augen wahre Teilnehmung an mir und meinem Schicksal*, so könnte es in diesem Zusammenhang unwichtig erscheinen, daß Lotte schwarze Augen hat. Aber in Wahrheit ist das *schwarz* unentbehrlich: die etwas verbrauchte Redensart *ich lese in ihren Augen* bekommt nur durch diesen Zusatz ein individuelles Gepräge. Hätte Goethe geschrieben: *Ich lese in ihren reizenden Augen*, so wäre der Satz wirkungslos und obendrein kitschig. Anschaulich ist nur das Besondere, Individuelle.

Stilregel 18 *Setzen Sie Eigenschaftswörter nur, wenn Sie etwas Neues hinzufügen, was der Leser wissen muß! Dies leisten nur die aussondernden Eigenschaftswörter und diejenigen, die eine charakteristische Eigenschaft hervorheben, dagegen nie Beiwörter allgemeiner Natur.*

7. Kein gesuchter Ausdruck!

45 **Stilgaukelei.** In den letzten Lektionen habe ich Sie immer wieder vor dem langweiligen blassen Stil gewarnt, vor allgemeinen Ausdrücken, vor Modewörtern. Sie dürfen nun aber nicht an der entgegengesetzten Klippe scheitern, an dem gesuchten Ausdruck. Wenn ich in einem Roman von *hochkarätiger Sonne* lese, wenn ich in demselben Buche den Satz finde: *Haschte man nach den Gerüchen des Kuhstalls, so wickelten sie sich um den Finger*, so lese ich nicht mehr weiter. Der Verfasser schreibt affektiert, d. h. unnatürlich, und ein unnatürlicher Stil ist unerträglich.

In einer anderen Erzählung finden wir folgenden Absatz:

Ulrikes beflaggtes Elternhaus, Schloß Miltitz, stand unter Föhren in einem Blachfeld der Uckermark. Trat von der Anfahrt und geharktem Weg man zur Seite, sank durch Sand der Fuß auf Grund. Manchmal stak eine Stange, saß wo ein Rabe im Park: sonst war Acker. Latten fehlten Bänken, Rabatten das Mittelstück. Am Haus des ersten Stockes viertem Fenster eine Scheibe.

Hier ist der Ausdruck so gesucht wie der Inhalt. Gesucht ist auch der Satzbau mit seinen asthmatischen Satzfetzen.
Alles Gesuchte ist lächerlich. Verwenden Sie keine Wörter oder Wortverbindungen, die nicht auch ein gebildeter Mensch beim Sprechen zu verwenden pflegt. Schopenhauer hat einmal gesagt, die großen Schriftsteller sagten die schwierigsten Dinge mit den einfachsten Worten, die Stilgaukler machten es umgekehrt. Matthias Claudius spottete über den Unterschied zwischen seiner Sprache und der Klopstocks: *Klopstock sagt: „Du, der du weniger bist und dennoch mir gleich, nahe dich mir und befreie mich, dich beugend zum Grunde unserer Allmutter Erde, von der Last des staubbedeckten Kalbfells." Ich sage dafür nur: „Johann, zieh mir die Stiefel aus!"*

> *Schreiben Sie nie gesucht! Wendungen, die gebildete Menschen in mündlicher Unterhaltung nicht verwenden würden, soll man auch nicht schreiben.* Stilregel 19

Fragen

Der Schüler fragt

Schüler: Die Stilregeln dieser Lektion machen mir etwas Sorgen. Ich glaube z. B. nicht, daß ich schlagende Eigenschaftswörter finden kann.

Lehrer: Seien Sie unbesorgt! Fast möchte ich Stilregeln erster und zweiter Klasse unterscheiden. Die Stilregeln erster Klasse sind unerläßlich. Wer sie nicht beachtet, schreibt einen schlechten Stil. Die Stilregeln zweiter Klasse dagegen sind weniger dringlich. Wer sie verletzt, kann darum immer noch einen ganz erträglichen, einwandfreien Stil schreiben, wenn auch sein Stil etwas Unlebendiges, Kraftloses behalten wird. Die Stilregeln über Eigenschaftswörter gehörten zu der zweiten Gruppe. Wenn Sie ein Eigenschaftswort brauchen, so können Sie nicht mehr tun als sich scharf besinnen, was das wichtigste, das anschaulichste Kennzeichen der betreffenden Sache ist. Fällt Ihnen keines ein, dann verzichten Sie ganz auf ein Beiwort.

Schüler: Mir fällt auf: Sie sagen manchmal statt Eigenschaftswort *Beiwort*.

Lehrer: Eigenschaftswort ist die gleichsam amtliche Bezeichnung, Beiwort ein vielfach üblicher kürzerer Namen.

Schüler: Ein anderer Einwand: Sie haben vor dem gesuchten Stil gewarnt. Ich werde gewiß nie so schreiben wie jener Romanschriftsteller, den Sie zitiert haben. Aber wenn man sich ganz darauf beschränkt, so zu schreiben, wie die Gebildeten reden: wie soll dann der Stil persönliche Eigenart bekommen?

Lehrer: Wer nur der Sache dienen, wer nur dem Leser das Verständnis leicht machen will, bei dem wird die persönliche Eigenart von selbst durchbrechen. Der persönliche Stil gehört zu den vielen Erdengütern, die nur dem zufließen, der sie nicht sucht. Wer originell schreiben will, schreibt sogleich manieriert.

Schüler: Was nennen Sie manieriert?

Lehrer: Manier ist gewollte Eigenart. Es gibt Schriftsteller, die planmäßig bestimmte Stileigentümlichkeiten wiederholen, z. B. gewisse Lieblingsworte oder gewisse Formen des Satzbaues. Manier ist etwas Angelerntes, Äußerliches. Der persönliche Stil kommt von innen, ungewollt.

Schüler: Aber jeder große Schriftsteller hat doch seinen eigenen Stil.

Lehrer: Selbstverständlich! Geben Sie einem Kenner je eine Seite von Goethe, Schiller, Lessing, Schopenhauer, Nietzsche in die Hand: ohne jede Schwierigkeit wird er am Stil den Autor herausfinden. Aber es gibt ein sicheres Mittel, um den gewachsenen persönlichen Stil und die gemachte Manier zu unterscheiden: die Manier kann man nachahmen. Wenn eine Stilnachahmung die Eigenart des nachgeahmten

Dichters ein wenig übertreibt und ins Komische verzerrt, so nennt man sie Parodie. Manierierte Schriftsteller sind leicht zu parodieren.

Der Lehrer fragt

Was bezeichnet man als Schreistil?	Die übermäßige Verwendung des Superlativs und der Verstärkungsausdrücke.
Welche Modewörter der Verstärkung soll man vermeiden?	*außerordentlich*, *furchtbar*, *kolossal*, *fürchterlich*, *gräßlich*, *blödsinnig*, *unerhört*, *ungeheuer*, *riesig* (z. B. *riesig klein*).
Welche besseren Wege gibt es, um den Ausdruck zu verstärken?	Vorsilben wie *ur-*, *kern-*, *heiden-*, *mords-*, vor allem aber ein anschaulicher, zugespitzter Ausdruck.
Was ist der Gegensatz zum Schreistil?	Der flaue Stil.
Was ist das Wesen eines flauen Stils?	Der flaue Stil nennt möglichst nichts beim Namen, er schwächt den Ausdruck überall ab durch unbestimmte Wendungen oder negative Formulierungen.
Was ist ein Euphemismus?	Ein Milderungswort (*Ableben* für *Tod*).
Was ist das Wesen der Phrase?	Banaler Inhalt in hochtönender Form (zu hohe Stilschicht).
Wann werden Phrasen besonders gefährlich?	Wenn sie in allgemeine, unbestimmte Ausdrücke gekleidet sind und durch ihre Dunkelheit den Anschein des Tiefsinns erregen sollen.
Was ist der Gegensatz zur Phrase?	Der einfache und natürliche Ausdruck.
Was sind aussondernde Adjektive?	Solche, die eine bestimmte Gruppe aussondern.
Wann sollen wir, abgesehen von den aussondernden Adjektiven, Eigenschaftswörter verwenden?	Wenn wir eine Eigenart einer Sache beschreiben wollen, die der Leser unbedingt wissen muß.
Welche Eigenschaftswörter sind besonders gefährlich?	Die allgemeinen und daher unbestimmten (*schön*, *groß*, *prachtvoll* usw.).

Wenn wir die allgemeinen Wendungen vermeiden sollen, so dürfen wir doch auch nicht der entgegengesetzten Gefahr verfallen. Welche Gefahr ist das?	Die Verwendung gesuchter Ausdrücke.
Was ist Manier?	Die gewollte Eigenart, d. h. die bewußte Wiederholung bestimmter Eigentümlichkeiten.
Woran kann man Manier erkennen?	Manier ist leicht nachzuahmen.
Was heißt Parodie?	Die karikierende, übertreibende Nachahmung von Stileigenarten.

Zwischenspiel

Zu den üblichen Gesprächen zwischen Lehrer und Schüler will ich diesmal ein Gespräch zwischen einem Stilmeister und einem Stilschüler aus einem Roman Paul Kellers hinzufügen. Es veranschaulicht mit verblüffender Schlagkraft den Unterschied zwischen einem phrasenhaften Papierstil und einem naturgewachsenen, lebensechten Sprechstil. Die Unterhaltung spielt sich ab zwischen dem Schuljungen Peterle und dem alten Holzknecht Gottlieb.

Peterle hatte seinen Aufsatz „Die Leiden und Freuden des Winters" geschrieben. Alle Buben im Deutschen Reich schreiben im Dezember Aufsätze über „Die Leiden und Freuden des Winters". Peterle war auf seine Dichtung sehr stolz und trug das Diarium zu seinem Freunde, dem alten Gottlieb Peuker, der in seiner kleinen Stube im Hinterhause der Hartmannschen Besitzung mit der Tabakspfeife am Tische saß . . .

Er setzte sich breit an den Tisch, hustete dreimal und begann: „Die Leiden und Freuden des Winters. Der Winter ist eine schlechte Zeit."

„Nee, nee", sagte Gottlieb, „das is nich wahr. Die Ernte is viel schlechter."

„Das hat aber der Lehrer gesagt", verteidigte sich Peterle und las weiter: „Der Winter ist eine schlechte Zeit. Er beginnt am 21. Dezember."

„Warum is denn nu das gerade so 'ne Schlechtigkeit vom Winter, daß a am 21. Dezember beginnt?" erkundigte sich Gottlieb.

Peterle sah ihn mißmutig an.

„Nu, wenn a doch amal am 21. Dezember anfängt. Das macht a doch! Und schlecht is a einmal. Laß mich ock lesen! Am 21. Dezember. Auf dem Felde erfrieren die Hasen und die Rehe, und der Fuchs geht auf Raub aus."

„Peterle", warf Gottlieb wieder dazwischen, „haste schon amal 'n erfrorenen Hasen gesehen? Nich? Ich hab' schon zwei Stück gesehen. Und lebendige hab' ich aber mehr gesehen. Viel mehr! Und haste schon amal 'n Fuchs auf Raub ausgehen gesehen? Nich? Ich auch nich! Bei uns gibt's ja gar keene Füchse."

„Aber wenn's doch nu amal anderswo welche gibt! Laß mich ock lesen! Der Schnee liegt höher als ein Haus, und das arme Mütterchen sucht Holz im Walde."

„Was für a armes Mütterchen?"

„Nu, halt a armes Mütterchen."

„Wenn die ock nich etwa gar in dem haushohen Schnee steckenbleibt. Sowas sollte das alte Weib lieber nich riskieren."

„Vater Gottlieb, du bist aber –. Na, laß mich ock lesen! Die armen Leute frieren in den Stuben und haben nichts zu essen."

„Na, lange werden das die armen Leute aber nich aushalten. Da is bloß gutt, daß ich und du so reiche Kerle sind. Da frieren wir doch nich und haben auch was zu essen."

„Gottlieb, wenn du so bist, da – da mag ich überhaupt nich mehr."

„Nu, ich kann doch nich dafür, daß wir reich sind. Na, da lies weiter! Jetzt kommen wohl die Freuden des Winters dran?"

Peterle sagte mit knurriger Stimme: „Nee, noch ein Leiden! Wenn Eiszapfen am Dache hängen, dann fallen sie unachtsamen Kindern auf den Kopf." Er machte eine Pause, weil er wieder einen Einwurf erwartete, aber Gottlieb nickte nur ernsthaft mit dem Kopfe, als wollte er sagen: „Ja, ja, diese Eiszapfen! Sie sind eine rechte Landplage!"

„Der Winter hat aber auch seine Freuden. Die Kinder laufen Schlittschuh."

„Ach, fährst du jetzt auch Schlittschuh?"

„Nee, ich hab' gar keene. Aber andere! Laß mich ock lesen! Und manche fahren lustig auf dem kleinen Handschlitten."

„Da haste auch keenen?" fragte Gottlieb.

Peterle schüttelte den Kopf.

„Der Schnee ist wie ein Leichentuch. Nee, verflixt, das paßt nicht zu a Freuden. Das paßt bloß vornehin zu a Leiden. Da wer' ich Leichentuch ausstreichen und Brautkleid darüberschreiben. Das is alles dasselbe. Wie ein Brautkleid! Der liebe Niklas bringt schöne Geschenke. Und am schönsten ist das heilige Weihnachtsfest. Fertig!"

„Nu ja ja", sagte Gottlieb. „Voriges Jahr haste ja nischt zu Weihnachten gekriegt. Aber du kannst's ja schreiben. 's is a recht hübscher Aufsatz. Ich tät'n ja anders machen."

„Du?" fragte Peterle abfällig. „Wie willst du'n denn machen, wenn du alles gar nich mit in der Schule gehört hast?"

„Nu, ich werd' amal probieren. Ich werd' amal denken, ich bin der Peterle und mach 'n Aufsatz. Wenn bloß das Schreiben nich wär'!"

Gottlieb Peuker suchte unter dem Kleiderschrank ein Tintenfläschchen und eine Feder hervor, prüfte die arg verrostete lange auf seinem Daumennagel, nahm endlich einen Briefbogen aus der Tischschublade und fing an zu schreiben. Er stöhnte ein paarmal leise dabei, und die Feder kratzte jämmerlich, aber es lag ein schöner, friedlicher Zug auf dem Gesicht des alten Schreibers. Peterle las indessen in einem Buch über den Krieg von 1864. Es dauerte eine halbe Stunde, dann sagte Gottlieb:

„Nu werd' ich dir meinen Aufsatz vorlesen. Die Leiden und Freuden des Winters, Aufsatz von Peterle.

Der Winter ist nicht sehr schön, weil ich lieber barfuß gehe als in den schweren Holzlatschen. In Holzlatschen kann man gar nicht schnell rennen. Mein Vater geht im Winter in die Fabrik, aber die Mutter verdient weniger. Da können wir bloß Sonntags Fleisch essen. Und Wurst gibt es gar nicht. Im Sommer ist die Kost besser. Sonst gibt es nicht viel Leiden in Teichau. Bloß die alte Pätzoldten hat es schlecht, weil sie Botenfrau ist, und der Briefträger und der Wilke-Bauer, der immer die Gicht kriegt. Ich muß mich auch immer sehr wurmen, weil ich keinen Schlitten und keine Schlittschuhe habe. Wenn ich die 1 M. 50 Pf., die ich gespart hatte, weil ich im Sommer immer auf Arbeit gehe, nicht hätte auf ein Halstuchel gebraucht, da hätt' ich Schlittschuhe, und es wär' eine Freude des Winters. Der Winter hat auch seine Freuden. Ich stehe erst um 1/2 8 auf. Das paßt mir. Und ich schmeiß' alle Jungen und Mädel mit Schnee. Das paßt mir auch. Der Kaufmann freut sich, weil er viel Petroleum verkauft. Mein Freund, der alte Gottlieb Peuker, freut sich auch, weil er nichts zu tun hat und immerzu Pfeife rauchen kann. Alle Leute sind im Warmen, sogar die im Gemeindehause. Alle haben zu essen. Und der Hund freut sich, weil er am Ofen liegt. Das Feld freut sich, weil es nicht gepflügt und nicht gekratzt und nicht gewalzt und nicht geschnitten wird. Aber dem Felde sieht man die Freude nicht an, man kann sich's bloß denken. Die Hasen freuen sich nicht sehr. Das ist, weil sie Faulpelze und Dummriane sind. Zu Weihnachten haben wir keine Schule. Da freuen wir uns mächtig darüber.

Fertig!" schloß Gottlieb. „Was meinste zu meinem Aufsatz?"

Peterle starrte ihn an. Vor Erstaunen hatte er keinen Einspruch gewagt. Jetzt raffte er sich auf:

„Keile tätste kriegen", sagte er. „Übergebuckt würd'st du! Zeig amal her!"

Gottlieb reichte ihm den Briefbogen. Da las Peterle und stieß viele Schreie jubelnden Entsetzens aus und nahm Gottliebs Feder und fing an anzustreichen. Am Schluß holte er tief Atem.

„35 Fehler ohne die Komma", sagte er. „Ungenügend! Liederlich! Nachsitzen! Noch einmal! Strafe!"

Gottlieb lächelte verlegen.

„'s is noch nich alles", sagte er. „Du mußt amal a Bogen umdrehen."

Da wandte Peterle das Papier und las noch:

„Eine sehr große Freude des Winters ist es, wenn der alte Gottlieb einen Aufsatz schreibt und so viel Fehler macht, daß man sich halbtot lachen muß. Und dann ist es auch eine große Freude des Winters, daß mir der Gottlieb zu Weihnachten ein Paar Schlittschuhe kauft und mir morgen im Holzschuppen einen kleinen Schlitten macht."

Peterle wurde blaß vor Schreck.

„Das is ja nich wahr –"

„Nu, hast du's nich schriftlich? Da wird's doch wahr sein."

„Ein Paar Schlittschuh'! Einen Schlitten! Da muß ich heim!"

Er machte drei wilde Freudensprünge, nahm das Papier und raste davon. Aber er kam bald wieder und guckte verlegen zur Tür herein.
,,Gelt, Gottlieb, du bist doch nich böse, weil ich das von den 35 Fehlern gesagt hab'?"
,,Nee, nee, Peterle, die uff der zweiten Seite haste ja nich mitgerechnet."

Aufgaben

1. Bilden Sie die Steigerungsform zu *dumm*, *blind*, *gerade*, *gescheit*, *taub*, *süß*, *närrisch*, *hell*, *gesund*, *krank*, *nackt*, *faul*, *lang*, *tief*, *hoch*, *dünn*, *schief*, *trocken*, *hart*, *spitz*, *naß*, *glatt*, *schlank* durch Beifügung von Hauptwörtern (z. B. mordsdumm).
Verbessern Sie die Fehler in Satz 2 bis 6.
2. *Wir haben gegen ihn die eindeutigsten Beweise.*
3. *Ich habe durchaus den Eindruck, daß diese ganz fabelhafte Leistung den allertiefsten Eindruck gemacht hat.*
4. *Irgendwie dürfte man doch wohl sagen können, daß eigentlich diese Besorgnisse nicht als völlig unbegründet angesehen werden können.*
5. *Die vorhandenen Uniformen sind restlos aufzutragen.*
6. *Es ist furchtbar einfach, solche entsetzlich schweren Aufgaben und blödsinnig hohen Anforderungen an den Wortschatz der Schüler zu stellen.*
7. Wie heißt der Superlativ zu folgenden Ausdrücken: *gutunterrichtete Vertreter*, *wenig gangbare Artikel*, *südlich gelegener Ort*, *großmögliche Sorgfalt?*
8. Wie heißen die abschwächenden Ausdrücke zu *tot sein*, *stehlen*, *betrügen*, *ermorden*, *verhauen*, *berauscht sein?*
9. Was mißfällt Ihnen an dem Satze eines Schülers: *So sank Schiller, unser großer Dichterfürst, in dem hoffnungsvollen Alter von 46 Jahren in ein frühes Grab, und wir begleiten mit einiger Anteilnahme das herbe Schicksal dieses wahrhaft edlen Mannes, an dem sich sein eigener Vers bewährte:*
Doch mit des Geschickes Mächten
Ist kein ew'ger Bund zu flechten!
10. Welche Vorsilben kennen Sie zur Verstärkung von Eigenschaftswörtern?
11. Setzen Sie in den Sätzen a–e an Stelle des Strichs ein Adjektiv, und zwar sollen Sie unter den in Klammern genannten Eigenschaftswörtern das passendste auswählen:
a) Der Weg durch den Wald war sehr – (buschig, faltenlos, holprig, knorrig, schwierig).
b) – lag der Schnee in der Mittagssonne (leuchtend, grell, funkelnd, glitzernd, sonnig).
c) Es ist verboten, am Strand – zu baden (ausgezogen, entblößt, pudelnackt, hüllenlos, nackt).

d) Der Ton der Trommel drang – herüber (heiser, surrend, belegt, dumpf, leicht).

e) Nur – kam die Katze näher (zögernd, faul, kriechend, verträumt, gemächlich).

12. Nennen Sie fünf Eigenschaftswörter, mit denen man die Vorsilbe *über* verbinden kann.

13. Nennen Sie einen Satz, in dem die Eigenschaftswörter *groß* und *klein* als aussondernde Adjektive vorkommen.

14. Nennen Sie zehn Eigenschaftswörter, die man mit dem Hauptwort *Kampf* verbinden kann. Welche sind davon *stehende Beiwörter* und welche sind wirklich kennzeichnend?

15. Nennen Sie stehende Beiwörter zu folgenden Hauptwörtern: *Arbeit*, *Aufgabe*, *Aussicht*, *Spaß*, *Geld*, *Ruhm*, *Stille*.

16. Sind die folgenden Eigenschaftswörter aussondernd oder schmükkend: *mächtige Tanne*, *alte Hexe*, *holder Lenz*, *neidischer Kollege*, *lachende Fluren*, *wundervolle Kühle?*

FÜNFTES KAPITEL: FREMDWORT

8. Glanz und Elend des Fremdworts

14. Lektion

Fremdartigkeit. Über keine Frage des Sprachlebens wird so viel gestritten wie über die Frage: Dürfen wir Fremdwörter gebrauchen? Uns fällt es nicht schwer, diese Frage zu beantworten: In den bisherigen Lektionen haben wir Maßstäbe erhalten, mit denen wir die Stilwerte der Fremdwörter beurteilen können. Wir haben gesehen, daß wir uns treffend, lebendig, klar und knapp ausdrücken müssen, um eindringlich zu schreiben. Mit diesem Maßstab gemessen: was sind die Fremdwörter wert? Beginnen wir wieder mit einem Beispiel. Nehmen wir an, Iphigenie würde in dem Goetheschen Drama sagen: *46*

Und an dem Ufer steh' ich lange Tage,
Das Land der Griechen mit der Psyche suchend;

oder Carlos würde ausrufen:

Denn ein Momang, gelebt im Paradiese,
Wird nicht zu teuer mit dem Tod gebüßt!

Oder könnte in Schillers ‚Bürgschaft' der Torhüter den Damon mit den Worten anhalten:

Retour! Du rettest den Freund nicht mehr!

Oder schließlich: können Sie sich vorstellen, daß es im Vaterunser heißt: „*Und gewähre uns Pardon für unsere Sünden*"? Niemand wird zweifeln: an all diesen Stellen wirken die Fremdwörter als Fremdwörter. Im Gedicht, im Gebet, in jeder dichterischen Sprache stören die Fremdwörter. Kein Liebender wird Worte der Zärtlichkeit mit Fremdwörtern untermischen. Keine Mutter wird zu ihrem Kind in fremden Worten reden, wenn sie eindringlich und herzlich mit ihm sprechen will. Wenn wir in einer feiertäglich dahingleitenden Erzählung plötzlich auf den Satz stoßen: „Wie hast du über deine Zeit disponiert?", so fühlen wir uns aus der Stimmung gerissen. Kurzum: in jeder dichterischen oder feierlichen Prosa stören die Fremdwörter, weil sie nicht in diese Stilschicht gehören. Ein Text, der aus wechselnden Stilschichten zusammengesetzt ist, wirkt tot und widerstreitet der Forderung: *Schreibt lebendig!*

Unverständlichkeit. Dazu kommt ein weiterer Nachteil: viele Fremdwörter sind den Lesern unverständlich. Fremdwörter *47* sind Modesache, sie veralten schnell. In dem Briefwechsel zwischen Goethe und Schiller finden wir Wörter wie *turlupinieren*, *radotieren*, *Kadespedenz:* selbst die Gebildetsten können sich heute nichts dabei denken. Und wenn Sie in einem ärztlichen Bericht lesen: *Die asthenische Konstitution des Patienten war eine primäre Komponente für das letale Resultat*, so werden viele Leser nicht erraten, daß der schwächliche Körperbau des Kranken seinen Tod mitverursacht hat. Die Fremdwörter ziehen also eine Bildungsmauer quer durch unser Volk. Sie widerstreiten der Forderung: *Schreibt klar!*

48 **Verwaschenheit.** Schließlich haben die Fremdwörter noch eine dritte Schwäche: Nehmen wir an, wir haben von einem Buch gesagt: es ist *interessant*, und jetzt bittet uns jemand: „Sagen Sie doch einmal auf deutsch, was Sie von dem Buch halten." Dann müssen wir erst einen Augenblick nachdenken. Wir müssen nachdenken, weil wir uns erst jetzt klarmachen, was wir eigentlich von dem Buch halten. *Interessant* kann ja mancherlei bedeuten: *spannend*, *belehrend*, *anregend*, *merkwürdig*, *blendend*, *hinreißend*, *bedeutsam*, *eigenartig*, *kurzweilig*, *erheiternd*, *rührend*. Wenn wir jetzt ein deutsches Wort wählen sollen, müssen wir uns entscheiden. *Interessant* war ein Schwammwort, das für vieles paßte, ein Wort sehr allgemeiner Natur. Die deutschen Wörter sind die besonderen Wörter. Sie sind treffender als die Fremdwörter. Aber gerade deshalb ist das Fremdwort beliebter. Denn es ist natürlich leichter, schwammige Fremdwörter zu benützen, als mühsam das treffende deutsche Wort herauszusuchen. Diesen schwammigen, unscharfen Charakter haben viele Fremdwörter. Es hängt dies mit der ganzen Natur des Fremdwortes zusammen: Es ist unanschaulich und gefühlsarm. Es eignet sich vortrefflich zum Stilschwindel, zum geistreich tuenden Nebelstil der Stilgaukler.
Fassen wir das bisher Gesagte zusammen: Fremdwörter passen nicht in die edleren Stilschichten unserer Sprache, sie gefährden die Verständlichkeit, sie ziehen eine Bildungsmauer quer durch unser Volk, und sie sind oft schwammig und unbestimmt.

49 **Unentbehrliche Fremdwörter.** Freilich passen diese Darlegungen nicht auf alle Gelegenheiten. Wenn in einem wissenschaftlichen Buch die Fachausdrücke in Fremdwörtern gehalten sind, so verstößt das nicht gegen unsere Stilforderungen. Denn

diese Fachausdrücke sind klar umrissen, sie wenden sich nur an ein Publikum, das sie versteht, und sie wirken innerhalb wissenschaftlicher Untersuchungen auch nicht als Fremdkörper.

Wir müssen uns auch klar sein: bestimmte wissenschaftliche Begriffe sind in die Alltagssprache eingegangen. Worte wie *Reformation*, *Kapitalismus*, *Barock*, *Lyrik*, *Symphonie* und zahlreiche andere sind unentbehrliche Bezeichnungen unentbehrlicher Begriffe.

Wir müssen sogar noch einen Schritt weiter gehen. Einige hundert Fremdwörter sind fest eingebürgert: *Kultur*, *Religion*, *Alkohol*, *sozial*, *Technik*, *Minister*, *Kapitel*, *Fabrik*, *Klima*, *Kritik*, *Maschine*, *Phantasie*, *Stil*, *Tragik*, *Charakter*, *Theater*, *Diplomat*, *Dogma*. Alle diese Wörter und einige hundert andere sind zwar Fremdwörter, aber keine fremden Wörter mehr. Jedermann versteht sie und niemand hat versucht, ernsthafte Ersatzvorschläge durchzusetzen. Gewiß: in den höchsten Stilschichten sind auch sie zu schlecht – Luther hat bei der Bibelübersetzung das Wort *Religion* durch *Glauben* ersetzt –, aber für andere Anlässe stören sie unser Sprachempfinden nicht. Auch der Ungelehrte kennt ihren Sinn, und ihre Bedeutung ist so klar umrissen wie die der deutschen Erbwörter.

Freilich ist die Grenze zwischen diesen eingebürgerten Wörtern fremden Ursprungs und den übrigen schädlichen Fremdwörtern flüssig. Aber im großen und ganzen wissen wir doch genau: für *demolieren*, *frequentieren*, *dekorieren*, *lädieren*, für *interessant*, *pikant*, *vakant* und *amüsant*, für *Negligé*, *Prinzip*, *Detail*, *Attraktion* und *Motiv* haben wir genug deutsche Wörter und wir empfinden sie als fremd. Aber *Oper*, *Klausel*, *Stil*, *Kalender* und *Konzert* sind gern gesehene Gäste in unserer Sprache. Je mehr ein Mensch bemüht ist, sich treffend, verständlich und sauber auszudrücken, desto kleiner wird er diesen Kreis der eingebürgerten Fremdwörter ziehen.

Der deutsche Sprachschatz zerfällt in drei große Gruppen der Erbwörter, Lehnwörter und Fremdwörter. Erbwörter nennen wir die Wörter aus deutscher Wurzel. Lehnwörter sind Wörter fremden Ursprungs, die aber die deutsche Schreibweise und Betonung angenommen haben. Unsere Vorfahren besaßen eine gewaltige Kraft im Eindeutschen: den meisten Lehnwörtern sieht man die fremde Herkunft nicht an; wir empfinden sie als eigenes Sprachgut. Lehnwörter sind z. B. *schreiben* (von scribere), *Fenster* (von fenestra), *Tisch* (von discus), *Frucht* (von fructus) und tausend andere.

Die dritte Gruppe sind die Fremdwörter. Ihren Gebrauch wollen wir durch folgende Stilregel einschränken:

Stilregel 20 *Fremdwörter sind zu vermeiden! Ausgenommen sind jene einige hundert Fremdwörter, die fest eingebürgert sind, die also jeder versteht und die einen scharf umrissenen Begriff bezeichnen, wie Melodie und Kultur, Technik und Religion. Unentbehrlich sind außerdem die wissenschaftlichen Fachausdrücke. Wir können keine völlig fremdwortreine Sprache reden, aber wir müssen eine fremdwortarme Sprache schreiben. Je edler die Stilschicht, in der wir uns ausdrücken, desto sparsamer müssen wir mit Fremdwörtern sein.*

Fragen

Der Schüler fragt

Schüler: Diesmal habe ich zwei große Einwendungen. Sie wollen also die Fremdwörter ausrotten – einige Gruppen ausgenommen. Aber verringern wir damit nicht die Ausdrucksmöglichkeiten unserer Sprache? Sie haben selbst gelegentlich gesagt: es gibt keine sinngleichen Wörter. Es ist tatsächlich auch nicht das gleiche, ob wir sagen *pikant* oder *prickelnd*, *würzig*, *scharf*, *gepfeffert*, *reizvoll* oder was für deutsche Wörter Sie sonst noch wissen. *Pikant* deckt sich mit keinem dieser Wörter. *Prinzip* klingt für mein Empfinden hölzerner als *Grundsatz*. *Motiv* ist nicht dasselbe wie der schwerfällige *Beweggrund*. Ja, selbst die *Cousine* klingt mir heiterer und anziehender als die altväterische *Base*. Sie selbst haben gesagt: Jedes Wort bringt seine Lebensluft mit sich. Nun, die Lebensluft von *amüsant* ist durch kein deutsches Wort wiederzugeben.

Lehrer: Was Sie sagen, ist durchaus nicht falsch. Erbwort und Fremdwort decken sich in der Tat nur, wenn es sich um den Namen von bestimmten Gegenständen oder um Fachbegriffe handelt, und selbst hier kann ein Unterschied in der Lebensluft des Wortes mitschwingen. Bei den Begriffen des geistigen Lebens wird immer ein kleiner Sinnabstand verbleiben. Aber das darf uns nicht veranlassen, alle Fremdwörter bei uns aufzunehmen.

Bedenken Sie: Wir haben die Wahl zwischen zwei Übeln: Finden wir uns ab mit dem Anwachsen der Fremdwörterflut, so gewinnen wir die Möglichkeit, einige weitere Ausdrucksabstufungen wiederzugeben. Aber dafür müssen wir die drei großen Nachteile in Kauf nehmen, von denen wir gesprochen haben: Wir machen unsere Sprache buntscheckig, weil die Fremdwörter in die edleren Schichten nicht passen. Wir ziehen die Bildungsmauer durch unser Volk. Wir gefährden die Genauigkeit des Ausdrucks und damit des Denkens, weil die Schwammnatur vieler Fremdwörter uns zu allgemeinen, unklaren Ausdrücken verleitet. Nehmen wir Ihr Beispiel *Motiv*. Je nach dem Zusammenhang werden wir im Deutschen sagen: *Grund*, *Beweggrund*, *Bestimmungsgrund*, *Antrieb*, *Anlaß*, *Anstoß*, *Anreiz*, *Sporn*, *Ansporn*, *Wurzel*, *Anregung*, *Stachel*, *Trieb*, *Triebfeder*, *Veranlassung*, *Köder*, *Zweck*, *das Warum*, *Leitgedanke*, *Stoff*, *Zug*, *Vorbild*, *Eindruck*, *Vorwurf*, *Gegenstand*, *Stück usw*. Wir können also mit den deutschen Wörtern den Ausdruck viel stärker *differenzieren*, auf deutsch *abstufen*, *der Besonderheit jedes Falles anpassen*. Mögen uns die Fremdwörter auch hier und da zusätzliche Ausdrucksmöglichkeiten bescheren: im ganzen wird die deutsche Sprache durch die Fremdwörter ärmer gemacht, weil meist die deutschen Wörter die schärfere Unterscheidung gestatten.

Aus diesem Grund soll man auch auf die Frage: *Wie übersetzen Sie das Fremdwort Motiv?* stets anworten: *In welchem Zusammenhang? Nennen*

Sie mir den ganzen Satz. Und im übrigen sollen wir nicht übersetzen, sondern den Satz deutsch denken, dann kommen wir auf das treffende Wort.

Schüler: Es leuchtet mir ein, daß der Schaden der Fremdwörter größer ist als ihr Nutzen. Aber ich habe noch ein Bedenken: selbst wenn wir die Fremdwörter verdrängen *wollen*, *können* wir sie denn verdrängen? Ich meine: wird es uns denn je gelingen, die entbehrlichen Fremdwörter auszurotten?

Lehrer: Ihr Zweifel ist berechtigt. Die bisherigen Erfahrungen geben nicht viel Hoffnung, diese Schlacht zu gewinnen. Aber trotzdem dürfen wir sie nicht abbrechen, denn sonst steigt die Schlammflut der Fremdwörter immer höher. Einige Erfolge sind in den letzten Jahrzehnten erkämpft worden. Wir könnten zweifellos den Kampf auch völlig gewinnen, wenn man ihn klüger und gründlicher führte. Der Staatsmann, der diese Aufgabe löst, wird nicht nur unserer Sprache, sondern auch unserem Denken einen unsterblichen Dienst erweisen.

Der Lehrer fragt

In welche Gruppen zerfällt der deutsche Wortschatz?	Erbwörter, Lehnwörter und Fremdwörter.
Was sind Lehnwörter?	Wörter aus fremder Wurzel, die aber deutsche Schriftform und Betonung angenommen haben, z. B. Tisch, Fenster, Schule.
Welche drei Hauptnachteile haben die Fremdwörter?	1. Sie machen unsere Sprache buntscheckig; in die höheren Stilschichten passen sie nicht hinein. 2. Sie sind vielen unverständlich und ziehen daher eine Bildungsmauer quer durch unser Volk. 3. Sie sind sehr oft unanschaulicher, gefühlsärmer und daher schwammiger als deutsche Wörter. So verleiten sie uns, den allgemeinen statt des treffenden Ausdrucks zu gebrauchen. Oft dient die Unklarheit des Fremdwortes zur Bemäntelung des Stilschwindels.
Welche Einwände erheben die Verteidiger des Fremdworts?	Sie sagen, das Fremdwort erhöhe unsere Ausdrucksmöglichkeiten, denn jedes Wort habe seine eigene Lebensluft, es gebe keine sinngleichen Wörter. Infolgedessen decke sich das Ersatzwort nicht mit dem Fremdwort.

Was ist von diesen Einwänden zu halten?

Es ist richtig, daß sich Erbwort und Fremdwort meist nicht völlig decken, d. h. daß ein Sinnabstand zwischen ihnen besteht. Aber in der Regel ist die feinere Ausdrucksabstufung mit deutschen Wörtern möglich. Die Fremdwörter haben im Durchschnitt einen weniger scharfen Umriß. Sie machen unsere Sprache nicht reicher, sondern ärmer.

Welche Fremdwörter sind unentbehrlich?

Erstens die wissenschaftlichen Fachausdrücke. Zweitens jene Fremdwörter, die völlig eingebürgert sind, d. h. jedem verständlich sind und auch einen klaren Umriß haben, wie Kultur, Religion, Technik usw.

Aufgaben

Ersetzen Sie die Fremdwörter nachstehender Sätze. Wenn in einer Aufgabe das gleiche Fremdwort mehrmals vorkommt, ist jedesmal ein anderes deutsches treffender (also z. B. in Aufgabe 14 insgesamt sechzehn deutsche Wörter statt *direkt*). In einigen Aufgaben ist das Fremdwort unentbehrlich.

1. *Müssen wir Deutsche denn partout mit ausländischen Floskeln renommieren?*

2. *Es ist absolut nötig, daß er die Schule ganz absolviert.*

3. *Affektierte Menschen werden nirgends ästimiert.*

4. *Die Agitation für die Annektion dieses Territoriums ist absurd.*

5. *Er mag seine arroganten Behauptungen noch so apodiktisch aufstellen: er kann doch die enorme Blamage nicht annullieren.*

6. *Der Nachtisch war delikat.*
Daß er eine sehr delikate Natur ist, kann man nicht behaupten.
Diese delikate Angelegenheit muß vorsichtig behandelt werden.
Angesichts solcher Alternative kann man nicht delikat sein.

7. *Ich bin sehr deprimiert über diese Depesche; sie wird meinen Freund völlig demoralisieren.*

8. *Er hat nur Generaldirektor gelernt, das Detail beherrscht er nicht.*
Handeln Sie Glühlampen en détail oder en gros?
Die Sache muß bis ins letzte Detail vorbereitet werden.

9. *Mit solchen Charakteren gibt es nur Differenzen.*
Für die Differenz in der Kasse muß er aufkommen.
Mach keine Differenzgeschäfte!
Zwischen Reden und Handeln ist eine große Differenz.

10. *Es ist undiskutabel, daß wir einen so bornierten Menschen engagieren.*

11. *Wie sind deine Zeitdispositionen?*
Daß er nicht diskret ist, entspricht seiner ganzen Disposition.
Wenn ich in einer solchen Disposition bin, kann ich keine Entscheidung treffen.
Machen Sie sich erst eine Disposition für den Aufsatz.

12. *Diese Ausstattung macht viel Effekt.*
Der Effekt wird sein, daß er abreist.
Der Überraschungseffekt war groß.

13. *Der Brief ist vermutlich fingiert.*
Die ganze Begründung, die er uns serviert, ist einfach fingiert.

14. *Gehen Sie diesen Feldweg hier, der führt direkt auf das Gehöft.*
Direkt verzichtet habe ich nicht auf mein Eigentumsrecht.
Lübecker Hof, 3 Minuten vom Bahnhof, direkt hinter der Post.
Ich würde ihr das lieber nicht so direkt sagen.
Wenn sich's im Gespräch von selbst ergibt, ja; aber so direkt davon anfangen möchte ich nicht.
Direkter Einkauf macht es mir möglich, die Ware so billig zu liefern.
Wenden Sie sich ruhig an Herrn Lindemann direkt.
Anstatt direkt zum Arzt zu laufen, versuchte das Mädchen erst mit allerlei Hausmitteln zu helfen.
Direkt behauptet habe ich es nicht.
Halte uns nicht lange auf, sondern erzähl mal direkt, wie es gewesen ist.
Als ich ihm ernstlich ins Gewissen redete, gab er es auch direkt zu.
Du weißt, er ist sehr empfindlich; hüte dich also, ihm direkt Schuld zu geben.
Ich sagte ihm direkt, daß er der Täter sei.
Ist dies der direkte Weg nach Luzern?
Wenn ihr den Zug um 9 Uhr 15 benützt, könnt ihr direkt bis Frankfurt fahren.
Es ist ja direkt lächerlich, daß es möglich sein soll, das Wort direkt zu entbehren.

15. *Die wissenschaftliche Beobachtung hat ergeben, daß ein je geringeres Maß von ökonomischer Intelligenz auf der Produktionsseite waltet, desto beträchtlicher das Volumen der ihr auf der Erfolgsseite entsprechenden subterranen Vegetationsformen von Solanum tuberosum zu sein pflegt.*

16. *Schließlich spielen in dieser Zeit auch eine ganze Reihe psychogener Momente eine Rolle. In der Regel sind es Konflikte, die der Schulbesuch schafft, wo es zur Konversion psychischer Komplexe in physische Leiden kommt, was oft in Form von Kopfschmerzen realisiert wird . . . Meistens zeigt der Kopfschmerz auffallende Schwankungen in seiner Qualität, Intensität und Lokalisation.*

17. *Cäsars Mentalität war absolut rational und realistisch; alle seine Transaktionen basierten auf jener genialen Illusionslosigkeit, welche seine intimste Individualität bezeichnet. Diesem Faktor verdankte er die potentiale*

Kraft, sich durch Reminiszenzen und Illusionen nicht aus dem Konzept bringen zu lassen; ihm die Fähigkeit, in jedem Moment seine totale Energie einzusetzen und auch jeder Bagatelle seine komplette Genialität zuzuwenden; ihm die Universalität, mit der er konzipierte und beherrschte, was der Intellekt begreifen und der Wille dirigieren kann; ihm die Souveränität, mit der er seine Perioden fügte wie seine Kriegsprogramme entwarf; ihm den brillanten Humor, der ihm in allen Epochen treu blieb; ihm verdankte er es auch, daß er völlig immun war gegen jeden Versuch eines Lieblings, einer Mätresse oder eines Freundes, ihm irgendeine Idee zu suggerieren.

18. *Alle Relationen, die das bewußte Denken sich diskursiv appliziert, sind nur Reproduktionen explizierter oder Explikationen implizierter oder explizierte Reproduktionen implizierter Bewegungen.* (Eduard von Hartmann) (Können Sie das nicht verstehen? Trösten Sie sich: ich auch nicht!)

19. *Er hat eine Nuance zu lebhaft gesprochen.*
20. *Die intensive Bearbeitung der Kundschaft.*
21. *Er sagt, er gebrauche prinzipiell keine Fremdwörter.*
22. *Das war typisch Ursula. Ist Ellen eigentlich Dein Typ?*

Zusammenfassung der Lektionen 10 bis 14

1. Wir können jede Mitteilung in drei Formen kleiden:

Hauptsatz, Nebensatz und adverbiale Bestimmung:

Er trat ein und sagte . . .
Während er eintrat, sagte er . . .
Beim Eintreten sagte er . . .

Adverbiale Bestimmungen sind gefährlich, wenn sie im Übermaß und vor allem in der Form von Hauptwörtern auf *-ung* auftreten. Es entsteht dann der sogenannte *Stopfstil*. Überhaupt wirken adverbiale Bestimmungen auf *-ung* papieren und werden oft besser durch Nebensätze ersetzt.

2. Wir können im Deutschen die Worte *denkbedingt* stellen. In der Regel gehört das Sinnwort, d. h. das wichtigste Wort des Satzes, in das Vorfeld, vor allem bei gefühlsbetonten Sätzen. Soll das Sinnwort überraschend wirken oder vorbereitet werden, dann gehört es in das Nachfeld, denn Nachfeld und Vorfeld sind betonter als die Mitte. Listenartige Aufzählungen gehören an den Schluß des Satzes.

3. Um immer die richtige *Tonart* zu treffen, müssen wir beachten: Jedes Wort gehört einer bestimmten Stilschicht an, es hat eine bestimmte Atmosphäre. Dichterworte gehören nicht in die Alltagsrede. Jedes Wort muß zu der Stilschicht seines Textes passen.

Jede Stilschicht ist an ihrer Stelle berechtigt. Völlig unerträglich ist nur eine Stilebene: das Papierdeutsch mit seinen Kanzleiausdrücken, Umständlichkeiten und Schachtelsätzen.

4. Wichtig ist auch die *Tonstärke*. Wir dürfen weder einen *Schreistil* noch einen *flauen Stil* schreiben. Der Schreistil verstärkt den Ausdruck durch Superlative und durch die üblichen Verstärkungswörter. Aber zur Verstärkung gibt es lebendigere Mittel, vor allem die Wahl eines speziellen, anschaulichen und zugespitzten Ausdruckes. Der flaue Stil nimmt durch Wörter wie *fast*, *irgendwie* seine Aussagen immer halb zurück. Aber Unentschiedenheit vermag niemanden zu überzeugen.

5. Sätze, die Selbstverständlichkeiten enthalten, aber in Ausdrücken einer hohen Stilschicht gehalten sind, nennen wir *Phrasen*. Phrasen sind besonders gefährlich, wenn sie durch unbestimmte Ausdrücke Tiefsinn vortäuschen sollen. Phrasen dürfen wir nie schreiben.

6. Wir sollen so wenig *Fremdwörter* verwenden wie möglich. Die Fremdwörter sind ein fremder Flicken auf dem Kleid unserer Sprache und ziehen eine Bildungsmauer quer durch unser Volk. Viele Fremdwörter sind unscharf und schwammig; sie verderben Sprechen und Denken.

Für eine Anzahl Fremdwörter haben wir bisher keine brauchbaren Verdeutschungen. Sie bezeichnen Abstufungen des Sinnes, die wir nicht anders wiedergeben können. Mit diesen Fremdwörtern müssen wir uns vorläufig abfinden.

Wiederholungsaufgaben für Lektion 10 bis 14

1. Sie wollen von einem Kind in möglichst abgemilderter Form sagen: „*Es ist mordsdumm, hat einen Buckel, ist sehr schmutzig und völlig unerzogen.*“ Wie drücken Sie sich aus?

2. Nennen Sie sechs Ausdrücke für *weinen* und ordnen Sie sie nach dem Grade der Heftigkeit.

3. Was ist das Gegenteil von: *abgeneigt, ableugnen, abraten, Abscheu, absichtlich, ahnungslos, allgemein, altern, anfangen, angreifen, ängstigen, Armut, arglos* (keine Wortbildung mit un-)?

4. Ordnen Sie die folgenden Wörter nach der Stilschicht (gewöhnlichste Stilschicht zuerst): *essen, einhauen, futtern, etwas genießen, dinieren, mampfen, schmausen, schnabulieren, speisen, fressen, den Wanst vollhauen, tafeln.*

5. Wie 4.: *Antlitz, Gesicht, Visage, Angesicht, Fassade, Fratze, Physiognomie, Zifferblatt, Ponim.*

6. Wie 4.: *Mädchen, Mädel, Besen, Dame, Frauenzimmer, Gnädige, Frau, Madame, Maid, Schickse, Weib, Weibsbild, Weibsstück, Mägdelein.*
(Zu Aufgabe 4–6: Bezeichnen Sie jede der Stilschichten).

7. Ersetzen Sie in den folgenden Sätzen die gesperrten Wörter durch ein einziges Wort:
a) *Ihr Antlitz versetzte ihn fast in einen Rauschzustand.*
b) *Wir brauchen durchaus nicht alle Hoffnung aufzugeben.*
c) *Es wird ihm nicht gelingen, mich wie einen Tölpel hereinzulegen.*
d) *Ich habe an ihn nur Erinnerungen, die wie Schatten verschwommen sind.*
e) *Mir war so übel, ich glaubte sterben zu müssen.*

8. Sagen Sie mir ohne Fremdwörter:
a) *Die Wasserleitung funktioniert jetzt wieder.*
b) *Die Drohung hat prompt funktioniert.*
c) *Mein Magen funktioniert wieder ausgezeichnet.*
d) *So ungeschickt wie du dich anstellst, kann der Motor nicht funktionieren.*

9. Ersetzen Sie in den folgenden Beispielen die verkrampften Steigerungswörter durch natürliche Ausdrücke:

a) *Sie hat wahnsinnig schöne Augen.*
b) *Das Hochgebirge hat auf mich einen fabelhaft großartigen Eindruck gemacht.*
c) *Er hat ein direkt phänomenales Gedächtnis.*
d) *Wir haben gestern irrsinnig getanzt.*
e) *Es war eine kolossal anstrengende Tour.*

10. Finden Sie, daß der nachstehende Aufsatz einige unecht wirkende Stellen enthält?

Auf dem Friedhof

Alles ist still. Ich gehe den Hauptgang des Kirchhofs entlang auf das Kreuz in der Mitte zu. Totenstille herrscht hier. Vom Kreuz aus sehe ich in tiefer Ergriffenheit auf allen vier Seiten einen langen Gang von grünen Tannen, in finstere Schatten gehüllt. Zwischen den Tannen schweift mein umflorter Blick hindurch in den üppigen Wald von lichten kleinen Kreuzen. Ich gehe einen der großen Gänge entlang und biege in einen Nebenweg ein. Jetzt erst bemerke ich, daß jedes Kreuz in einem gar sorgfältig gepflegten Blumenbeet steht. Die Vorderseiten aller Kreuze, schnurgerade ausgerichtet, schauen mich ernst und mahnend an. Nicht weit von mir kniet ein altes Mütterlein. Vielleicht schlummert hier unten in kühler Erde, was ihr ein und alles war auf dieser Welt. Ich mache taktvoll kehrt und trete wieder in den Hauptgang ein, denn ich fühle, daß mich die Rührung überwältigt. Langsam gehe ich in dem Hauptgang weiter. Mir ist zumute wie in der Kirche. Ich schreite langsamer und bedächtiger, um mit meinem Tritt nicht zu stören . . .. (Aus Rahn: Aufsatzlehre.)

11. Verbessern Sie folgende Sätze und geben Sie an, welche Stil- und Denkregeln verletzt wurden:

a) *Infolge der durch die letzten Typhusfälle in der Stadt entstandenen Beunruhigung hat zwecks Sicherstellung einer einwandfrei unschädlichen Wasserversorgung im Hinblick auf die durch die jetzigen Zustände bewirkte Gefährdung der Stadtrat beschlossen, die von ihm getroffenen Maßnahmen zur Erschließung weiterer Quellgebiete noch zu erweitern.*
b) *Betrunken warf der Hausdiener ihn aus dem Wirtshaus hinaus.*
c) *Ich habe Ihnen noch über die erfolgten Schritte zu berichten.*

12. Drücken Sie die folgenden Sätze ohne Fremdwörter aus:

a) *Die beiden sind intim befreundet.*
b) *Ich habe mit ihm darüber eine intime Unterhaltung gehabt.*
c) *Es war eine sehr intime Stimmung.*

13. Wie 12: *Ich habe keine Idee, was sich der Mann eigentlich für Ideen über seine berufliche Zukunft macht, da er doch noch nie eine Idee zu unseren Ausbauideen beigesteuert hat, wie ich bei ihm überhaupt noch nie eine Idee von Phantasie gefunden habe.*

14. Streichen Sie in den folgenden Sätzen jeweils das richtige von den drei eingeklammerten Wörtern an:
Als der Gast von dem (eingefüllten, eingegossenen, eingeschenkten) Wein wiederum aus bösem Gewissen ganz kleine Schlücklein nahm, lief der Wirt voll (Genuß, Übermut, Freuden) in die Küche, (knallte, wedelte, schnalzte) mit der Zunge und rief: „Hol' mich der Teufel, der versteht's, der (säuft, trinkt, schlürft) meinen guten Wein auf die Zunge, wie man einen (Taler, Groschen, Dukaten) auf die Goldwaage legt.“

15. Zu welcher Stilschicht gehören folgende Wörter, und wie sagt man in der Umgangssprache dafür?: *Lenz, Quatsch, prima, Zinken, dreckig, erstklassig, Eiland, Dämmerung, Maul, Morgen.*

16. Steigern Sie die folgenden Hauptwörter, indem Sie ein anderes Hauptwort davorsetzen (z. B. Mordsangst): *Angst, Spaß, Arbeit, Kerl, Fleiß, Ruhe, Liebe, Dummheit.*

17. Was mißfällt in folgenden Sätzen, und wie würden Sie sie umformen?
a) *Schüler, die ihre Schulhefte zurückhaben wollen, sollen sich melden, andernfalls werden sie eingestampft.*
b) *Die Zeitschrift „Kränzchen“ wird von 16000 Mädchen gelesen, die sich täglich vermehren.*
c) *Wer sein Fleisch nicht rechtzeitig abholt, wird weiterverkauft.*
d) *Als der Ritter spät abends zu seiner Burg zurücktrabte, war er total kaputt.*
e) *Er beschränkte sich lediglich auf Wiederholung früherer Behauptungen.*
f) *Ich bitte Sie, den Überzieher dem Überbringer des Briefes zu übergeben.*

DRITTE STUFE

DIE ZWANZIG STILRATSCHLÄGE

SECHSTES KAPITEL: LEBENDIGKEIT

1. Beherrsche die Sache

15. Lektion

Sachkenntnis. Der alte Römer Cato hat den unsterblichen Satz geprägt: Beherrsche die Sache, dann folgen die Worte (Rem tene, verba sequentur). Wer von seinem Gegenstand nichts versteht, kann nie gut schreiben. Genau das gleiche wie Cato hat der Philosoph Schopenhauer einmal gesagt: „Die erste, ja schon für sich allein beinahe ausreichende Regel des guten Stils ist, daß man etwas zu sagen habe: oh, damit kommt man weit." *1*

Bevor Sie zu schreiben beginnen – es sei ein Aufsatz, ein Brief, eine Abhandlung –, überlegen Sie sich: was habe ich zu sagen? Wenn Sie nichts oder wenig wissen, dann unterrichten Sie sich erst. Schlagen Sie in Büchern nach – im Konversationslexikon –, sprechen Sie mit anderen darüber, lassen Sie sich auf einem Spaziergang das Thema durch den Kopf gehen, aber schreiben Sie nicht, wenn Sie nichts wissen. Glauben Sie: kein Prunkgewand eleganten Stils kann die Blößen geistiger Nacktheit verhüllen.

Jede schriftliche Arbeit beginnt mit der Stoffsammlung: Auf einem oder mehreren großen Bogen vermerken Sie in Stichworten Ihre Gedanken über Ihr Thema. Schreiben Sie diese Stoffsammlung besonders leserlich; lassen Sie viel Platz für nachträgliche Einschaltungen.

Gliederung. Sodann gliedern Sie den Stoff: Sie überlegen sich, in welcher Reihenfolge Sie ihn vortragen. Sie können einfach durchnumerieren von 1 bis 30 oder weiter, oder Sie können erst mehrere Hauptteile mit römischen Ziffern (I, II, III) machen und diese dann mit arabischen Ziffern unterteilen und diese Abschnitte wiederum mit Buchstaben untergliedern. (Von Einleitung und Schluß spreche ich später.) Auf alle Fälle müssen Sie Ordnung in Ihre Gedanken bringen. Fahren Sie nicht darauflos, bevor Sie sich den Weg genau zurechtgelegt haben. Ohne Ordnung keine Klarheit, ohne Klarheit kein wirkungsvolles Schriftstück. *2*

Die übersichtliche Gruppierung der Gedanken nennt man Disposition. Das einzige Schriftstück, das Sie ohne Disposition schreiben dürfen, ist der Liebesbrief. Bei ihm merkt man die Echtheit der Gefühle gerade an der Unordnung, mit der sie vorgetragen werden.

Den Weg von der Stoffsammlung zur Disposition lernen Sie am besten mit Hilfe eines Beispiels. Nehmen wir an, Sie sollen einen Schulaufsatz schreiben über das Thema: „Auswandern?" Sie denken etwas darüber nach und notieren sich dann – zunächst im wirren Durcheinander – folgende Stichworte:

Es gibt Gründe dafür und dagegen
Überbevölkerung Deutschlands und Überfüllung der Berufe
Unsicherheit in Deutschland
Schwierigkeit, selbständige Existenz zu gründen
Aber: Hemmnisse der Aus- und Einreise
Reisegeld und Devisen
Kein Anfangskapital im Ausland
Neue berufliche Prüfungen nötig
Trennung von zurückbleibender Familie und Angehörigen
Fremde Sprachen
Fremdes Klima
Gerade die Arbeitsfähigsten wandern aus
Schwächung der Nation als Ganzes
Verlust des Deutschtums („Kulturdünger")

Mehr fällt Ihnen nicht ein. Jetzt ordnen Sie diese Stichworte. Dafür gibt es mehrere Möglichkeiten. Z. B. können Sie unterscheiden zwischen den Gesichtspunkten des einzelnen und denen der Gesamtheit. Innerhalb dieser beiden Hauptteile können Sie wiederum unterteilen nach Gründen dafür und dagegen. Als Schluß ergibt sich dann von selbst eine Abwägung des Für und Wider. Als Einleitung kann man erwähnen, daß die Auswanderungsfrage heute ein brennendes Problem ist. Auf diese Weise entsteht folgende Disposition (beim Niederschreiben fällt Ihnen noch einiges ein):

A. Einleitung: Die Auswanderungsfrage – heute brennend

B. Hauptteil: Das Für und Wider der Auswanderung

I. Betrachtung vom Standpunkt des einzelnen
   1. Die Gründe dafür
      a) Überfüllung der Berufe
      b) Unsicherheit der wirtschaftlichen und politischen Lage
      c) Schwierigkeit der Gründung einer selbständigen Existenz
   2. Die Gründe dagegen
      a) Hemmnisse durch Aus- und Einreise-Genehmigung
      b) Beschaffung des Reisegeldes
      c) Fehlen eines Anfangskapitals im Ausland
      d) Notwendigkeit neuer beruflicher Prüfungen

e) Schwierigkeit bei der Beschaffung eines Erwerbs
f) Fremde Sprache
g) Fremdes Klima
h) Trennung von zurückbleibenden Verwandten

II. Betrachtung vom Standpunkt des Gesamtvolks
1. Gründe dafür
a) Verringerung der Überbevölkerung
b) Verbreitung deutscher Kultur
2. Die Gründe dagegen
a) Verlust bester Fachkräfte
b) Schwächung der Nation als Ganzes

C. Schluß: Abwägung des Für und Wider.

An Hand eines solchen Gerippes können Sie dann unschwer den Text niederschreiben.
Nehmen Sie ein ganz anderes Beispiel: Sie sollen für Ihr Lokalblatt die Kritik einer Theatervorstellung verfassen. Die erste Stoffsammlung sieht so aus:

Urteil über das Stück
Urteil über die Aufführung
Handlung
Sprache
Charaktere
Besondere Wirkungen einzelner Stellen
Bühnenbild
Regieleistung
Leistung der einzelnen Schauspieler
Stellung des Publikums

Es ist nicht schwer, diese Punkte sachlich zu ordnen. Erst dann beginnen Sie zu schreiben.

Hilfen. Bei der Stoffsammlung helfen manchmal ein paar einfache Kunstgriffe. Versuchen Sie, ob Sie die vier Fragen: *Was für ein . . . Warum . . . Wozu . . .* und *Was ist das Für und Wider* auf das Thema anwenden können. Wenn Sie über das Thema *Sollen wir Feste feiern?* schreiben, dann überlegen Sie sich: *Was für Feste gibt es?* und *Wozu feiern wir Feste?*; die beiden andern Fragen sind bei diesem Thema bedeutungslos. Wenn das Thema heißt: *Soll ich Auto fahren lernen?*, so helfen die Fragen *Warum* und *Für und Wider*, dagegen nicht die beiden andern. Irgendeine der vier Fragen trägt meist dazu bei, unser Wissen hervorzulocken und zu ordnen. 3

Stil-ratschlag 1 *Schreiben Sie nur über Dinge, von denen Sie etwas wissen! Sammeln Sie den Stoff in Form von Stichworten und gliedern Sie ihn in einer Disposition!*

2. Setzt Wegtafeln!

4 **Wegtafeln.** In Schulaufsätzen stellt man die Disposition an den Anfang. In Büchern tut man genau das gleiche. Die Disposition heißt in Büchern „Inhaltsverzeichnis".

Man kann die Gliederung dem Leser auch dadurch mitteilen, daß man in den ersten Sätzen des Textes einige Angaben darüber macht.

Man kann auch im Text ausdrücklich erwähnen, wann man diesen, wann jenen Abschnitt behandelt. Man errichtet gleichsam Wegtafeln, damit der Leser immer weiß, wovon die Rede ist und wo die Darlegung hinsteuert.

Solche Wegtafeln sind vorhanden, wenn wir – wie vielfach im Schulaufsatz üblich – im Text die einzelnen Buchstaben und Nummern der Disposition an den Rand setzen.

Wir können aber die Wegtafeln auch in den Text einflechten. Wir können z. B. in einem Aufsatz über die Wohnungsnot schreiben, wenn wir zu einem neuen Teil übergehen wollen: *Nun wenden wir uns zu den Vorschlägen, die die Wohnungsnot nicht durch Neuverteilung, sondern durch Vermehrung des Wohnraums beheben wollen. Wir werden zunächst errechnen, wie viele Wohnungen neu gebaut werden müssen, und sodann prüfen, ob und in welcher Zeit sie gebaut werden können.*

Besonders deutlich sind Wegtafeln, die die Gestalt von Fragen haben. Also bei dem eben erwähnten Beispiel: *Wir haben zwei Fragen zu prüfen: Wie viele Wohnungen müssen gebaut werden, und in welcher Zeit kann dieser Bau erfolgen?*

Überaus einfache Wegtafeln sind die Wörter *erstens, zweitens, drittens.* Freilich wirken sie prosaisch. Aber in rein sachlichen Erörterungen braucht man nicht auf sie zu verzichten.

Wegtafeln sind unentbehrlich, wenn ein Schriftstück lang und verwickelt ist. Bei kurzen oder bei gefühlsbetonten Texten wirken sie pedantisch. Hier muß man sich zwar eine Gliederung überlegen, aber sie soll unsichtbar bleiben. Aber auch bei solchen Schriftstücken soll man häufig einen Absatz machen, damit der Leser merkt: jetzt kommt etwas Neues.

Bei langen oder schwierigen Texten tut man gut, Wegtafeln zu setzen, das heißt die Gliederung im Text zu kennzeichnen. Wegtafeln kann man auf verschiedene Weise setzen: man kann sich auf die Disposition im Text beziehen; man kann den Absätzen Überschriften geben, in den Text Bemerkungen über die kommenden Fragen einflechten usw. In Texten ohne Wegtafeln soll man wenigstens häufig Absätze machen.

Stilratschlag 2

3. Schreibe, wie du sprichst!

Redesprache. Wenn Sie die Wahl hätten, sich mit einem berühmten Weltreisenden, sagen wir Sven Hedin, einmal zehn Minuten unterhalten zu dürfen oder ein dickes Buch von ihm zu lesen: was würden Sie vorziehen? Sicherlich die Unterhaltung. Warum? Weil Sie ihn dabei ansehen dürfen? Gewiß ist das reizvoll, aber es gibt ja auch Lichtbilder. Oder weil ein Gespräch lebendiger ist als ein Buch? Ich glaube, das ist der Grund.

5

Wenn wir viel zu müde sind, um zu lesen, sind wir immer noch imstande, uns zu unterhalten. Was folgt daraus? Wir müssen alles, was wir schreiben, so lebendig gestalten wie das persönliche Sprechen. Der lebendige Mensch besitzt weit stärkere Zauberkräfte als das bedruckte Papier; deshalb muß das Papier von den lebendigen Menschen so viele Zauberkräfte aufnehmen, wie die Sache irgend zuläßt. Unsterblich ist die Stilregel, die Luther bei der Bibelübersetzung geprägt hat: „*Man muß die Mutter im Haus, die Kinder auf der Gassen, den gemeinen Mann auf dem Markte drumb fragen und denselbigen auf das Maul sehen, wie sie reden, und danach dolmetschen, so verstehn sie es denn und merken, daß man Deutsch mit ihnen redet!*"

Was sind nun die wirkungsvollsten Stilmittel der lebendigen Rede? Zunächst einmal pflegt der Gebildete ganz unwillkürlich im Sprechstil viele jener Stilregeln zu befolgen, die wir in den bisherigen Lektionen gelernt haben. Die gesprochene Sprache bevorzugt den bestimmten, entschiedenen Ausdruck statt des allgemeinen, unentschiedenen, den anschaulichen statt des abstrakten; sie stellt die Wörter nicht nach Regeln, sondern nach Gewicht; sie baut kurze, beigeordnete Sätze, keine langen, verschachtelten; sie legt die entscheidende Mitteilung ins Zeitwort, nicht ins Hauptwort.

Vor allem aber gewinnt sie ihre Lebendigkeit, indem sie den gleichmäßigen Fluß der Darstellung immer wieder unterbricht: durch Frage, Wunsch, Ausruf, Befehl, Drohung, durch Anführung wörtlicher Rede, kurzum durch Satzgebilde, die das Menschliche, Persönliche stärker durchleuchten lassen als der bloße Aussagesatz. Gerade diese, dem Gefühl näherstehenden Satzformen sind packender, mitreißender als Aussagesätze; sie regen stärker zur Einfühlung an. Aber wir müssen diese Stilmittel im einzelnen betrachten, ehe wir einen neuen Stilratschlag formulieren.

4. Frage, Ausruf, wörtliche Rede

Die Frage ist ein unentbehrliches Stilmittel. Der Schreiber unterbricht den eintönigen Monolog und wendet sich an die Person des Lesers. Auf einem sehr einfachen Wege erzeugt sie die Spannung, die ein Kernstück jedes lebendigen Stiles bildet. Sie verschafft dem Leser einen Augenblick des Abstands und der Besinnung und verhindert den Schreiber, in den Kettensätzen einer abstrakten Gelehrtensprache zu ersticken. Fragen – ohne Gewaltsamkeit der Darstellung eingefügt – erzwingen die Aufmerksamkeit des Lesers; zum Beispiel:

Wir sehen aus diesen Darlegungen: Die Ausfuhr zu erhöhen ist eine Lebensfrage. Aber welche Mittel haben wir, um sie zu steigern? oder
Wenn wir die Vorstellung verlassen, sind wir unbefriedigt. Aber warum haben wir dies peinliche Gefühl?
Besonders gut eignet sich die Frage, um einen Einwurf vorzubringen: *Aber – so wird der Leser fragen – hat die englische Verstaatlichung des Gesundheitswesens nicht den Ehrgeiz der Ärzte verringert?*

6 **Ausruf.** Gelegentlich kann man auch Ausrufe in die Darstellung einflechten: *Von Jahrzehnt zu Jahrzehnt wachsen die Staatsausgaben. O wenn doch einmal ein Staatsmann käme, der sich dem „Übermut der Ämter" entgegenstemmte!* Fragen und Ausrufe sind viel lebendiger, weil sie an das gesprochene Wort erinnern. Namentlich der Redner kann sich ihrer oft bedienen. Im Jahre 1848 hielt Bischof Ketteler die Grabrede für die beiden Abgeordneten des Frankfurter Nationalparlaments, die bei einem Spazierritt vom Pöbel erschlagen worden waren:

... Und in welchem Zustand ist die Gestalt des Mannes, der dort an der Stelle vor mir liegt? Meine christlichen Brüder ... es ist mein täglicher Beruf, den Menschen auf ihrem letzten Lebenswege zur Seite zu stehen. Ich erschrecke nicht vor der erstarrten Leiche mit dem gebrochenen Auge und der eisigen Kälte. Als ich aber die Leiche dieses Mannes aufsuchte, um mich an ihrer Seite niederzuknien, da durchbebte ein kalter Schauer meine Glieder. Er schien mir nicht von Menschenhand ermordet, sondern von den Zähnen und Klauen wilder Tiere zerrissen. Auf dieser Leiche ruhte nicht jener Ausdruck eines sanften, ruhigen Schlafes, den wir so gern bei den Verstorbenen antreffen, der die zurückgebliebenen Freunde mit Trost und Frieden erfüllt; auf seiner Brust klaffte nicht eine offene, eine Wunde, wie sie die Brust des Kriegers ziert, der im Kampfe mit einem edlen Feinde sein Leben dahingegeben; nicht so fand ich die Leiche dieses Mannes, nicht so war sein Tod gewesen. Ohne Waffen, mit der an ihm bekannten Furchtlosigkeit und mit dem festen Vertrauen zum Volke hatte er sich ... zu Pferde vor das Tor hinausgewagt, und da hat man sie, die Wehr- und Waffenlosen, in großer Zahl meuchlings überfallen, man hat sie gehetzt, verfolgt, aus ihrem Versteck herausgerissen, den einen noch am Hause erschossen, den andern unter furchtbaren Mißhandlungen weit in das Feld hinausgeschleppt und ihn dort in entsetzlicher Weise ermordet, man hat ihn zerschossen, zerschlagen, zerrissen, zerschnitten!!! Das ist der Zustand der Leichen dieser Männer.
Und wer waren denn diese Männer, die man so behandelte? Waren es schandvolle Missetäter, die dem Kerker entsprungen, und die ihr Leben selbst verwirkt hatten? Waren es Feinde des deutschen Volkes, die den gerechten Haß des Volkes auf sich geladen? Nein, meine christlichen Brüder, nichts von allem dem! Es waren Männer, die Gott mit den edelsten Gaben des Geistes und des Herzens ausgestattet hatte. Sie haben mit festem Mute und hoher Begeisterung für ihre beste Überzeugung gekämpft, auf dem Schlachtfelde mit ihrem tapferen Schwerte, im Rate der Völker mit ihrem Geiste, und selbst ihre Gegner achteten in ihnen würdige Söhne des deutschen Vaterlandes.

Direkte Rede. Frage und Ausruf sind wirksam, weil sie zum gesprochenen Deutsch gehören. Auch wenn wir die Worte eines andern anführen wollen, tun wir meist besser, sie direkt, nicht indirekt wiederzugeben. Nicht: *Karl sagte, es sei das beste,* 7 *wenn er morgen wieder in die Stadt fahre*, sondern: *Karl sagte: „Es ist das beste, wenn ich morgen wieder hereinfahre."* Freilich, wenn es zu viel Hin und Her durch das Gespräch gibt, macht die direkte Rede den Text unruhig. Auch ergibt sich dann eine besondere Schwierigkeit: man muß die direkte Rede einleiten durch Wörter wie *er sagte*. Es wirkt jedoch ermüdend, wenn sich *er sagte* ständig wiederholt. Aber diese Wiederholung läßt sich leicht durch sinnverwandte Wörter vermeiden, die man je nach den Umständen auswählen muß: *er erwiderte*, *er brüllte*, *er näselte*. Auch kann man Adverbien hinzufügen: *er sagte verärgert*, *er antwortete zögernd* usw. Oft kann man das Verb des Sagens bei Wechselreden ganz weglassen.

8 **Erlebte Rede.** Auch für die Wiedergabe von Gedanken haben wir eine Ausdrucksform, die an die direkte Rede erinnert: *Karl begann nachzudenken: das beste war, wenn er morgen wieder in die Stadt fuhr. Er konnte dann zu seiner Kusine hingehen und von ihr eine Entscheidung verlangen. Lange genug hatte er jetzt gewartet. Hatte er es nötig, diesen Schwebezustand länger zu dulden?* Bei dieser eigenartigen Stilform ist die Darstellung in der dritten Person gehalten *(wenn er heimfuhr)* wie bei der indirekten Rede, aber im Indikativ *(fuhr)* wie bei der direkten Rede. Man hat diese Art *erlebte Rede* genannt, aber der Ausdruck hat sich nicht durchgesetzt. Sie ist beliebt in modernen Erzählungen und gut geeignet, um längere Gedankenketten wiederzugeben.

Stilratschlag 3 *Frage, Ausrufe, Anführung wörtlicher Rede beleben die Darstellung.*

5. Sachliches und Menschliches

9 **Persönliches.** Wer sich nur an den Verstand wendet, wird nie gut schreiben. Nur was aus Gefühl und Willen stammt und Gefühl und Willen aufruft, kann bis in die Tiefe durchschlagen. Natürlich gibt es Themen, die man nur ganz nüchtern, ganz sachlich behandeln kann. Eine Logarithmentafel ist unvermeidlich eine trockene Lektüre. Aber solche Gegenstände sind selten. Die meisten Gegenstände haben auch eine menschliche Seite, sie berühren sich mit Fragen des Gefühls oder des Willens, mit persönlichen Erlebnissen. Nehmen wir wieder ein Beispiel. In der Zeitung lesen Sie folgenden Bericht:

In der Neuhauser Straße stieß gestern ein Kohlenfuhrwerk mit einem Trambahnwagen so unglücklich zusammen, daß ersterem ein Rad brach und letzterer erst nach mehrere Stunden beanspruchender Freimachung der Fahrbahn weiterfahren konnte.

Dieser Bericht ist langweilig und belanglos. Jetzt sehen wir einmal, was Ludwig Thoma aus einem derartigen Vorfall zu machen wußte, indem er die menschliche Seite des Vorfalls lebendig vor uns hinstellte:

Ein großes, schwer beladenes Kohlenfuhrwerk fuhr auf dem Tramwaygeleise, als eben ein Wagen der elektrischen Straßenbahn daherkam.
Der Kutscher des Kohlenfuhrwerkes sagte: „Wüst, ahö, wüst" und fuhr so langsam aus dem Geleise, als wäre die elektrische Bahn nur eine Straßenwalze. Er bewerkstelligte auch, daß er gerade noch mit dem hinteren Rad an den Wagen stieß. Das Rad brach und der Kohlenwagen senkte sich krachend mitten in das Geleise.
„Du Rammel, du g'scherter, kannst net nausfahren?" schrie der Kondukteur.
„Jetzt nimma, du Rindvieh!" antwortete der Kutscher. Und er hatte ganz recht, denn eine Kohlenfracht kann man nicht auf drei Rädern wegbringen.
Der Kondukteur legte dem Fuhrmann noch einige Fragen vor. Ob er glaube, daß er das nächstemal aufpassen wolle; ob er vielleicht nicht aufpassen wolle, und ob noch ein solcher dummer Kerl Fuhrmann sei.
Dies alles brachte den Kutscher nicht aus seiner Ruhe.
Er stieg ab und stellte fest, daß das Rad vollständig kaputt sei. Und da er infolge dieser Tatsache die Meinung gewann, daß sein Aufenthalt von längerer Dauer sein werde, zog er die Tabakspfeife aus der Tasche und begann zu rauchen.
Und dann lud er die Aktiengesellschaft sowie deren sämtliche Bedienstete zu einer intimen Würdigung seiner Rückseite ein.
In diesem Augenblick drängte sich ein Schutzmann durch die Menge und stellte sich vor den Wagen hin.
„Was gibt's da? Was ist hier los?" fragte er.
„A hinters Rad is los", sagte der Kutscher.
„So? Das wer'n wir gleich haben", erwiderte der Schutzmann, und ich glaubte, daß er ein Mittel angeben wolle, wie man umgestürzten Wägen am schnellsten auf die Räder hilft.
Der Schutzmann zog ein dickes Buch aus der Brusttasche, öffnete es und nahm einen Bleistift heraus, der an dem Deckel steckte.
Während er ihn spitzte, kam wieder ein elektrischer Wagen angefahren. Der Lenker desselben machte großen Lärm, als er nicht vorwärts konnte, und der Schaffner blies heftig in sein silbernes Pfeifchen.
„Was ist denn das für ein unverschämtes Gepfeife? Wollen S' vielleicht aufhören zu pfeifen?" fragte der Schutzmann und blickte den Schaffner durchdringend an, während er den Bleistift mit der Zunge naß machte.

„So", sagte er dann, indem er sich wieder zu dem Kutscher wandte, „jetzt sagen Sie mir, wie Sie heißen tun."
„Matthias Küchelbacher."
„Mat–thi–as Kü–chel–bacher. Wo tun Sie geboren sein?"
„Han?"
„Wo Sie geboren sein tun?"
„Z'Lauterbach."
„So? In Lau–ter–bach. Glauben S' vielleicht, es gibt bloß ein Lauterbach? Wollen S' vielleicht sagen, wo das Höft ist? Tun S' ein bißl genauer sein, Sie!" Inzwischen hatte sich die Menge, welche den Wagen umstand, immer mehr vergrößert.
Ein Herr in der vordersten Reihe untersuchte mit sachverständiger Miene den Schaden. Er bückte sich und sah den Wagen von unten an; dann ging er vor und faßte die lange Seite scharf ins Auge, und dann bückte er sich wieder und klopfte mit seinem Stocke auf die drei ganzen Räder. Und dann sagte er, es sei bloß eines kaputt, und wenn es wieder ganz wäre, könne man sofort wegfahren.
Die Umstehenden gaben ihm recht. Ein Arbeiter sagte, man müsse versuchen, ob man den Wagen nicht wegschieben könne. Er spuckte in die Hände und stellte sich an das hintere Ende des Wagens. Dann sagte er: „Öh ruck! öh ruck!" und schüttelte den Wagen, und spuckte immer wieder in seine Hände, bis ihn die Schutzleute zurücktrieben. Diese entwickelten jetzt eine große Tätigkeit. Sie gaben acht, daß die Zuschauer sich anständig benahmen und in einer geraden Linie standen. Das war nicht leicht. Wenn sie oben fertig waren, drängten unten die Neugierigen wieder vor, und deshalb liefen sie hin und her und wurden ganz atemlos dabei.
Noch dazu mußten sie achtgeben, daß jeder Schutzmann, der hinzukam, seinen Platz erhielt; wenn ein Vorgesetzter erschien, mußten sie ihm alles erzählen, und wenn ein neuer Tramwaywagen daherfuhr, mußten sie dem Kondukteur einschärfen, daß er nicht durch die anderen Wagen durchfahren dürfe.
Ich weiß nicht, wie die Sache ausgegangen ist, weil ich nach zwei Stunden zum Abendessen gehen mußte. Aber ich las am nächsten Tage mit Befriedigung in den Blättern, daß der Polizeidirektor, der Minister des Innern und unsere zwei Bürgermeister am Platze erschienen waren.

Diese kleine Geschichte ist ein Muster lebendiger, einfacher Darstellung. Das Stilmittel, das Thoma am Schluß anwendet, ist die Übertreibung; sie ist mit Vorsicht zu verwenden.
Jetzt werden Sie sicherlich fragen: „Ja, aber wie macht man es, seinem Thema die menschliche Seite abzugewinnen?"
Nun: hier gibt es keine feste schematische Regel. Es sind verschiedene Mittel nötig, je nach dem Thema und je nach der Art der Arbeit. Ein Schulaufsatz kann nicht so angepackt werden

wie ein Zeitungsartikel. Bei einem Schulaufsatz sind Sie mehr an die überlieferten Formen gebunden. Hier müssen Sie selbst Entscheidungen treffen.

Überlegen Sie einmal: Was lese ich selbst am liebsten? Sie werden antworten: „Tatsachen lese ich lieber als Theorien, Erzählungen lieber als Beschreibungen, von Menschen höre ich lieber als von Einrichtungen, von anschaulichen, greifbaren Dingen lieber als von abstrakten Begriffen, kurzum: das Lebendige ist mir lieber als das Tote. Überlegen Sie, ob Sie solche Einsichten auf Ihr Thema anwenden können.

10

Menschen. Vor allem: Lassen Sie Menschen in Ihrer Darstellung auftreten! Das ist leichter, als Sie glauben. Nehmen wir folgende Zeitungsnotiz:

Wie uns mitgeteilt wird, stellt die Firma Schröder & Haupt neuerdings 30 Fahrräder täglich her. Die Lenkstangen erhalten durch eine Spezialbehandlung einen besonderen Dauerglanz. Die Fahrräder sollen den besten Markenfahrrädern ebenbürtig sein.

Wird dieser Text nicht etwas lebendiger, wenn wir schreiben:

Wir hören von den Herren Schröder & Haupt, daß sie neuerdings 30 Fahrräder täglich herstellen. Sie geben hierbei den Lenkstangen durch eine Spezialbehandlung einen besonderen Dauerglanz und versichern, daß ihre Räder den besten Markenwaren ebenbürtig sind.

Die Unterbrechung theoretischer Texte durch Anführung der Namen von Personen, durch Darstellung stattgehabter Erlebnisse und durch Schilderung konkreter Gegebenheiten pflegt zu den Stilmitteln gerechnet zu werden, welche die Aufnahme wesentlich erleichtern, so daß Untersuchungen über etwelche Themen, die von der Heranziehung solcher Hilfsmittel absehen, Gefahr laufen, sich den Vorwurf einer nicht in erforderlichem Umfang unterhaltenden und die Aufmerksamkeit nicht voll fesselnden Darstellung ausgesetzt zu sehen. Ist das Deutsch? Nein! Deutsch muß es heißen: *Jeder Leser atmet auf, wenn ihm in einem theoretischen Text plötzlich der Name eines Menschen, ein Erlebnis oder ein greifbares Ding begegnet. Wer in seinem Text keine Menschen erwähnt – er schreibe, worüber er wolle –, der wird immer trocken und langweilig schreiben.*

Stilratschlag 4

Prüfen Sie, ob Sie Ihren Gegenstand nicht von einer menschlichen Seite her packen können. Lassen Sie Menschen auftreten! Verwenden Sie auch für die lebhafte Erzählung das historische Präsens.

6. . . . aber sorgfältiger!

11 **Keine vulgäre Sprache.** *Schreibe, wie du sprichst*, haben wir schon mehrmals gepredigt. Aber jetzt müssen wir diesen Ratschlag einschränken. Die Umgangssprache hat neben vielen Vorzügen bestimmte Schwächen: Die Formen der Wortbeugung sind bei ihr stärker abgeschliffen. Sie kennt keinen Wesfall (Genitiv); sie verschmäht die Möglichkeitsform (Konjunktiv). Sie verwendet fast nie den Bezugssatz (Relativsatz) oder ersetzt ihn gar durch das unschöne *der Mann, wo*. Sie wiederholt sich oft, weil der Sprecher Zeit braucht, um seine Gedanken zu entwickeln, und so fort.

Nicht diese Fehler wollen wir von der Umgangssprache erben. Wenn uns die Umgangssprache als Vorbild dienen soll, so meinen wir eine Sprache, die nur die Vorzüge, nicht die Schwächen des Alltagsdeutschs aufweist, eine Sprache, die stilistisch so lebendig ist wie geredetes Deutsch und grammatisch so sorgfältig wie geschriebenes. Dieser höheren Sorgfalt ist die Schriftsprache bedürftig und fähig. Sie b e d a r f ihrer, denn sie entbehrt ja viele andere Hilfsmittel der Rede, des Tonfalls, der Mimik, der Gebärde. Sie ist ihrer f ä h i g, denn der Schreibende hat mehr Zeit als der Sprechende, seine Sprache zu formen. Der große Rechtsgelehrte Feuerbach hat einmal gesagt: „*Gib mir eine Zeile von deiner Hand und ich bringe dich an den Galgen.*“ Er hat damit sagen wollen: Was wir schriftlich niedergelegt haben, können wir nicht mehr abstreiten; wenn nun irgend jemand einen recht ungünstigen Sinn hineinlegt, reicht es aus, um uns zu belasten. Wir müssen also alle schriftlichen Äußerungen sorgfältiger fassen als mündliche. Was im Gespräch verzeihlich, ist geschrieben abscheulich. Die saloppen Wendungen der Alltagssprache nehmen einem gedruckten Satz jedes Gewicht.

Bei dem Ratschlag: *Schreibe, wie du sprichst*, muß man sich auch genau die Person ansehen, der man ihn gibt. Man kann ihn nur Menschen geben, die gewohnt sind, auch beim Sprechen grobe Fehler zu vermeiden. Bei allen anderen müssen wir den Ratschlag etwas ausführlicher fassen:

Stil-ratschlag 5

Schreiben Sie so lebendig, wie Sie sprechen, aber vermeiden Sie jene kleinen Verstöße gegen Grammatik und Stilgefühl, die uns beim Sprechen leicht unterlaufen!

Fragen

Der Schüler fragt

Schüler: Ich bin etwas enttäuscht. Ich habe gehofft, in der Stilistik könne man lernen, auch über Dinge, von denen man nichts weiß, wirkungsvoll zu schreiben.

Lehrer: Lassen Sie sich keinen Unsinn einreden. Die Rhetoren, die Redekünstler im alten Griechenland, wollten so etwas zustande bringen, aber es ist nur leeres Schellengeläute dabei herausgekommen. Nur wer etwas weiß, hat etwas zu sagen.

Schüler: Es enttäuscht mich auch, daß Sie so viel Wert auf Stoffsammlung und Disposition legen. Das scheint mir pedantisch und schulmäßig. Tut man denn nicht oft besser, mehr aus dem Gefühl heraus zu schreiben, wie es einem gerade einfällt?

Lehrer: Ein Ausländer hat einmal gesagt: Wenn ein Engländer, ein Franzose und ein Deutscher den Auftrag erhielten, einen Elefanten zu malen, der Engländer würde nach Afrika fahren, um ihn sich in freier Wildbahn anzusehen, der Franzose würde in den nächsten zoologischen Garten gehen, der Deutsche aber würde einen Elefanten aus der Tiefe seines Gemüts zeichnen.
Aus der Tiefe des Herzens schreiben kann nur der Dichter. Er schreibt aus Intuition, aus Erleuchtung, ohne verstandesmäßiges Denken. Wir andern müssen, bevor wir schreiben, uns überlegen, was wir zu sagen haben, müssen uns alles klarmachen, müssen es übersichtlich gruppieren, sonst werden wir nie ein Schriftstück zustande bringen, das auf andere einen tiefen Eindruck macht.

Schüler: Aber wo finde ich denn jedesmal das Wissen, das Sie für so unentbehrlich halten?

Lehrer: Dafür gibt es viele Wege. Schlagen Sie in einem Lehrbuch, einem Lexikon, einem Handbuch der betreffenden Wissenschaft nach. Dort finden Sie das angegeben, was man die „Literatur über dieses Thema" nennt, also die Bücher und Aufsätze, die schon darüber geschrieben sind. Oder schlagen Sie in dem Sachkatalog einer Bücherei nach oder fragen Sie einen Bibliothekar.

Schüler: Noch eine ganz andere Frage: Ihr Ratschlag, die Dinge von einer menschlichen Seite her anzupacken, scheint mir sehr wichtig, aber auch sehr schwierig. Können Sie mir nicht dafür noch einige Beispiele geben?

Lehrer: Gern! Nehmen wir an, Sie sollten eine Landschaft beschreiben. Dann erzählen Sie einen Verkehrsunfall, der sich in ihr abspielt und bei dem die Beschaffenheit des Bodens eine Rolle spielt; die Landschaftsbeschreibung flechten Sie in die Erzählung ein. Oder Sie sollen über Ihre Berufspläne schreiben. Dann denken Sie sich einen Traum aus, in dem Sie einen besonders ersehnten oder auch besonders verhaßten Beruf ausüben, und knüpfen daran einige Gedanken beim Erwachen. Oder Sie sollen über den Untergang der Nibelungen berichten. Dann erfinden Sie einen Bericht, den ein Krieger Dietrichs von Bern einem Freunde gibt. Sie sollen über Licht- und Schattenseiten des Rundfunks schreiben. Nun, Sie schildern eine Unterhaltung zwischen einem Ehepaar, dessen Radioapparat gerade beschädigt ist. Erfundene Dialoge (Zwiegespräche) sind überhaupt zur Belebung der Darstellung geeignet.

Der Lehrer fragt

Welche Stilregel verdanken wir dem Römer Cato?	Beherrsche die Sache, die Worte werden folgen.
Womit beginnt daher jede schriftliche Arbeit?	Mit der Sammlung des Stoffes (Stichworte) und dem Nachdenken über das Thema.
Was muß man sodann mit dem Stoff machen?	Man muß ihn übersichtlich gliedern.
In welchen beiden Formen kann dies geschehen?	Entweder durch fortlaufende Numerierung oder durch Einteilung in Hauptabschnitte und Unterabschnitte.
Wie nennt man diese Gliederung mit einem Fremdwort?	Disposition.
Welche drei Teile pflegt die Disposition eines Schulaufsatzes aufzuweisen?	Einleitung, Hauptteil, Schluß.
Soll man die Disposition an den Anfang einer Arbeit setzen?	In Schulaufsätzen ist es üblich, sonst nicht.
Soll man im Text die Disposition kenntlich machen?	Das hängt von der Art der Arbeit ab.
In welchen drei Formen kann das geschehen?	a) Wir können uns, wenn wir die Disposition an den Anfang stellen, im Text auf die Zahlen und Buchstaben der Disposition beziehen. b) Wir können den einzelnen Absätzen Überschriften geben. c) Wir können in den Text Bemerkungen einflechten, daß jetzt diese und jetzt jene Frage erörtert werde.
Warum beleben Fragen und Ausrufe die Darstellung?	Sie bringen Abwechslung und geben einen geistigen Einschnitt.

Wann ist die Anführung in direkter Rede schwierig?	Wenn sehr viel Rede und Gegenrede die Darstellung unruhig macht.
Welche besondere Schwierigkeit ergibt sich bei der Einleitung direkter Rede?	Man kann nicht immer von neuem schreiben: *er sagte*.
Wie können wir uns da helfen?	Durch sinnverwandte Ausdrücke (*er rief*, *klagte*, *antwortete*) oder durch Beifügung von Adverbien (*er sprach gemessen*).
Welches Stilmittel hat man als erlebte Rede bezeichnet?	Die Wiedergabe der Gedanken in der dritten Person, aber im Indikativ.
An welche Kräfte der menschlichen Seele muß sich ein eindringlicher Text wenden?	An Gefühl und Willen, nicht nur an den Verstand.
Wie kann man das erreichen?	Man muß versuchen, die menschliche Seite des Themas zu betonen, d. h. Erlebnisse, nicht Theorien; menschliche Eigenarten, nicht Beschreibungen und Einrichtungen.
Welche Schwächen hat die Umgangssprache?	Sie enthält oft grammatische Fehler (kein Wesfall, kein Konjunktiv), sie wiederholt sich oft, wirkt oft salopp.
Welche Einschränkung müssen wir deshalb zu dem Stil-Ratschlag *Schreibe, wie du sprichst*, hinzufügen?	Aber sorgfältiger!

Aufgaben und Denkübungen

1. Ein Schüler soll einen Aufsatz schreiben über das Thema: Welche Vorzüge und Nachteile hat der Film gegenüber der Bühne? Er vermerkt sich zunächst durcheinander folgende Stichwörter:

Film kann auch Unwirkliches darstellen
Film wird in vielen Theatern gleichzeitig gezeigt
Film ist nur Fläche, nicht körperhaft
Film kostet viel Reklame
Film kann international verwandt werden
Film kann Schauplatz leicht wechseln
Film zeigt nicht lebendige Menschen, sondern nur Abbildungen
Das Wort aus dem Apparat ist nicht so wirksam wie aus dem Munde

Filmherstellung ist sehr teuer
Filme halten über das Leben der Schauspieler hinaus
Filme passen sich mehr dem Massengeschmack an
Das Wort geht mehr verloren
Die Filmausstattung kann naturalistischer sein.

Ordnen Sie diese Stichworte nach Art einer Disposition; einige können Sie hierbei besser formulieren.

2. Ein Schüler hat den Inhalt des Gedichts „Schwäbische Kunde" von Uhland wie folgt erzählt. Beleben Sie die Darstellung durch Fragen, Ausrufe, historisches Präsens.

Bei dem Kreuzzug Friedrich Barbarossas blieb ein schwäbischer Ritter ein wenig hinter dem Heer zurück und wurde von den Türken angegriffen. Erst schossen sie nur mit Pfeilen. Als aber der Gegner ihn mit dem Säbel angriff, schlug er dem Pferd des Türken erst beide Beine ab, dann spaltete er mit einem gewaltigen Hieb den Feind vom Kopf bis zum Sattel. Bei diesem Anblick flohen die übrigen. Alle Kreuzfahrer bewunderten diese kühne Tat, aber der Ritter antwortete auf die Frage des Kaisers, wer ihn solche Kunst gelehrt habe, daß dieser Hieb nur ein „Schwabenstreich" gewesen sei.

3. Nachstehender Schulaufsatz über das Thema „Meine Lieblingsbücher" ist nach dem Grundsatz geschrieben: *Schreibe, wie du sprichst.* Es ist jedoch nicht der Zusatz berücksichtigt . . . *aber sorgfältiger.* Verbessern Sie diese Schwäche!

Ich habe nicht sehr viele Bücher gelesen, aber ich glaube, es gibt keine aufregenderen als die von Karl May. Da passiert doch noch etwas! Und eine Masse interessanter Menschen treten auf. Die fremden Sitten, Gegenden und Gebräuche werden ganz famos beschrieben. In einer Tour wird gekämpft, gejagt und umgebracht, und immer siegt zum Schluß Karl May selber. Es ist fast des Guten zu viel, wie er immer überlegen und dabei so edelmütig ist. Aber man bleibt wenigstens im Schwung. Wenn ich einen neuen Karl May habe, lösche ich das Licht nicht so bald aus, und wenn ich es ausgelöscht habe, schlafe ich nicht so bald ein. Mein Vater sagt zwar immer, ich soll nicht so viel von dem Zeug lesen, aber ich glaube, als er so alt war, war er auch ganz wild auf Karl-May-Bücher gewesen.

4. Wie kann man die folgenden Themen von einer menschlichen oder lebendigen Seite her anfassen?

a) *Die wichtigsten Nordpol-Expeditionen.*

b) *Die Ursachen der Wohnungsnot und ihre Überwindung.*

c) *Wie schildere ich einem Ausländer die heutige Lage der deutschen Jugend?*

5. Machen Sie die folgende Darstellung lebendiger durch Einfügung zweier Fragen.

Aber Karl war weit davon entfernt, das zu tun, was ihm ein gesunder Instinkt eingegeben hatte, nämlich von dem Entschluß, sich sofort auf die Bahn zu setzen und zu ihr zu fahren.

16. *Lektion*

7. Schreibt anschaulich!

12 **Der Mensch ein Augentier.** Zu den Augen des Menschen muß sprechen, wer zu seinem Herzen sprechen will. Sehen ist leichter als denken. Gib einem Freunde ein Buch mit Bildern in die Hand: zuerst blättert er die Bilder durch. Lege in einer Sitzung Zeichnungen oder Warenmuster auf den Tisch – und für ein paar Minuten hört niemand dem Redner zu. Jeder will sich zuerst das aneignen, was er sich mit den Augen aneignen kann. Wer anschaulich schreibt, schreibt wirksam. Manche Schriftsteller aber schreiben einen wahren Blindenstil:

Die kleine Schelmin hatte dem jungen Grünrock ihre Hand dargeboten, und während sie das gefüllte Weinglas erhob, zerpflückte sie mit mädchenhafter Erregung das Röschen an ihrer Brust und ihre Finger suchten auf dem Piano die Begleitakkorde zu jenem unvergeßlichen Liede . . .
(Marlitt)

Wie vermeidet man den Blindenstil? Wie schreibt man anschaulich? Nun, über diese Frage haben wir ja schon öfter gesprochen. Erfreulicherweise hängen nämlich die meisten Stilregeln untereinander zusammen. Wer die Stilregel befolgt: *Setzt den treffenden, den speziellen Ausdruck*, der befolgt auch die Stilregel: *Schreibt anschaulich*, denn der besondere Ausdruck ist immer anschaulicher als der allgemeine. Und wer *verbal* schreibt, schreibt wiederum anschaulich, denn der verbale Stil ist anschaulicher als die Hauptwörterei. Und auch wer den Stilgrundsatz *Schreibe, wie du sprichst*, im Auge behält, wird damit seinen Stil anschaulich machen, denn die lebendige Rede ist anschaulicher als der Kanzleistil.
Aber freilich genügen diese Regeln nicht, um den Stil anschaulich zu machen. Wir müssen noch einige besondere Kunstgriffe lernen.

13 **Keine Beschreibung.** Der erste Kunstgriff heißt: Wenn etwas zu sehen ist, müssen wir es auch sehen. Wieder erst ein Beispiel: Ludwig Thoma will die friedliche Verschlafenheit eines bayerischen Dorfes schildern. Das macht er so:

Der Fremde ging auf der staubigen Straße in den Ort, und da er das weit ausladende Schild sah, hielt er beim Gasthof zur Post an.
Das Haus war wie ausgestorben; Knechte, Mägde und der Posthalter selbst waren auf dem Felde.

Als sich niemand sehen ließ, stellte der Fremde etwas unmutig seinen Koffer im Torgang nieder, rief ein paarmal: „He! Was ist denn? He!“, pfiff und schüttelte ärgerlich den Kopf.
Endlich öffnete er eine Tür, die in die Gaststube führte. Die Stube war leer, und es roch etwas säuerlich nach Bier.
Als der Fremde hinter den Verschlag schaute, wo der Bierbanzen stand, flog summend eine Schar Fliegen auf, die in einem kupfernen Nössel Bierreste gefunden hatten.
Der Mann pfiff wieder. Niemand gab Antwort.
Nun schaute er durch ein Schiebefenster in die Küche und sah zwei Weibspersonen neben dem Herd sitzen. Die eine stocherte mit einer Haarnadel in ihren Zähnen herum und schien die Kellnerin zu sein. Die andere saß mit verschränkten Armen behaglich zurückgelehnt; die aufgekrempelten Ärmel und eine weiße Schürze ließen in ihr die Köchin erkennen.

Sie sehen, Thoma beschreibt nicht, sondern erzählt, und bei dieser Erzählung wird das Dorf viel lebendiger als bei den sorgfältigsten Schilderungen.
Warum soll man nicht durch Aufzählung von Einzelheiten beschreiben? Weil bloße Beschreibungen unerträglich langweilig sind; besonders Landschaftsbeschreibungen pflegt jeder Mensch zu überschlagen. Schon Homer hat nicht den Schild Achilles' beschrieben, sondern seine Entstehung; er hat nicht die Schönheit Helenas geschildert, sondern ihre Wirkung auf die trojanischen Greise. Einen Anblick widerzuspiegeln ist Sache der Maler und Photographen. Versuchen Sie nie, mit ihnen in Wettbewerb zu treten. Wenn Sie über eine Landschaft, ein Haus, ein Zimmer etwas sagen wollen, dann lassen Sie einen Menschen einen Rundgang tun oder irgend etwas durchführen, wobei er mit seiner Umgebung in ständige Berührung kommt, und flechten Sie bei dieser Gelegenheit ein paar kennzeichnende Eigenarten in die Erzählung ein. Versuchen Sie nie, mit Worten irgendeine Sache lückenlos zu beschreiben. Ein Katalog von Einzelheiten ist kein Bild, sondern ein sicheres Mittel, den Leser zu langweilen. Die Welt des Wortes ist eine Welt der Bewegung.

Stilratschlag 6

Geben Sie keine vollständigen Beschreibungen von Landschaften, Häusern oder Menschen! Wenige, aber charakteristische Einzelheiten, sparsam in die übrige Darstellung eingeflochten, möglichst so, daß Sie eine Handlung erzählen!

14

Geistige Vorgänge veranschaulichen. Aber nun haben wir es ja nicht nur mit anschaulichen Dingen und Vorgängen zu tun, sondern auch mit geistigen Vorgängen. Wie machen wir sie anschaulich? Sehr viele geistige Gebilde haben auch ihre anschauliche Seite. Die großen Gedanken der Weltgeschichte verkörpern sich in Menschen und Werken; die Empfindungen des Gemütes werden sichtbar in den Handlungen, die sie hervorrufen oder hervorrufen könnten. Sozialpolitische Fragen werden anschaulich in greifbaren Nöten. Die Probleme der Gesellschaftswissenschaft oder der Moral schlagen sich nieder in bestimmten Taten und Möglichkeiten. Vieles Abstrakte kann man anschaulich machen durch Beispiele. Durch drei Beispiele werde ich sogleich auch diese meine Behauptung veranschaulichen. Ich setze drei Stellen hierher, in denen geistige Vorgänge anschaulich geschildert sind: durch Tatsachen, die sie zur Folge hatten. Um die Vorzüge dieser Darstellung deutlich zu machen, setze ich links neben jedes meiner Beispiele eine rein abstrakte Wiedergabe des Inhalts. Lesen Sie zuerst die linke Seite, überlegen Sie, mit welchen Mitteln Sie versucht hätten, die Darstellung anschaulicher zu machen, und lesen Sie dann erst die rechte Seite. Die beiden ersten Beispiele stammen aus einer sehr anschaulichen Geschichte Englands und behandeln die Lage Irlands um 1800 und den Beginn des Krimkrieges 1854.

Infolge der englischen Gesetzgebung war die Wirtschaftslage Irlands sehr ungünstig. Viehzucht überwog den Ackerbau, der sich mit Hafer und Kartoffeln begnügte; die Forstwirtschaft verfiel, große Strecken blieben ungenützt. Das Land war dünn besiedelt, die Häuser kamen herunter, die Wohnkultur blieb weit hinter England zurück.

Der Zustand des Landes entsprach dieser Gesetzgebung. Wer um 1800 von Dublin nach der Küste ritt, den mußte die ganze Melancholie irischen Lebens ergreifen: Endlose braune Moore, mit Heidekraut und Ginster bestanden, hier und da ein Kartoffel- und Haferfeld, nirgends Wald und immer wieder steiniges Ödland, „wo es nicht genug gibt, um einen Menschen zu verbrennen, nicht Wasser genug, um ihn zu ertränken, nicht Erde genug, ihn zu begraben". In großen Abständen kauern einsame Häuser am Boden, fensterlos aus losen Steinen gebaut, oft auch nur strohgedeckte Lehmhütten. Kuh und Schwein teilen den Raum der Familie; „die Kuh heizt gut", sagt der Ire. Ein Bretterverschlag, mit Lumpen bedeckt, dient als Bett und stellt zusammen mit dem Dunghaufen die ganze Wohnungseinrichtung dar. Aber auch dort, wo fette Gräser die Flur bedecken, schneiden nicht Sense noch Sichel die flatternden Halme: die Iren sind ein Hirtenvolk geblieben. Den Acker haßt und fürchtet der Bewohner der Grünen Insel. Die drückende Wirtschaftsverfassung und der unbekümmerte Geist des Volkes, der in der Arbeit nicht den Sinn des Lebens zu erblicken vermag, haben zusammengewirkt, um Irland zu einem Land ewiger Weide zu machen; das ganze Jahr verbleibt das Vieh auf den Feldern.

Rußland entschloß sich, die Türkei zu provozieren, und befahl seinem Gesandten Menschikoff, durch unhöfliches Auftreten und eine grobe Sprache einen Konflikt vorzubereiten.

Menschikoff trat in der Türkei mit einer Dreistigkeit auf, die allen türkischen Untertanen zeigen sollte, daß Rußland den Kranken Mann als Sterbenden ansehe. Mit staubigen Stiefeln, im Reisekleid erschien er im festlich geschmückten Palaste des Sultans zur Audienz. Die türkischen Minister behandelte er wie Hunde; von dem Beherrscher aller Gläubigen erzählte er überall, daß er eine versoffene Null sei.

Das dritte Beispiel stammt wieder von Thoma; es zeigt, daß man auch Gefühlsinhalte anschaulich wiedergeben kann. Er schildert die Empfindung einer Bäuerin, deren Sohn zur See geht.

Mutter Oßwald war sehr traurig, als Michel wegging. Ihre Empfindungen begleiteten ihren Sohn über das Meer, und in ihrer Todesstunde dachte sie nur an ihn. Sie war überzeugt, daß ihm die Erinnerung an seine Heimat der wertvollste Besitz bleiben werde.

Der Mutter schlug das Herz bis zur Kehle hinauf, als sie ihren Ältesten breitbeinig über den Hof gehen sah. Auf der Brücke blieb er stehen und schaute zurück und versuchte gutmütig zu lachen, als er die Mutter am Fenster stehen sah.
Es gelang ihm nicht recht, und er machte schnell kehrt, um nicht zu zeigen, wie hart ihm der letzte Gruß zusetzte.

Bhüt Gott, Michel!

Es ist kein weiter Weg über die Hügel, von denen herunter man noch einen Blick auf die Ertlmühle werfen kann, aber dann dehnen sich die Straßen und führen von kleinen Städten in große. Fremde Menschen schauen gleichgültig an einem vorbei, und fremde Glocken läuten den Morgen- und Abendgruß.

Bhüt Gott, Michel!

Es liegen Länder und Meere zwischen Altaich und Finschhafen oder Matupi, aber starke, unzerreißbare Fäden laufen mit und halten das Herz an die Heimat gebunden, wenn auch ein Seemann in polynesischen Stürmen nicht viel Zeit hat, von Deutschland zu träumen. Und wenn sich die Mutter Oßwald zum Sterben legt, läßt sie sich die Himmelsrichtung zeigen, in der ihr Michel auf fernen Meeren segelt, und ihre müde Hand macht das heilige Zeichen des Kreuzes gegen Osten hin.

Ihre welken Lippen murmeln den letzten Segen für den starken Mann, der einstmals als Kind sich an ihren Rock geklammert hatte.
Bhüt Gott, Michel!

So weit du gehst, die Fäden laufen mit, die leise an deinem Herzen ziehen, und immer wieder kommt ein Tag, an dem du den Schleifbach um die Räder der Ertlmühle rauschen hörst, die Wassertropfen in der Sonne glitzern siehst und weißt, daß uns alle Dinge fremd bleiben und daß uns nichts so gehört wie die Heimat und die Erinnerung an die Kinderzeit.

Mit welchen Kunstmitteln ist die Anschaulichkeit erreicht? Braune Moore, eine Kuh im Zimmer, staubige Stiefel, eine versoffene Null, fremde Glocken, das Rauschen der Ertlmühle:

das alles sind Dinge, die man hören, sehen oder riechen kann. Solche Worte haften, abstrakte Begriffe verwehen. Freilich merken Sie hier auch: um anschaulich zu schreiben, muß man etwas wissen. Abstrakt zu schwafeln ist leichter.
Was lernen wir daraus? Wenn Sie abstrakte Dinge darstellen müssen, dann überlegen Sie, ob sich diese Dinge nicht in konkreten Handlungen oder Zuständen ausdrücken lassen, oder ob nicht Menschen hier am Werk sind, die man darstellen kann.

Unanschaulich	*Anschaulich*
Die Bedienung der Maschine kann auch ungeübten Personen überlassen werden.	*Sie können Ihren Lehrling an die Maschine stellen.*
Wir erhielten mit der Anzeige in Ihrem Blatt keinen Umsatz.	*Die Anzeige hat nicht einen Kunden in den Laden gelockt.*

Versuchen Sie, geistige Vorgänge anschaulich wiederzugeben, indem Sie die Tatsachen und Handlungen berichten, in denen sie sich niederschlagen!

Stil-ratschlag 7

Fragen

Der Schüler fragt

Schüler: Ich muß Ihnen gestehen: über diesen Abschnitt bis ich etwas erschrocken. Bis dahin erschien mir alles leicht. Die kleinen Stilgebrechen der ersten Kapitel zu vermeiden, das ist nicht schwer. Auch den speziellen Ausdruck herauszufinden, traue ich mir zu. Ja, selbst die Klippen der Hauptwörterei zu umschiffen: das werde ich zustande bringen. Aber Beschreibungen in Handlungen aufzulösen oder gar die anschaulichen Seiten geistiger Vorgänge herauszufinden: das werde ich wohl nicht schaffen.

Lehrer: Seien Sie beruhigt: das ist auch nicht unbedingt nötig. Wenn Sie lebendig, treffend, verbal schreiben: dann ist Ihr Stil schon reich an Anschauung. Dieser Abschnitt war sozusagen ein wenig höhere Mathematik. Wenn Sie diese Kunst auch nicht beherrschen lernen, darum können Sie doch einen vortrefflichen Stil schreiben.

Schüler: Es beruhigt mich, das zu hören. Aber ich habe noch eine Frage: Kann ich nicht auf einem anderen Weg meinen Stil anschaulich machen, nämlich durch Vergleiche?

Lehrer: Vergleiche – oder, wie man mit einem griechischen Ausdruck auch zu sagen pflegt, Metaphern – sind freilich ein starkes Stilmittel.

Schüler: Was ist der Unterschied zwischen Vergleichen und Metaphern?

Lehrer: Metapher heißt eigentlich Übertragung. Die Bezeichnung der Sache A wird auf eine andere, ähnliche Sache B übertragen. A und B müssen etwas Gemeinsames haben, also vergleichbar sein. Meist ist A ein anschauliches, B ein geistiges Gebilde. Der Satz: *Fritz, dieser Esel,* ist eine Metapher; die Bezeichnung *Esel* wird von dem grauhaarigen Vierfüßler auf den Menschen Fritz übertragen, dessen Geisteszustand dem eines Esels gleicht. Jede Metapher enthält also einen verkürzten Vergleich. Die Umgangssprache nennt Vergleiche und Metaphern kurzerhand Bilder.

Schüler: Und wie macht man Bilder?

Lehrer: Da sind wir am entscheidenden Punkt. Bilder kann man nicht planmäßig erfinden. Sie müssen dem Menschen von selbst einfallen, sonst werden sie gekünstelt oder es kommt zu jenem Stillaster, das man Bildbruch nennt, d. h. es werden mehrere Bildvorstellungen miteinander vermengt, so in dem Zeitungssatze: *Die preisgekrönte Schönheit hat der Lieder süßen Mund an den Nagel gehängt.*

Der Lehrer fragt

Warum sollen wir anschaulich schreiben?	Weil eine anschauliche Darstellung eindringlicher ist. Der Mensch liebt es, etwas zu sehen, wenn er liest.

Mit welchen Stilmitteln, die wir schon früher empfohlen haben, machen wir den Stil anschaulicher?

Indem wir den besonderen Ausdruck wählen, nicht den allgemeinen.
Indem wir Handlungen in Verben wiedergeben, nicht in Hauptwörtern.
Indem wir im Stil der Redesprache schreiben und nicht im Kanzleistil.

Wie sollen wir Beschreibungen von Landschaften, Häusern oder Menschen geben?

Eine Aufzählung von Einzelheiten langweilt den Leser. Man muß sich auf die charakteristischsten Punkte beschränken und diese möglichst in die Erzählung einer Handlung einflechten.

Wie können wir geistige Vorgänge anschaulich wiedergeben?

Wir berichten Tatsachen oder Handlungen, in denen sie sich niederschlagen.

Was ist eine Metapher?

Ein verkürzter Vergleich: Eine Beziehung wird auf einen andern Begriff übertragen (Fritz, dieser Esel).

Soll man Vergleiche und Metaphern in die Darstellung einflechten?

Vergleiche und Metaphern beleben die Darstellung außerordentlich. Aber man kann sie sich nicht ausdenken. Wem sie nicht von selbst einfallen, der soll sie beiseite lassen.

Aufgaben

1. Führen Sie folgende Sätze in anschaulicher Form zu Ende. Es soll zum Ausdruck kommen, daß z. B. die Hitze besonders groß war usw. Vermeiden Sie aber möglichst hier und bei Aufgabe 2 abgegriffene Ausdrücke:

a) *Es war so heiß, daß*
b) *Eine Stille entstand, daß*
c) *Seine Wut war so groß, daß* . . .
d) *Sie war so traurig, daß* . . .
e) *Er war so erstaunt, daß* . . .
f) *Sie war so schön, daß* . . .

2. a) *Er schwitzt wie* . . .
b) *Er ist verschlagen wie* . . .
c) *Es war bei ihm so gemütlich wie* . . . .

3. Drücken Sie die folgenden Sätze aus Geschäftsbriefen anschaulich aus:

a) *Durch den Vertrieb unserer bewährten Markenartikel werden Sie Ihren Umsatz beträchtlich steigern.*
b) *Unser Brennstoffzusatz erhöht die Leistung jedes Automobils.*
c) *Wir verwenden die besten Braunschweiger Spargel für unsere Konserven.*

4. Ersetzen Sie die Punkte durch passende Vergleiche:
a) *Und jetzt kamen wir auf den richtigen Weg. Er lief gerade durch den Wald wie . . .*
b) *Das Fleisch konnten wir nicht essen, es war zäh wie . . .*
c) *Ihre Bewegung ist so anmutig wie . . .*
d) *Mit diesem Werk hat er sich selbst ein Denkmal gesetzt, dauerhaft wie . . .*

5. Wählen Sie einen der nachstehenden Vergleiche:
a) *Der Morgen lacht uns an wie (eine Feuersbrunst, ein Diamantschmuck, eine junge Geliebte).*
b) *Das Mädchen lachte, daß (ihm die Tränen über die Wangen rollten, der Bauch wackelte, die Knie zitterten).*
c) *Auf seinem Gesicht stand die Verzweiflung. Er blickte auf seinen Freund wie ein (wütender Puter, angeschossener Löwe, Ertrinkender).*

8. Schreibt knapp!

17. Lektion

Fluch der Breite. Lesen Sie – falls Sie Kaufmann sind – gern vierseitige Geschäftsbriefe, deren Inhalt man auf einer Seite wiedergeben könnte? Studieren Sie – falls Sie in einem wissenschaftlichen Beruf arbeiten – gern dicke Wälzer, deren Gegenstand eigentlich nur fünfzig Seiten erfordern würde? Lieben Sie es, sich durch Leitartikel von drei Spalten hindurchzulangweilen? Ich glaube, Sie werden – genau wie ich – alle diese Fragen mit „Nein" beantworten. Und genau so wie wir beide denken alle Menschen. Wer eindringlich schreiben will, muß kurz schreiben. 15

Freilich gibt das Wort Kürze nicht genau an, worauf es ankommt. Es gibt natürlich Gegenstände, die ausführlicher Darlegungen bedürfen. Es kann sich daher nur darum handeln, den Sprachaufwand im Verhältnis zum Inhalt klein zu halten. Dies Verhältnis zwischen Gehalt und Umfang ist entscheidend. Eine Darstellung, die keine unnötigen Worte macht, nennen wir knapp, eine, die unnötig umfangreich ist, nennen wir breit. Unsere Stilregel muß also heißen: *Schreibt knapp!*

Überall in der Welt gilt das Gesetz vor der abnehmenden Reizwirkung: das dritte Glas Wasser schmeckt dem Durstigen nicht mehr so gut wie das erste.

Aber knapp schreiben ist schwer. Niemand kann gleich beim erstenmal knapp schreiben. Die knappe Darstellung ist ein Kind des Rotstifts. Der erste Entwurf wird leicht zu lang. Bei der Durchsicht muß man ihn kürzer machen. Aber wie kürzt man seinen Text?

Knappheitsregeln. Die Antwort ist einfach: alles Entbehrliche weglassen und das Notwendige nur einmal sagen. „Alles Entbehrliche weglassen", von dieser Knappheit des Ausdrucks haben wir ja schon oft gesprochen. Denn auch hier hängen die einzelnen Stilforderungen eng zusammen: weitschweifige Darstellungen entstehen oft dadurch, daß der Schreiber die schon bekannten Stilregeln verletzt hat. Wer unnötige Vorreiter einschaltet, wer entbehrliche Partizipien verwendet – *die getroffenen Maßnahmen* –, wer die schwülstigen Wendungen des Papierstils benützt – *die Lagerung des Falls ist eine hochgradig verwickelte* –, wer nicht *mit* schreibt, sondern *vermittelst*, nicht *ohne*, sondern *unter Beiseitelassung*, wer Streckverben statt na- 16 türlicher Verben *in Anwendung bringt:* der schreibt auch unnötig breit und langweilt damit seine Leser. Also müssen wir uns auch hier wieder alte Stilregeln ins Gedächtnis rufen.

17 **Flickwörter.** Aber wir müssen auch noch einiges Neue lernen: wir müssen die Flickwörter streichen. Flickwörter nennen wir jene kurzen, als Leim verwandten Wörter und Wendungen, die man wegstreichen kann, ohne den Sinn zu ändern. Nehmen wir wieder Beispiele. Die verstärkenden Umstandswörter *sehr*, *gänzlich*, *durchaus*, *vollständig* sind oft unnötig, *voll und ganz* zudem ein übles Modewort; sie sind allesamt so abgegriffen, daß sie gar nicht verstärkend wirken. *Das ist eine sehr richtige Feststellung* ist nicht wirksamer als *das ist eine richtige Feststellung* oder noch besser: *das ist richtig*. Reif für den Rotstift sind meist auch die Wörter *selbstverständlich* und *natürlich;* wenn etwas wirklich *selbstverständlich* ist, braucht man dies (selbstverständlich) nicht erst zu erwähnen; obendrein sind diese Wörter abgegriffen und schäbig. *Irgendwie* ist eine lächerliche Phrase: der Schreiber war zu faul, sich zu überlegen, *wie*. Das Wörtchen *ja* versucht eine unangebrachte Familiarität in den Umgang mit dem Leser hineinzubringen; es wird gern eingefügt, wenn man etwas als selbstverständlich und beiläufig darstellen möchte, was in Wahrheit recht windig ist *(ich habe ja schon bewiesen . . .)*. Auch *doch*, wenn es nicht die Bedeutung von *jedoch* hat, sondern den Sinn von *wie sich ja eigentlich von selbst versteht*, ist oft banal und schädlich; an dieser Tatsache besteht *doch* gar kein Zweifel. *Eigentlich* ist meist unnötig und verdächtig: es leitet gern Behauptungen ein, die dem Schreiber selbst ungenau und zweifelhaft vorkommen. Das Wort *übrigens* wird meist angewandt, wenn der Autor etwas anbringen will, was mit der Sache wenig zu tun hat, oder wenn er zu bequem ist, den richtigen Übergang zu dem neuen Satz genau zu überlegen. Meist ist der ganze Satz entbehrlich. *Fast* ist ein Angstwort; es wird gern verwandt, um eine falsche Behauptung (fast) zurückzunehmen oder wenigstens abzuschwächen. *Wohl* soll gleichfalls fragwürdige Urteile mildern und entschuldigen. *Nun* ist oft bloßes Leimwort und verdeckt oft eine Gedankenlücke.

Wenn man hinter einem Bedingungssatz ein *so* eingefügt hat, (so) soll man prüfen, ob dieses *so* wirklich unentbehrlich; manchmal gewinnt der Satz, wenn man es wegläßt. Auch Fürwortverbindungen wie *dabei*, *hierfür*, zeitliche Verbindungen wie *schon*, *dann* und logische wie *nämlich* und *auch* sind oft unnötig, sofern Gedankengang und Satzbau hinreichend klar.

Knappheit des Ausdrucks. Oft genügt es nicht, offenkundige Schlingpflanzen abzuschneiden: man muß scharf denken, um die knappe Formulierung zu finden. *Der Tarif muß mindestens zwei Wochen vor dem Zeitpunkt veröffentlicht sein, mit dem er in Kraft treten soll. Bis zu diesem Zeitpunkt sind die Prämien nach dem früheren Tarif zu erheben.* Vernünftig überlegt heißt dieser Satz: *Der Tarif kann frühestens zwei Wochen nach Veröffentlichung in Kraft treten.* 18

Lassen Sie weg, was ein vernünftiger Leser sich von selbst denkt. Wenn in einem Bahnabteil steht: *Das Hinauslehnen des Körpers aus dem Fenster ist wegen der damit verbundenen Lebensgefahr strengstens verboten*, so sind neun Zehntel der Wörter überflüssig: *Hinauslehnen verboten, da lebensgefährlich* würde genügen.

Keine Wiederholungen! Grundregel der sachlichen Knappheit ist: jeden Gedanken soll man nur einmal aussprechen. Der Vers *Du mußt es dreimal sagen* stammt – auch im Faust – vom Teufel. Wieder ein Beispiel: 19

Wenn ein Haus brennt, so muß man vor allen Dingen die rechte Wand des zur Linken stehenden Hauses, und hingegen die linke Wand des zur Rechten stehenden Hauses zu decken suchen, denn wenn man zum Exempel die linke Wand des zur Linken stehenden Hauses decken wollte, so liegt ja die rechte Wand des Hauses der linken Wand zur Rechten, und folglich, da das Feuer auf dieser Wand und der rechten Wand zur Rechten liegt (denn wir haben ja angenommen, daß das Haus dem Feuer zur Linken liegt), so liegt die rechte Wand dem Feuer näher als die linke, und die rechte Wand des Hauses könnte abbrennen, wenn sie nicht gedeckt würde, ehe das Feuer an die linke, die gedeckt wird, käme; folglich könnte etwas abbrennen, das man nicht deckt, und zwar eher, als etwas anderes abbrennen würde, auch wenn man es nicht deckte; folglich muß man dieses lassen und jenes decken. Um sich die Sache zu imprimieren, darf man nur merken: Wenn das Haus dem Feuer zur Rechten liegt, so ist es die linke Wand, und liegt das Feuer zur Linken, so ist es die rechte Wand.

Natürlich hat der Verfasser dieser Sätze – der berühmte Satiriker Lichtenberg – mit Absicht hier alles so umständlich wie möglich gesagt.

Nun gilt der Ratschlag: *Kürzen, soweit es nur geht*, natürlich in erster Linie für Arbeiten, die zum Druck bestimmt sind. Aber auch Schulaufsätze gewinnen, wenn alles Entbehrliche vor der Reinschrift weggestrichen wird.

Stilratschlag 8

Schreiben Sie knapp! Meiden Sie auch um der Knappheit willen den Schwulst des Papierstils, die Vorreiter und die Streckverben. Streichen Sie alle Flickwörter! Prüfen Sie immer wieder: Wie läßt sich der Gedanke kurz fassen? Und überlegen Sie vor allem: Welche Gedanken sind ganz entbehrlich, weil sie der Leser von selbst ergänzt?

9. Bringt Einzelheiten!

20 **Die konkrete Einzelheit.** In der Stilregel 1 haben Sie gelernt: Man muß den besonderen Ausdruck wählen, nicht den allgemeinen. Man soll nicht sagen *gehen*, wenn jemand *gewankt* kommt, nicht *Vogel*, wenn es sich um einen *Buchfinken* handelt, und nicht *Gefäß*, wenn das Wasser aus einem *Bottich* läuft. Was Sie in diesem Abschnitt lernen sollen, ist eine Steigerung, eine weitergehende Anwendung jener Regel.

Zunächst ein Beispiel aus einem Brief: *Vor kurzem ging ich früh mit einem Freunde durch eine sehr dunkle Nebenstraße an den Ortsausgang unseres Sommeraufenthaltsortes und wanderte dann über Land auf einen nahegelegenen hohen Berg.* Ersetzen wir jetzt einmal alle allgemeinen Wendungen dieses Satzes durch genaue Einzelangaben: *Sonntag früh, es war noch nicht vier Uhr, ging ich mit meinem Freund Hugo durch die stockdunkle Lenbachstraße an den Ausgang von Breitenau, unserm Sommeraufenthalt, und dann wanderten wir durch einen düstern Fichtenwald auf die Klefferspitze.* Aufregend ist diese Mitteilung auch nicht, aber bestimmt ist sie lebendiger als vorher.

Man unterscheidet in der Logik die Gattung (z. B. *Raubtier*), die Art (z. B. *Löwe*) und das Einzelwesen (z. B. *der Löwe Achmed im Münchner Tierpark*). Lateinisch heißen diese drei Begriffe *genus* (davon *generell*), *species* (davon *speziell*) und *individuum* (davon *individuell*). Auch bei den Ausdrücken kann man diese drei Gruppen unterscheiden. *Mit einem Menschen* wäre ein genereller Ausdruck, *mit einem Freunde* wäre speziell, mit *Hugo* ist individuell ausgedrückt. Oft ist der individuelle Ausdruck lebendiger als der spezielle oder gar der allgemeine. Wir hören lieber von einer bestimmten Stadt, einem bestimmten Berge, einem bestimmten Menschen. Natürlich müssen Sie nun nicht etwa immer statt *gegen Morgen* sagen *um fünf Uhr fünfzehn.* Sie müssen selbst je nach den Umständen beurteilen, wie sehr Sie in die individuellen Einzelheiten gehen dürfen.

Der Segen des Beispiels. Noch ein Beispiel: Gottfried Keller will einen Scheidungsprozeß schildern. Er beginnt so: 21

Der Amtsdiener oder Weibel führte nunmehr ein ländliches Ehepaar herein, welches in großem Unfrieden lebte, ohne daß der Landvogt bis jetzt hatte ermitteln können, auf welcher Seite die Schuld lag, weil sie sich gegenseitig mit Klagen und Anschuldigungen überhäuften und keines verlegen war, auf die grobe Münze des andern Kleingeld genug herauszugeben. Neulich hatte die Frau dem Manne ein Becken voll heißer Mehlsuppe an den Kopf geworfen, so daß er jetzt mit verbrühtem Schädel dastand und bereits ganze Büschel seines Haares herunterfielen, was er mit höchster Unruhe alle Augenblicke prüfte, und es doch gleich wieder bereute, wenn ihm jedesmal ein neuer Wisch in der Hand blieb. Die Frau aber leugnete die Tat rundweg und behauptete, der Mann habe in seiner tollen Wut die Suppenschüssel für seine Pelzmütze angesehen und sich auf den Kopf stülpen wollen.

Was bleibt von diesen Sätzen im Gedächtnis? Eine Einzelheit: die Haarbüschel.

Also: wenn Sie etwas erzählen oder etwas erklären wollen: bleiben Sie nicht in Allgemeinheiten stecken, berichten Sie Einzelheiten, geben Sie Beispiele.

Das Beispiel ist ein vorzügliches Stilmittel; dafür sind diese Lektionen selbst ein Beispiel. Selbst eine gewisse Breite nimmt der Leser in Kauf, wenn er ein wirkliches Bild bekommt, wie in der folgenden Darstellung eines Tyrannenmordes aus der Griechischen Geschichte von Ernst Curtius:

Archias war so entschlossen, sich die heutige Festlust durch nichts mehr verleiden zu lassen, daß er einen Brief, der die ganze Verschwörung enthielt, uneröffnet unter das Polster schob. „Die Geschäfte auf morgen!" rief er im trunkenen Mute, ließ das Bankett mit neuer Lust fortsetzen und rief in lüsterner Ungeduld nach den verheißenen Buhlerinnen.

Endlich heißt es, sie seien da. Man hört die Schritte, die Diener werden entfernt, die Türen des Speisesaals gehen auf, die Gewän-

der verhüllter Frauen werden sichtbar und mit Klatschen bewillkommt, die Köpfe von dichten Kränzen beschattet. Es waren die verkleideten Verschworenen. Auf der Schwelle halten sie einen Augenblick, um ihre Opfer ins Auge zu fassen. Dann werfen sie die Hüllen ab und greifen zu ihren Dolchen; Melon tötet den trunkenen Archias, Charon den Philippos; auch die meisten der übrigen Gäste mußten fallen, weil sie in erhitzter Weinlaune durch kein Zureden zu gewinnen oder zu beruhigen waren.

Stilratschlag 9

Das Konkrete, das Individuelle, das Beispiel, die Einzelheit gibt den Sätzen Anschauung und Gewicht.

Fragen

Der Schüler fragt

Schüler: Ich finde, einige Ihrer Ratschläge widersprechen sich. Sie sagen: *Schreibt knapp.* Aber gleichzeitig sagen Sie auch: *Schreibt anschaulich* und *Schreibt keine Allgemeinwendungen, bringt Beispiele.* Das widerspricht sich doch! Einzelheiten und Beispiele machen die Darstellung breit; sie beanspruchen Platz.
Lehrer: Sie haben vollkommen recht. Es ist in der Stillehre – und übrigens auch auf anderen Gebieten – so, daß wir gleichsam zwei Göttern dienen sollen. Dann muß man die beiden Forderungen gegeneinander abwägen. Es ist klar: auf Kosten der Lebendigkeit darf die Knappheit nicht gehen. Beispiele, die wir brauchen, um unsern Texten Leben einzuhauchen, solche Beispiele dürfen wir nicht streichen.
Schüler: Führt der Wunsch nach Knappheit nicht manchmal auch zu Unklarheiten? Kürzlich las ich in der Zeitung den Satz: *Durch Verkehrsregelung wird mancher Unglücksfall und manches Menschenleben verhütet.* Offenbar hat der Verfasser sagen wollen, mancher Unglücksfall verhütet und manches Menschenleben gerettet.
Lehrer: Auch die Klarheit darf man nicht der Knappheit opfern.
Schüler: Sie haben dann weiter geraten, individuelle Einzelheiten in die Darstellung einzuflechten. Aber wenn man auf diese Weise recht zugespitzt schreiben will, kann man doch leicht gesucht schreiben.
Lehrer: Natürlich! Auch diesen Stilratschlag darf man eben nicht übertreiben. Es ist so: in fast allen Stilfragen muß man den richtigen Mittelweg zwischen zwei Stillastern einhalten. Ich will Ihnen das einmal in Form einer Tabelle aufschreiben:

Abgegriffener Stil	Gesuchter Stil
Bandwurmsätze	Asthma-Deutsch
breite Langeweile	ungenau durch übersteigerte Knappheit
Papierstil	saloppe Gassensprache
Schreistil	flauer Stil

Es ist Sache der Übung, zwischen diesen Klippen den richtigen Kurs zu steuern.

Der Lehrer fragt

Warum sollen wir knapp schreiben?	Weil die Menschen breite Darstellungen ungern oder überhaupt nicht lesen.
Was soll man weglassen, um die sachliche Knappheit zu erreichen?	Alles, was der Leser selbst weiß oder von selbst ergänzt.
Was bedeuten die Begriffe:	
genus,	Gattung,
species,	Art,
individuum?	Einzelwesen.

Welche Bedeutung hat diese Unterscheidung in der Stilkunst?	Der besondere Ausdruck ist besser als der allgemeine, und oft ist es sogar nötig, den individuellen Ausdruck zu wählen, d. h. die Darstellung durch Einzelheiten und Beispiele zu beleben.
Welches sind die Grenzen der Knappheit?	Die Knappheit darf nicht auf Kosten der Lebendigkeit (Beispiele) oder der Klarheit gehen.

Aufgaben

Formulieren Sie die nachstehenden Texte kürzer:

1. Die Verwendung von Zeitungspapier ist zulässig.
Die Bestimmungen der §§ 5 bis 8.
Über den Eingang der Vordrucke ist dem Einlieferer auf Antrag eine Bescheinigung zu erteilen.
Die Ermittlung des Abstimmungsergebnisses erfolgt in dem Abstimmungsraum, in dem die letzten Stimmen abgegeben worden sind, nachdem die sämtlichen für eine Anstalt oder die mehrerer zu einem Stimmbezirke vereinigten Anstalten vorgesehenen Abstimmungen stattgefunden haben.

2. Der Landrat kann bestimmen, daß und wie im Inland wohnende Auftraggeber von Hausgewerbetreibenden, die im Ausland wohnen, zu Beiträgen für die Krankenversicherung der Hausgewerbetreibenden in dem gleichen Maße hinzuzuziehen sind, in dem sie dazu bei entsprechender Beschäftigung inländischer Hausgewerbetreibender beizutragen hätten, und wie die so bezahlten Beiträge für die Krankenversicherung der Hausgewerbetreibenden zu verwenden sind.

3. Was lieben eigentlich Frauen, wenn sie lieben? Den Mann, der der angebliche Gegenstand ihrer Zuneigung ist? Ich glaube nicht! Man braucht nur zu beobachten, wie wenig oft die Liebenden mit diesem Gegenstand gemeinsam haben, wie zufällig oft der Anlaß der Empfindung ist, wie oft nur Gelegenheit Liebe macht, ja wie sogar der Gegenstand häufig genug ausgetauscht wird, ohne daß die Stärke des Gefühls nachläßt, wie also der angeblich geliebte Mann oft nur dieselbe Rolle spielt wie die Reibfläche für das Streichholz, ja oft nur wie der nußgroße Schneeball für die Lawine, die er ins Rollen bringt, kurzum: wie unabhängig die Liebe von ihrem Objekt ist. Unfehlbar gelangt man so zu der Überzeugung, daß die Frauen sich nur verlieben, weil jener Zustand an sich wünschenswert ist, jener Zustand der Erwartung, der Spannung, der Hoffnung, der Erschütterung und des Verlorenseins, den sie Liebe nennen. Je mehr eine Frau in dem Reiche der Aphrodite ihre Erfahrungen gesammelt hat, desto mehr wird sie – wenn sie auch diesen oder jenen bestimmten Mann zu lieben glaubt – in Wahrheit jene Göttin selbst lieben.

Zusammenfassung der Lektionen 15 bis 17

1. Wenn Sie über irgend etwas schreiben wollen, müssen Sie erst darüber Bescheid wissen. Lesen Sie die einschlägige „Literatur" und machen Sie sich eine Stoffsammlung in Stichworten. Ordnen Sie diese Stichworte in Form einer Disposition.
2. Die Gliederung soll im Text durchscheinen (Wegtafeln). Häufige Absätze erleichtern das Lesen.
3. Die Darstellung wird belebt durch Fragen, Ausrufe, Anführung wörtlicher Rede. Aber jede schriftliche Darlegung muß sorgfältiger sein als die mündliche Sprache des Alltags.
4. Wer lebhaft schreiben will, darf nicht nur von Sachen sprechen, sondern muß Menschen auftreten lassen.
5. Beschreibungen soll man in Handlungen auflösen; geistige Vorgänge gelegentlich durch anschauliche Ereignisse wiedergeben, in denen sie sich abspiegeln.
6. Die erste Niederschrift muß man gewöhnlich um die Hälfte kürzen.
7. Lebendig wird eine Darstellung nur durch Einzelheiten, Beispiele, bestimmte Vorfälle. Das Individuelle fesselt stärker als das Allgemeine.

Wiederholungsaufgaben für Lektion 15 bis 17

1. Ersetzen Sie die folgenden Steigerungsarten durch zusammengesetzte Eigenschaftswörter (z. B. *mordsdumm*) oder durch entsprechende Hauptwörter (z. B. *Schwindler*).
Er ist überaus gescheit. – Sie hat eine sehr schöne, schlanke Gestalt. – Die Nacht war sehr finster. – Er ist ein ganz schlechter Arzt. – Er ist ein Mensch, der andere betrügt. – Er ist überaus unordentlich. – Das Kleid ist auffallend rot. –
2. Sagen Sie in einfachem Deutsch:
a) *Die Situation, in der sich der Kranke befand, kann nicht anders denn als eine hochgradig erregte bezeichnet werden.*
b) *Ich habe keine Tochter und habe ich nie eine solche besessen.*
c) *Nichts liegt mir ferner, als die Freunde des Vereins zur Fremdwortbeseitigung nicht zu bekämpfen.*
d) *Gott schuf die ganze Welt im Verlauf von sieben Tagen.*
e) *Wohnungsmäßig sind sie jetzt ganz gut daran.*
3. In den folgenden Aufgaben sind zehn Ausdrücke für *sehen* verwandt, aber immer an falscher Stelle. Vertauschen Sie sie so, daß in jedem Satz die passendste Bezeichnung für *sehen* steht:
a) *Er glotzte sie mit einem Blick unendlicher Liebe an.*
b) *Er schlich sich ans Fenster und starrte vorsichtig hinaus.*

c) *Das Reh stierte ängstlich über die Lichtung*
d) *Als er genau hinspähte, erblickte er, daß ihre Mundwinkel zuckten.*
e) *Ich möchte nur wissen, warum er mich so hartnäckig anäugt?*
f) *Er guckte vor sich hin mit dem Blick eines stumm Verzweifelnden.*
g) *Er schaute verwundert, als plötzlich das riesige Tier vor ihm stand.*
h) *Was gibt es denn hier zu bemerken, daß ihr alle stehenbleibt?*
i) *Das kleine Tierchen gaffte vergnügt in die Welt hinein.*

4. Was ist falsch an dem Satz? *Er setzte sich behaglich auf eine Bank, um nach einer halben Stunde zu bemerken, daß sie frisch gestrichen war.*

5. Welche Mängel und welche Vorzüge hat nachstehender Schulaufsatz eines Neunjährigen?
Die Jungen der Katze sind neun Tage unsichtbar. Die Katze ist mit einem verschiedenen Fell überzogen. Sie wird elektrisch, wenn man ihr entgegenfährt. Hinter ihr befindet sich ein Schwanz. Dieser wird immer dünner und hört am Ende ganz auf. Mittels ihrer Krallen ist sie sehr anhänglich und klettert auf Bäume, wo sie für ihre Jungen Eier fängt.

6. Erfinde ein Gespräch zwischen einem Autofahrer und einem Radfahrer, die zusammengestoßen sind, und gib es erst in direkter, dann in indirekter Rede wieder.

7. Schildere die Überlegungen eines Mädchens, das einen Heiratsantrag erhalten hat, in der sogenannten ,,erlebten Rede". (Sie überlegte: Sollte sie seinen Wünschen nachgeben? Manches sprach dafür, manches dagegen. Sie war bei ihm gut aufgehoben.) Erfinde weitere Sätze.

8. Wie beurteilen Sie die beiden folgenden Stellen aus Schulaufsätzen?
Wenn das kräftige Geräusch des Weckers an mein Ohr dringt, verspüre ich immer noch eine beträchtliche Müdigkeit. Langsam nur hebe ich meine Gliedmaßen aus dem Bett und richte meinen Körper auf. Sodann begebe ich mich in das neben dem Schlafzimmer liegende Badezimmer, drehe den Wasserhahn auf und halte meinen Schwamm unter das erquickende Naß, um hierauf mit ihm mein Antlitz abzureiben.
Der Wecker ist mein schlimmster Feind. Wenn ich ihn höre, stecke ich noch einmal den Kopf unter die Decke, dann gebe ich mir einen Ruck und springe aus dem Bett. Schlaftrunken schleiche ich ins Bad hinüber und fang' mit Hautschauern an, mich zu waschen.

9. Wir kommen jetzt zu einer neuen Art von Aufgaben. Ich drucke Ihnen hier eine kleine Fabel Lessings ab. Lesen Sie sie langsam durch, klappen Sie dann das Buch zu und erzählen Sie den Inhalt schriftlich möglichst getreu wieder. Falls Sie ein sehr gutes Gedächtnis haben, müssen Sie einige Zeit verstreichen lassen oder mehrere Geschichten hintereinander lesen, ehe Sie mit der Niederschrift anfangen.
Wenn Sie fertig sind, lesen Sie sich ihren Text genau durch, verbessern Sie ihn sorgfältig und vergleichen Sie ihn dann mit dem wirklichen Text Lessings. Beachten Sie die Bemerkungen über die Lösung.

Mein Vater glorreichen Andenkens, sagte ein junger Wolf zu einem Fuchse, das war ein richtiger Held! Wie fürchterlich hat er sich nicht in der ganzen Gegend gemacht! Er hat über mehr als zweihundert Feinde nach und nach triumphiert und ihre schwarzen Seelen in das Reich des Verderbens gesandt. Was Wunder also, daß er endlich doch einem unterliegen mußte!
So würde sich ein Leichenredner ausdrücken, sagte der Fuchs; der trockene Geschichtsschreiber aber würde hinzusetzen: die zweihundert Feinde, über die er nach und nach triumphieret, waren Schafe und Esel; und der eine Feind, dem er unterlag, war der erste Stier, den er sich anzufallen erkühnte.

Siebentes Kapitel: Einzelfragen

18. Lektion

1. Wie anfangen?

22 **Die fünf Wege.** Die meisten Menschen glauben an das Sprichwort: *Aller Anfang ist schwer.* Aber dieses Sprichwort trifft nicht immer zu. Viel häufiger paßt der Satz Goethes: *Aller Anfang ist leicht, und die letzten Stufen werden am seltensten erstiegen.*

Beginnen wir mit der Frage: Wie fängt man Schulaufsätze an? Fünf Wege sind hier besonders üblich. Wir wollen sie der Reihe nach betrachten.

23 **Der erste Weg.** Der gängigste Weg ist der Weg vom Allgemeinen zum Besonderen. Nehmen wir an, das Thema heißt: *Nutzen und Schaden des Wassers.* Dann überlegen wir uns: Was ist der allgemeine Begriff zu dem Begriff „Wasser"? Es ist dies der Begriff der Naturkraft. Wir können dann etwa sagen:

In der Entwicklung des Menschengeschlechts hat die Ausnutzung der Naturkräfte eine große Rolle gespielt. Der Mensch hat das Feuer gebändigt, den Wind sich nutzbar gemacht, aus der Erde seine Nahrung gezogen. Aber er hat auch immer mit den Elementen ringen müssen. Auch das Wasser ist zugleich sein Helfer und sein Gegner gewesen.

Nehmen wir noch fünf andere Themen und geben wir kurz an, wie die Einleitung aussieht, wenn wir nach diesem Grundsatz „Vom Allgemeinen zum Besonderen" vorgehen:

Meine Lieblingsbücher:
Einleitung: Die Freudenquellen des Menschen.
Jeder Mensch hat seine eigenen Freudenquellen. Natur oder Wissenschaft, Musik oder Sport: sie alle können zu unserer Lebensfreude beitragen. Eine der anspruchslosesten und dankbarsten Freudenquellen der Menschheit sind die Bücher, und es gibt schwerlich einen gebildeten Menschen, der nicht bestimmte Lieblingsbücher hätte.

Die Ideen von 1848:
Einleitung: Ideen als geschichtsbildende Kräfte.
Es sind Kräfte sehr verschiedener Art, die die geschichtliche Entwicklung zustande bringen: Naturereignisse, die Entwicklung der Wirtschaft, das Eingreifen großer Männer. Eine dieser Gewalten ist das Aufkommen neuer, allgemeiner Ideen: das Freiheitsideal der Griechen, die Staatsgesinnung der Römer, das Fernweh der Kreuzzüge haben die Welt umgeformt. Auch jene Ideen, die 1848 das deutsche Bürgertum erfüllten, haben die Geschichte unseres Vaterlandes tief beeinflußt.

Die Persönlichkeit Antonios in Goethes Tasso.
Einleitung: Goethes Männer-Charaktere.
Von den Männergestalten der Goetheschen Dramen sind viele Widerspiegelungen seines eigenen Innern. Der Götz wie der Weislingen, der Orest wie der Faust zeigen einzelne Züge ihres Schöpfers. Im Tasso hat er die zwiespältigen Gefühle, die ihn damals beseelten, in den beiden Charakteren des Dramas Gestalt werden lassen: in Tasso und in Antonio. Es ist eine verwickelte und großartige Persönlichkeit, die er in dem Staatsmann von Ferrara vor uns hingestellt hat.

Des Volkes Seele lebt in seiner Sprache.
Einleitung: Die Äußerungen des Volksgeistes.
Wer den Charakter eines Volkes ergründen will, kann verschiedene Wege einschlagen: er kann seine Geschichte durchforschen, sich in seine Kunst vertiefen oder seine Statistiken untersuchen. Überall drückt sich der Volkscharakter aus. Er findet seinen Niederschlag auch in der Sprache eines Volkes.

Trotz Rundfunk und Konzert: Hausmusik.
Einleitung: Hausmusik ist gefährdet.
Die letzten Jahrzehnte haben große Fortschritte der Technik gebracht: Jeder Haushalt hat sein Radio, und selbst in kleinen Städten wird eine Anzahl vortrefflicher Konzerte veranstaltet. Wer früher Musik hören wollte, mußte selbst musizieren; heute wird ihm Musik geliefert. Aber soll dieses Wachstum der Technik die Hausmusik ausrotten? Diese Frage wollen wir jetzt untersuchen.

Sie sehen: man kann oft einen Gedanken finden, der allgemeiner ist als das Thema. Von ihm kann man ausgehen und mit ein oder zwei Sätzen zum Thema überleiten.

Der zweite Weg. Aber dieser Weg vom Allgemeinen zum Besonderen ist nicht immer der beste Weg. Manchmal wirkt er künstlich, bisweilen ist er langweilig. Oft ist der umgekehrte Weg besser, vom Besonderen zum Allgemeinen. Dann beginnen wir mit einem bestimmten Vorfall, einer persönlichen Erfahrung, oder bei schwierigeren Fragen mit dem konkreten Tatbestand, der dem Problem zugrunde liegt. Wir wollen dies einmal bei einigen der eben besprochenen Themen versuchen: *24*

Nutzen und Schaden des Wassers.
Einleitung: Spaziergang zur Überschwemmung.
Vor einigen Wochen kam ich auf einer Reise bei Regensburg an die Donau, die gerade gewaltig über ihre Ufer getreten war. Die riesige Wasserfläche, auf der Bäume und Balken entlang trieben, machte aufs deutlichste anschaulich, in welchem harten Kampf der Mensch auch heute noch mit der Naturkraft des Wassers steht, mag er sie auch in

vielen Fällen sich unterworfen haben. Segen und Schaden des Wassers gegeneinander abzuwägen, soll jetzt die Aufgabe sein.

Meine Lieblingsbücher.

Einleitung: Der Kampf um Rom.

Gestern abend las ich in Dahns ‚Kampf um Rom'. Ich kenne nicht viele Bücher, aber ich glaube nicht, daß es ein schöneres Buch gibt. Jeder Mensch hat seine Lieblingsbücher; zu den meinen gehört dieser geschichtliche Roman, und ich will erzählen, warum ich ihn und einige andere Bücher besonders liebe.

Des Volkes Seele lebt in seiner Sprache.

Einleitung: Urteil eines Ausländers über Deutschland.

Vor kurzer Zeit lernte ich einen Ausländer kennen und sprach mit ihm über Deutschland. Sein Urteil beruhte auf einer Reihe persönlicher Bekanntschaften. Aber er stützte sich auch noch auf eine andere Grundlage: als Beleg für die Unrast und Eigenbrötelei der Deutschen nannte er einige Eigenschaften der deutschen Sprache. Ist die Sprache wirklich ein Ausdruck des Volksgeistes? Diese Frage wollen wir untersuchen.

Auch den Aufsatz über die Hausmusik hätten wir mit dem Urteil eines Ausländers über die deutsche Liebe zur Musik beginnen können. Dagegen hätte man bei den Themen *Die Ideen von 1848* und *Antonio* eine Einleitung vom Besonderen zum Allgemeinen wohl nur künstlich herbeiführen können.

25 **Der dritte Weg.** Ein dritter Weg ist die geschichtliche Ableitung. Bei dem Aufsatz über das Wasser können wir etwa die Lehre des Thales anführen, daß das Wasser der Urstoff aller Dinge gewesen sei, oder den Vers des Pindar „Das Beste ist das Wasser". Bei den *Ideen von 1848* können wir darauf verweisen, daß der Glaube an Freiheit und Einheit uraltes Erbgut der Geschichte sei. Bei dem Aufsatz über Antonio können wir davon ausgehen, daß die große Umwälzungszeit der Renaissance eine Fülle bedeutender und eigenartiger Charaktere zutage gefördert habe. In dem Aufsatz über die Sprache können wir auf die lange und ehrwürdige Geschichte unserer Sprache verweisen, in deren Verlauf sich viel von deutscher Kultur und deutschem Wesen in unserer Muttersprache niedergeschlagen hat. Für die Aufsätze über Lieblingsbücher und Hausmusik wäre die geschichtliche Einleitung weniger geeignet.

26 **Der vierte Weg.** Die vierte Art der Einleitung besteht darin, das Wesen des Begriffs zu erläutern, um den es sich bei dem

Thema hauptsächlich handelt. Bei unseren Themen würden solche Einleitungen z. B. heißen:

Was sind geschichtliche Ideen?
Was heißt Sprache?

Dieser Weg würde sich dagegen kaum eignen für die Aufsätze über das Wasser, über die Lieblingsbücher, über die Hausmusik oder über Antonio.

Der fünfte Weg. Der fünfte und letzte Weg schließlich knüpft an an die Verhältnisse der Gegenwart. Bei manchen Themen ist das freilich schwer möglich, so bei den Themen über das Wasser oder über Antonio. Wohl aber können wir diese Einleitung bei zwei anderen unserer Themen wählen: Man kann davon ausgehen, daß gerade in der heutigen Not die geistigen Güter eine wichtige Stütze für viele Menschen seien; von da aus kann man dann auf das Problem der Hausmusik oder der Lieblingsbücher überleiten. Ebenso kann man leicht darlegen, daß in der heutigen Zeit politischen Neubaus eine Beschäftigung mit den Ideen von 1848 naheliege. Auch kann man den Aufsatz über die Sprache an die heutige Sprachverlotterung anschließen. *27*

Wenn das Thema aus einem Zitat besteht, kann man auch von dem Ursprung des Zitats ausgehen. Bei dem Thema „*Der brave Mann denkt an sich selbst zuletzt*" können z. B. ein paar Worte über Schillers Tell vorausgeschickt werden.

Was haben wir aus dieser Untersuchung zahlreicher Beispiele gelernt? Wenn wir nicht wissen, wie wir einen Aufsatz anfangen sollen, so überlegen wir uns, ob nicht einer dieser fünf Wege gangbar ist. Freilich wollen wir uns dabei nicht auf diese fünf Wege allein festlegen. Oft gibt es auch einen sechsten. Jedes Schema ist nur ein Notbehelf. Ein Originaleinfall ist oft besser.

Der sechste Weg. Aber manchmal tun wir am besten, auf jede Einleitung zu verzichten. Das ist gleichsam der sechste Weg. Bei Schilderungen, Erlebnisskizzen, Stimmungsaufsätzen beginnen wir am besten mit der Sache selbst. Auch Beschreibungen bedürfen keiner langen Vorworte. Wenn wir über die bayerische Landschaft schreiben sollen, so fangen wir kurzerhand an: „Letzten Sonntag fuhr ich mit dem Rad von Murnau nach Garmisch." Oder wenn wir einen Schuttbagger beschreiben sollen, beginnen wir einfach: „Seit einigen Tagen arbeitet schräg gegenüber unserem Haus ein gewaltiger Bagger." *28*

29 **Anfänge anderer Arbeiten.** Auch für Abhandlungen, Zeitungsartikel und andere Schriftstücke gelten ähnliche Erwägungen wie für Schulaufsätze. Aber hier sind wir nicht so sehr an überlieferte Formen des Anfangs gebunden. Wir wählen den Anfang mehr unter dem Gesichtspunkt: Wie gewinnt man sofort die Aufmerksamkeit des Lesers?

Von unseren sechs Wegen sind hierfür zwei besonders geeignet: Entweder wir beginnen mit einem Vorfall, einem Erlebnis oder Zitat (also vom Besonderen, vom Beispiel ausgehend) oder wir verzichten auf jede Einleitung. Der Geschichtsschreiber Curtius beginnt z. B. eine Abhandlung über die Olympischen Spiele mit jener Anekdote, daß die Griechen beim Einmarsch des Xerxes ruhig die Olympischen Wettkämpfe fortgesetzt hätten – zum Entsetzen des ganzen persischen Heeres.

Aber auch der Verzicht auf jede Einleitung ist oft zweckmäßig: Helmholtz fängt eine Abhandlung über die Entstehung des Planetensystems mit dem Satze an: *Ich habe die Absicht, heute vor Ihnen die vielbesprochene Kant-Laplacesche Hypothese über die Bildung der Weltkörper auseinanderzusetzen.*

Verwenden Sie nicht zuviel Zeit darauf, einen kunstvollen Anfang auszuklügeln. Wer genau weiß, was er sagen will, fängt schlicht mit der Sache selbst an:

Tritt frisch auf,
Tu 's Maul auf,
Hör bald auf. Luther

Stilratschlag 10

Wenn Sie einen Schulaufsatz anfangen, dann überlegen Sie, ob nicht einer von den folgenden fünf Wegen gangbar ist:

Vom Allgemeinen zum Besonderen;
Vom Besonderen zum Allgemeinen;
Geschichtliche Einleitung;
Wesen des Hauptbegriffs;
Das Thema und die gegenwärtige Lage.

Bei Schilderungen und ähnlichen Aufsätzen kann man auf jede Einleitung verzichten. Bei Zeitungsartikeln, Abhandlungen usw. ist es meist am besten, von einem Vorfall, einem Beispiel oder einem Zitat auszugehen oder kurzerhand mit dem Thema selbst zu beginnen.

2. Wie überleiten?

Drei Möglichkeiten. In jeder Ausarbeitung müssen wir einige Male von einem Punkt auf einen anderen übergehen. Wie machen wir das? *30*

Es gibt drei Wege. Der einfachste Weg besteht darin, lediglich die Tatsache des Übergangs zu erwähnen. Als: *Dies waren die körperlichen und geistigen Eigenschaften Antonios. Wir kommen jetzt zu seinem Charakter.* Oder: *Damit verlassen wir den Garten und wenden uns dem Hause zu.* Dieser Weg ist nicht sehr elegant, nicht sehr wirkungsvoll, aber dafür bequem.

Der zweite Weg der Überleitung ist dem ersten ähnlich: Wir geben kurz an, in welchem Verhältnis der neue Punkt zu dem vorigen steht. Also in einem Aufsatz über Nutzen und Schaden des Wassers: *Wesentlich größer als der Schaden des Wassers ist sein Nutzen.* Oder in einer Abhandlung über die deutschen Wälder: *Aber für die Erhaltung der Wälder sprechen nicht nur wirtschaftliche Erwägungen: noch viel wichtiger sind klimatische Gründe.*

Auch in dem ersten Satz dieses Absatzes habe ich dieses Verfahren verwandt.

Überlegen Sie also, wenn Sie zu einem neuen Punkt überleiten müssen: In welchem sachlichen Verhältnis stehen die beiden Punkte? Ist eine klare, sachliche Verbindung vorhanden, dann deuten Sie sie kurz ohne Wortemachen an. Ist sie nicht vorhanden, so wählen Sie den ersten Weg.

Aber der erste Weg ist sehr nüchtern. Unmöglich kann man ihn in jedem Absatz verwenden. Was also wollen Sie tun, wenn beide Wege ungangbar sind? Dann müssen Sie den dritten Weg einschlagen.

Der dritte Weg ist der allereinfachste. Er besteht darin, auf jede Überleitung zu verzichten. Sie machen an den Schluß des alten Absatzes einen Gedankenstrich und fangen einen neuen Absatz an. In einem Zeitungsartikel – wenn Sie einen modernen Lehrer haben, auch in einem Schulaufsatz – können Sie gelegentlich, um einen noch schärferen Einschnitt zu kennzeichnen, einen

*

in die Mitte der Zeile setzen. Lieber gar keine Überleitung als eine gequälte! Auch die schlichte Einteilung mit erstens, zweitens, drittens hat ihre Vorzüge: sie ist übersichtlich und anspruchslos, freilich auch prosaisch.

Stil-ratschlag 11 *Wir können auf drei Arten überleiten: Wir erwähnen die Tatsache der Überleitung, wir geben an, in welchem Verhältnis beide Teile zueinander stehen, oder wir setzen ohne jeden Übergang die Tatsachen nebeneinander.*

Manche Überleitungen sind abgegriffen, z. B. *infolgedessen erscheint bei ruhiger Überlegung kaum zweifelhaft* oder *dabei wird man außerdem berücksichtigen müssen* oder *somit muß volle Einigkeit darüber bestehen, daß* . . . Solche Formeln soll man meiden.

3. Wie enden?

31 **Ausblick.** Jeder Sänger, jeder Zauberkünstler, jede Tänzerin hebt sich die beste Darbietung für den Schluß auf. Denn vom Schluß hängt der letzte Eindruck ab, den wir auf den Leser machen.

Drei Wege sind häufig: der Ausblick, die Einschränkung und die Zusammenfassung. Der Ausblick zieht Folgerungen, betrachtet die Zukunft oder greift hinüber in benachbarte Gebiete. Kehren wir einen Augenblick zurück zu den Aufsatzthemen, die wir im Abschnitt „Anfang" behandelt haben. Die Schlüsse würden – nur ganz kurz angedeutet – nach der „Ausblick"-Methode so aussehen:

Meine Lieblingsbücher
Hoffentlich gibt es bald wieder genug Bücher preiswert zu kaufen.

Die Ideen von 1848
Gerade heute haben wir alle Ursache, diese Ideen nicht nur zu studieren, sondern auch zu verwirklichen.

Sprache und Volksgeist
Da zwischen Volksgeist und Sprache eine so enge Wechselwirkung besteht, müssen wir alles tun, um die Sprache zu schützen.

Hausmusik
Im Interesse unserer Kultur sollten wir den Musikunterricht der Jugend so einrichten, daß die Freude an der Hausmusik immer wach bleibt.

Einigkeit macht stark
Jedes Volk muß der Geschichte die Lehre entnehmen, das Trennende zurückzustellen und das Gemeinsame zu betonen.

Andere Themen – der Aufsatz über Antonio und der über das Wasser – eignen sich weniger für diese Art des Abschlusses.

Einschränkungen. Der zweite Weg will die Ergebnisse des Hauptteils einschränken. In der Wirklichkeit gelten die meisten Thesen nur mit einigen Wenn und Aber. So könnte man ausführen, die Freude an unseren Lieblingsbüchern dürfe uns nicht den Ausblick auf die übrige Literatur verstellen oder die Pflege der Hausmusik dürfe uns nicht zu reinen Dilettanten machen, die für die Konzertmusik der Meister keinen Sinn mehr hätten. Der Sinn für Einigkeit dürfe nicht zur stumpfen Uniformität der Gesinnung verleiten, und die Untersuchung über die Sprache dürfe uns nicht dahin irreführen, daß wir aus bloßen Sprachunterschieden eine vergleichende Völkerpsychologie abzuleiten versuchen. Bei dem Aufsatz über das Wasser könnte man darauf hinweisen, in Zukunft würden wahrscheinlich andere Naturkräfte noch wichtiger werden. Bei dem Thema *Antonio* könnte man sagen, daß alle begrifflichen Charakterbeschreibungen doch nicht ausreichen, um das dichterisch gesehene einheitliche Gebilde eines so lebensvollen Menschen widerzuspiegeln. *32*

Zusammenfassung. Am einfachsten scheint die Zusammenfassung. Sie arbeitet das wichtigste Ergebnis der ganzen Untersuchung noch einmal scharf heraus. Aber oft ist die Zusammenfassung nur eine langweilige Wiederholung. *33*

Vorzüglich wirkt am Schluß oft – ähnlich wie am Anfang – eine kleine Geschichte oder ein passendes Zitat, aber sie sind nicht leicht zu finden.

Es gibt also kein Allerweltsrezept für das Ende eines Aufsatzes oder eines Artikels. Wenn uns nichts Besseres einfällt, tun wir am besten, ganz schlicht mit unserer letzten Aussage aufzuhören.

Stilratschlag 12

Drei beliebte Formen des Schlusses sind der Ausblick, die Einschränkung und die Zusammenfassung. Aber man soll keinen Schluß erkünsteln. Es ist besser, ganz schlicht ohne besonderen Schlußsatz aufzuhören, als eine leere Phrase anzuleimen.

Fragen

Der Schüler fragt

Schüler: Sie haben sich redlich bemüht, mir das Anfangen beizubringen. Aber offen gesagt: Ich glaube, ich werde auch künftig oft lange an meinem Bleistift kauen, ehe ich zu schreiben beginne.

Lehrer: Dann müssen wir die Frage noch ein wenig durchackern.

Ich habe Ihnen für den Aufsatzanfang fünf Wege genannt, oder – wenn Sie den Verzicht auf jede Einleitung hinzunehmen – sogar sechs. Wir wollen für diese sechs Wege einmal kurze Namen prägen.

Den Weg vom Allgemeinen zum Besonderen nennt man Deduktion. Sie werden das Wort auch sonst brauchen. Der umgekehrte Weg vom Besonderen zum Allgemeinen wird Induktion genannt. Die Deduktion, die in der Logik wichtig ist, führt vom Oberbegriff zum Unterbegriff herab. Die Induktion, auf die wir uns in der Naturwissenschaft berufen, führt vom Einzelfall, vom Unterbegriff zur allgemeinen Regel empor. Ferner können wir jenes Verfahren, bei dem wir zunächst das Wesen eines der Hauptbegriffe klarstellen, die definierende Methode nennen, und jene, bei der wir von den gegenwärtigen Zeitverhältnissen ausgehen, die aktuelle.

Schüler: Das sind lauter Fremdwörter.

Lehrer: Richtig! Sie sehen hier: Wenn wir einen wissenschaftlichen Begriff kurz bezeichnen wollen, ist das Fremdwort schwer zu entbehren. Freilich ist etwas Ironie dabei, wenn ich für diese harmlosen Einleitungsmethoden so gewichtige Fremdwörter verwende.

Schüler: Was meinen Sie hier mit ,,Ironie"?

Lehrer: Die Ironie ist eine sehr wichtige Stilfigur. Ich werde Ihnen das nachher erklären. Wir wollen jetzt nicht abschweifen.

Wir können also unsere sechs Einleitungsarten folgendermaßen bezeichnen:

die Deduktion,
die Induktion,
die geschichtliche Einleitung,
die definierende,
die aktuelle,
die unmittelbare Einleitung.

Machen Sie sich einmal den Spaß, wenn Sie einen Aufsatz in einer Zeitung oder einer Zeitschrift oder auch den Schulaufsatz eines Freundes lesen, darauf zu achten, welche Einleitung der Verfasser gewählt hat. Sie werden feststellen: Es ist fast immer einer dieser sechs Wege. Auch wenn ein Zitat wirkungsvoll am Anfang steht, gehört es zu einem dieser sechs Wege. Das hat seine guten Gründe. Jedes Thema kann man in Form einer Frage fassen. Statt ,,Nutzen und Schaden des Was-

sers" können wir sagen: *Welchen Nutzen und Schaden birgt das Wasser?*, statt „Der Charakter Antonios": *Welchen Charakter hat Goethes Antonio?* Wenn Sie nun eine Frage beantworten sollen, so werden Sie sich unwillkürlich je nach Art des Themas bestimmte Vorfragen vorlegen, wie etwa:
Welches ist der allgemeine Rahmen, in dem das Problem liegt?
Von welchen konkreten Tatsachen muß die Untersuchung ausgehen?
Was geht zeitlich voraus?
Was ist das Wesen der zur Erörterung stehenden Dinge?
Wieweit ist die Frage zur Zeit wichtig?

Schüler: Ich verstehe! Diese fünf Fragen entsprechen ungefähr unseren fünf Einleitungswegen.

Lehrer: Es sind in der Tat die natürlichen Anfänge. In Schulaufsätzen werden Sie gewöhnlich die Deduktion oder die geschichtliche, in Zeitungsartikeln die Induktion oder die unmittelbare Methode finden. Aber noch etwas anderes ist beim Anfangen wichtig: nicht nur der Inhalt der einleitenden Sätze ist von Bedeutung, sondern auch die Art des Ausdrucks. Gerade die ersten Sätze können anschaulich sein, denn sie sollen ja nicht nur an das Thema heranführen, sie sollen auch den Leser fesseln.

Schüler: Ich habe in einigen Tagen die Rede bei einer Zusammenkunft der Schüler zu halten, die vor fünfzehn Jahren in die unterste Klasse des Münchener Theresiengymnasiums eingetreten sind. Ich wollte natürlich die „geschichtliche" Form der Einleitung wählen und sagen: „Fünfzehn Jahre ist es her, daß wir gemeinsam einen langen und oft schweren Weg angetreten haben. Es ist sehr viel geschehen in diesen fünfzehn Jahren ..."

Lehrer: Die „geschichtliche" Einleitung liegt bei diesem Anlaß nahe. Aber Sie können dieselben Gedanken anschaulicher fassen. Etwa: „Es ist fünfzehn Jahre her, daß wir uns die blauen Mützen der Sexta auf unsere Bubenköpfe setzten. Allerhand Nachrichten haben wir inzwischen von den Extrablättern in der Sendlinger Straße ablesen können."

Schüler: Jetzt sind Sie mir noch die Erläuterung des Begriffs Ironie schuldig.

Lehrer: Von Ironie sprechen wir, wenn jemand das Gegenteil dessen sagt, was er meint. Wenn wir zu einem Freunde, der etwas Selbstverständliches herausposaunt hat, sagen: „Mein Gott, bist du gescheit!", so haben wir uns des Stilmittels der Ironie bedient. Ich lese Ihnen als Beispiel einige Sätze aus einem Lehrbuch der Kriminalistik vor:
Die professionelle Bettelei ist eine außerordentlich lukrative Gesetzwidrigkeit. Wie oft liest man in den Zeitungen, daß ein Bettler starb und in seinem zerlumpten Bett 30 000 Goldmark in Wertpapieren hinterließ. Ein anderer hat nach fünfzig Jahren ununterbrochenen Unglücks seiner Tochter, seiner armen Tochter, ein schuldenfreies

Zinshaus vererbt. Natürlich gibt es auch Bettler, die in Armut sterben, das sind sogar die meisten, aber diese haben es sich selbst zuzuschreiben, weil sie nicht sparen konnten, weil sie ihre Tageseinnahmen in die Schnapsbuden trugen oder weil sie zwischen die Dienststunden zu lange Ruhepausen einschoben. Wer die Bettelei einigermaßen ernst betreibt und kein Verschwender ist, kann glänzend auf Kosten der Mitmenschen leben und reichliche Rücklagen auf die Bank tragen.

Der Lehrer fragt

Was ist die Aufgabe der einleitenden Sätze?	Sie sollen an das Thema heranführen und den Leser fesseln.
Welche sechs Wege haben wir, um einen Aufsatz oder eine Abhandlung zu beginnen?	1. die deduktive Methode, 2. die induktive Methode, 3. die geschichtliche Methode, 4. die definierende Methode, 5. die aktuelle Methode, 6. die unmittelbare Methode.
Welche Fragen müssen wir uns bei der deduktiven Methode vorlegen?	Welches ist der Oberbegriff zu dem Hauptbegriff des Themas, und was ist in diesem Oberbegriff zu sagen? In welchen größeren Rahmen gehört das Thema hinein?
Was fragen wir uns bei der induktiven Methode?	Welcher besondere Vorfall oder welche besondere Tatsache ist für diese Frage wichtig? Was verbindet mich mit ihr? Welcher Tatbestand liegt dem Problem zugrunde?
Was fragen wir bei der geschichtlichen Methode?	Was geht zeitlich voraus? Hat das Problem schon früher eine Rolle gespielt?
Was fragen wir bei der definierenden Methode?	Wie definieren wir den Hauptbegriff des Themas?
Was fragen wir bei der aktuellen Methode?	Wie hängt das Thema mit unserer Zeit zusammen?
Worin besteht der sechste Weg?	Darin, daß wir ohne jede Einleitung sofort von dem Thema selbst reden.
Was ist bei den einleitenden Sätzen außerdem noch wichtig?	Daß sie so anschaulich wie möglich sind.
Welche Einleitungsform ist außerdem möglich, wenn das Thema aus einem Zitat besteht?	Wir können von dem Ursprung des Zitats ausgehen.

Welche drei Wege gibt es für die Überleitung?	1. Wir erwähnen kurz, wovon wir gesprochen haben und wovon wir jetzt sprechen werden. 2. Wir geben an, in welchem Verhältnis die bisher besprochenen Punkte zu den kommenden stehen. *(Wichtiger als diese Feststellung ist die Tatsache . . .)* 3. Wir verzichten auf jede Überleitung und setzen einfach einen Gedankenstrich oder einen *. Wir können auch mit *erstens*, *zweitens*, *drittens* einteilen.
Warum ist der Schluß besonders wichtig?	Weil diese Eindrücke beim Leser haften bleiben.
Welches sind die drei besonders häufigen Methoden des Schlusses?	Der Ausblick, die Einschränkung und die Zusammenfassung.
Was fragen wir uns bei der Ausblickmethode?	Welche Folgerungen ergeben sich aus unserer Untersuchung? Wie wird es weitergehen?
Was fragen wir bei der Einschränkungsmethode?	Inwieweit müssen wir die Ansicht des Hauptteils einschränken? Vor welcher Übertreibung müssen wir uns hüten?
Was bringt die Zusammenfassung?	Sie wiederholt die Kernpunkte des Aufsatzes.
Welches Stilmittel eignet sich gut für Anfänge und Schlüsse?	Das Zitat.
Was müssen wir am Schluß unbedingt vermeiden?	Leere Phrasen.

Aufgaben

1. Was würden Sie als Einleitung bei folgenden Schulaufsätzen schreiben?

a) *Waldspaziergang im Winter.*
b) *Kann der Film die Bühne ersetzen?*
c) *„Lust und Liebe sind die Fittiche zu großen Taten.“*
d) *Charakterskizze eines Verschwenders.*
e) *Ist der Staat Selbstzweck oder Mittel?*

2. Was würden Sie als Schluß für diese fünf Aufsätze nehmen?

19. Lektion

4. Zitat und Sentenz

34 **Zitat.** Wenn wir eine Stelle von einem anderen Schriftsteller anführen, so nennen wir dies ein Zitat. Der Sprachgebrauch des Alltags verwendet freilich das Wort Zitat in einem etwas engeren Sinn: er bezeichnet als Zitat nur die landläufigen immer wieder angeführten Stellen aus Dichtung und Geschichte, die man auch *geflügelte Worte* nennt. Es gibt eine berühmte Sammlung „Geflügelte Worte“ von dem Schriftsteller Büchmann; in ihr sind 3700 Zitate angeführt.

Zitate sind ein wertvolles Stilmittel; wir verwenden sie, um unseren eigenen Ansichten eine Stütze zu geben. Wenn die Meinung, die wir vertreten, auch von Goethe oder Bismarck geteilt worden ist, so wird das unsere Ausführungen beweiskräftiger machen. Der Gedanke, daß Gesetze veralten, ist in dem Goethe-Vers

Es erben sich Gesetz und Rechte
Wie eine ew'ge Krankheit fort

so schlagend formuliert, daß wir bei Erörterung dieses Themas diesen Vers sofort anführen werden. Auch bei umstrittenen Behauptungen können wir Zitate oft mit Vorteil verwenden, wie etwa den Vers aus ‚Hermann und Dorothea‘:

Dienen lerne beizeiten das Weib nach seiner Bestimmung,

oder aus Goethes ‚Tasso‘:

Willst du genau erfahren, was sich ziemt,
So frage nur bei edlen Frauen an.

Freilich darf ein Zitat nicht allzu abgegriffen sein, sonst wirkt es wie alles Verbrauchte lächerlich.
Aber zitieren kann nur, wer Zitate kennt. Deshalb sollten Sie gelegentlich den Büchmann oder den „Zitatenschatz der Weltliteratur“ von Richard Zoozmann aufschlagen. Sie lernen darin, von welchen Schriftstellern die geflügelten Worte stammen, wie sie wortgetreu heißen und aus welchen Zusammenhängen die allzu gern gebrauchten Zitatfetzen stammen. Viele Zitate haben sich fehlerhaft eingebürgert und werden so immer weitergeschleppt.

35 **Sentenz.** Noch wirksamer als die altbekannten Zitate aus dem Büchmann sind *Sentenzen*, die Sie selbst bei einem guten Schriftsteller gefunden und sich herausgeschrieben haben. Als *Senten-*

zen bezeichnen wir Sätze, die eine allgemeingültige Erfahrung in eine knappe Form zusammendrängen, also z. B.:

Wo wäre die Macht der Frauen, wenn die Eitelkeit der Männer nicht wäre! (Ebner-Eschenbach)

Im Laufe des Lebens verliert alles seine Reize und seine Schrekken; nur eines hören wir nie auf zu fürchten: das Unbekannte. (Ebner-Eschenbach)

Wir sind nie entfernter von unseren Wünschen, als wenn wir uns einbilden, das Gewünschte zu besitzen. (Goethe)

Wie kann man sich selbst kennenlernen? Durch Betrachten niemals, wohl aber durch Handeln. Versuche deine Pflicht zu tun und du weißt gleich, was an dir ist. (Goethe)

Sentenzen, die ganz für sich allein stehen, nennt man *Aphorismen* oder auch mit einer wenig schönen Verdeutschung *Gedankensplitter*.

Auch für Sentenzen gibt es Sammlungen; die bekannteste ist das Spruchwörterbuch von Lipperheide.

Versuchen Sie Ihre Ansichten dadurch zu unterstützen, daß Sie gleichlautende Äußerungen bedeutender Männer zitieren! Allgemeingültige Sätze der Lebensweisheit nennen wir Sentenzen. Sentenzen zu zitieren ist besonders wirksam. *Stilratschlag 13*

5. Gedankenführung

Reihenfolge der Argumente. Wenn Sie eine schwierige Beweisführung überzeugend darstellen wollen, dann ist sehr wichtig, in welcher Reihenfolge Sie Ihre Gedanken vortragen. Freilich gilt dieser Hinweis hauptsächlich für Zeitungsartikel oder kleine Abhandlungen, d. h. für Darlegungen, aus denen der Leser etwas Neues erfahren soll. Bei Schulaufsätzen dagegen werden in der Regel Ihre Gedanken dem Leser nicht fremd sein. Hier ist die überzeugende Art der Darlegung nicht so wesentlich. Aber auch für Schulaufsätze werden Sie manchen der folgenden Hinweise brauchen können. *36*

Es ist ein Fünfgestirn von Ratschlägen, das ich Ihnen in diesem Abschnitt auf den Weg geben will. Ich will sie Ihnen zunächst einmal zusammenstellen:

a) Erst die Voraussetzungen!
b) Die Fragen lebendig machen!

c) Die Lösung erarbeiten!
d) Auch Einwände erörtern!
e) Am Schluß zusammenfassen!

37 **Erst die Voraussetzungen.** Jede Erörterung setzt bestimmte Kenntnisse voraus. Wenn Sie über die Bekämpfung des Geburtenrückgangs schreiben wollen, müssen Sie erst einmal nüchtern sagen, wie die Zahlen stehen. Sie wollen über das arabische Problem reden: erst berichten Sie einmal, welche arabischen Staaten es gibt, wie groß sie sind und wo sie liegen. Bevor Sie sich über den Verfall des Römischen Reiches verbreiten, geben Sie an, wieviel Einwohner es hatte, wie die Lage der einzelnen Schichten war und welche geistigen Strömungen in ihm herrschten. Oft sind die Voraussetzungen nicht leicht zu ermitteln. Aber nur auf einer soliden Grundlage kann man überzeugende Ausführungen aufbauen. Erklären Sie auch unzweideutig alle Fachausdrücke, die Sie verwenden.

38 **Fragen lebendig machen.** Wenn der Leser aufmerksam lesen soll, müssen Sie ihn neugierig machen. Sie müssen ihm also sagen, welche Fragen Sie beantworten werden. Sie müssen ihn auch davon überzeugen, daß diese Fragen mit seinen persönlichen Angelegenheiten eng zusammenhängen.
Sie wollen z. B. über spätgriechische Philosophie sprechen oder schreiben. Das Thema wird vielen Hörern gleichgültig sein. Wenn Sie aber mit der Frage beginnen: „Haben die Griechen einen Weg zum Glück gefunden?" – denn das war in der Tat ein Hauptgegenstand der spätantiken Philosophie –, so wird das Thema schon anziehender. Suchen Sie stets Berührungspunkte zwischen Ihrem Thema und Ihrem Leser.

39 **Die Lösung erarbeiten.** Wenn wir in einer Arbeit auf eine schwierige Frage eine entschiedene Antwort geben, so können wir auf zwei Arten verfahren: wir können die Lösung vor den Leser hinschütten oder aber sie Schritt für Schritt vor seinen Augen erarbeiten. Der zweite Weg ist fesselnder und überzeugender.
Wenn die Beweisführung schwierig ist, so sollten wir kleine Schritte machen, das heißt, wir sollten kein Glied auslassen.

40 **Einwände erörtern.** Wenn Sie jemanden mündlich oder schriftlich überzeugen wollen, müssen Sie ihm erst seinen eigenen Standpunkt ausführlich und liebevoll darlegen. Er glaubt sonst

nämlich nicht, daß Sie ihn verstanden haben, und wiederholt ihn immer von neuem. Auch während Ihrer Beweisführung tun Sie gut, jeden Einwand gleich selbst zu bringen, und das nicht etwa ironisch, sondern so gründlich, daß der Leser zunächst glaubt, Sie hielten den Einwand selbst für durchschlagend.
Sie bringen auf die Weise auch etwas von der Spannung eines Zwiegesprächs in Ihre Beweisführung.

Am Schluß zusammenfassen. In dem Kapitel *Wie enden?* haben Sie gehört, daß die Zusammenfassung eine beliebte Methode des Aufsatzschlusses ist. Sie ist noch viel wichtiger für Abhandlungen, Reden und ähnliche Arbeiten, mit denen Sie den Leser zu einer bestimmten Ansicht bringen wollen. Namentlich bei längeren Artikeln hat der Leser am Schluß oft einen Teil der Beweisführung vergessen. Hier hilft nur die Zusammenfassung am Schluß. Bei langweiligen Auseinandersetzungen tun Sie sogar gut, nach größeren Abschnitten Ihre Darlegungen zu „rekapitulieren", das heißt, das bisher Gesagte knapp zu wiederholen. 41

Über die Wirkung jeder Abhandlung entscheidet die Art der Gedankenentwicklung. Erst die Voraussetzungen klarlegen, dann dem Leser die Fragen lebendig machen, dann die Lösung allmählich erarbeiten, auch die Einwände erörtern, schließlich das Ergebnis zusammenfassen! *Stilratschlag 14*

6. Erst nachdenken, dann niederschreiben

Die drei Akte geistiger Arbeit. Dieser Abschnitt – und auch die folgenden drei – enthalten keine eigentliche Stilregel, sondern Fingerzeige für den Weg zum guten Stil. Aber sie sind praktisch ebenso unentbehrlich wie die Stilregeln selbst. 42
Jeder Mensch hat schon einmal folgende Erfahrung gemacht: Man sitzt am Schreibtisch und soll über irgendein Thema schreiben, einen Aufsatz, einen Brief, eine Abhandlung. Aber es fällt uns nichts ein. Vergebens trommeln wir mit dem Lineal auf die Tischplatte, vergebens kauen wir an dem Bleistift: kein brauchbarer Einfall kommt uns zu Hilfe. Das ist ganz natürlich. Einfälle lassen sich nicht kommandieren. Wie schon ihr Name sagt, „fallen" sie in unseren Kopf ein, plötzlich, ungerufen, oft unerwartet.

Aber hier ist ein Erfahrungssatz wichtig: sie fallen nur dann in unseren Kopf ein, wenn wir vorher einmal gründlich über diese Fragen nachgedacht hatten. Das Nachdenken war damals fruchtlos, aber es hat gleichsam in unserem Kopf nachgewirkt: es hat den Boden aufgelockert, aus dem dann plötzlich die Saat der Gedanken aufsprießt.

So ergeben sich gleichsam drei Akte der geistigen Arbeit. Der erste Akt besteht darin, daß wir uns Fragen stellen, das Problem im Kopf hin und her wälzen. Dies Nachdenken können wir beim Gehen vornehmen, beim Warten oder auch abends, bevor wir einschlafen. Gewöhnlich kommt dabei nicht viel heraus. Wir machen uns die Fragen klar, um die es sich handelt, aber wir finden noch nicht die Antworten. Der Boden wird nur aufgelockert.

Der zweite Akt besteht darin, daß uns der eine oder andere Einfall kommt. Einfälle kommen uns oft beim Spazierengehen, beim Aufwachen, in den Pausen des Lesens, kurzum ganz unerwartet und meist recht ungeordnet.

Oft ist es klug, sich über das Thema mit jemandem zu unterhalten. Am meisten hilft, wenn wir uns darüber streiten; wir tun daher gut, bei diesem Gespräch immer die entgegengesetzte Meinung zu vertreten wie unser Gesprächspartner. Der Ehrgeiz macht uns dann schöpferisch, plötzlich fallen uns Argumente für unsere Ansicht ein und dem andern auch für die seine. So bekommen wir Stoff.

Der dritte Akt ist das Niederschreiben. Wir stellen unsern Stoff zusammen, ordnen ihn, wie in Abschnitt 2 der dritten Stufe beschrieben, und beginnen zu schreiben.

43 **Arten der Niederschrift.** Für das Niederschreiben hat jeder Mensch seine Gewohnheiten. Ich selbst schreibe mit Bleistift – weil ich dann leichter ausradieren und ändern kann – auf perforierte Blocks aus kariertem Papier. Am Schluß jedes Blattes lasse ich Platz frei für kleine Änderungen und Einschaltungen; die Rückseiten lasse ich ganz unbenützt für größere Ergänzungen. Man pflegt auf solche Änderungen oder Einfügungen durch sogenannte Fähnchen hinzuweisen, das heißt man macht an der Stelle, wo man etwas hinzusetzen will, ein Zeichen wie F, ₣, ф, ✱, setzt dann das gleiche Zeichen unten hin oder auf die Rückseite und bringt dort den Zusatz. Bei sehr langen Einschaltungen schreibe ich „Einschaltung 1", „Einschaltung 2" usw.

und setze sie auf einen anderen Block. Sparen Sie kein Papier: ein Manuskript soll übersichtlich und einladend aussehen.

Man kann die erste Niederschrift auch stenographieren. Man spart Zeit und vermeidet die Reibung zwischen dem schnellen Denken und dem langsamen Schreiben. Aber die Kurzschrift hat zwei Nachteile: sie verführt zu schädlicher Eile und sie erschwert das Durchfeilen.

Wer mit der Schreibmaschine schreibt, bekommt einen übersichtlichen Text, aber das Geräusch und das Mechanisierte des Tippens wirkt auf viele Menschen ernüchternd und störend.

Erst nachdenken, vor allem sich die Fragen klarmachen, dann einige Tage die Gedanken reifen lassen, dann erst niederschreiben! *Stilratschlag 15*

7. Feilen

Die Kunst des Feilens. Wenn die erste Niederschrift beendet ist, beginnt die eigentliche Arbeit: das Feilen. Die erste Fassung ist immer schlecht. Einen guten Stil kann nur schreiben, wer seinen Text wieder auf Fehler durchsieht und ihn unermüdlich verbessert, umgießt, neu schreibt. 44

Sie werden das nicht glauben, und deshalb will ich Ihnen zwei große Eideshelfer zitieren:

> Denn daß er alles mit eigener Hand und sehr schön schrieb, zugleich mit Freiheit und Besonnenheit, daß er das Geschriebene immer vor Augen hatte, sorgfältig prüfte, veränderte, besserte, unverdrossen bildete und umbildete, ja nicht müde ward, Werke von Umfang wiederholt abzuschreiben, dieses gab seinen Produktionen das Zarte, Zierliche, Faßliche, das Natürlich-Elegante, welches nicht durch Bemühung, sondern durch heitere genialische Aufmerksamkeit auf ein schon fertiges Werk hervorgebracht werden kann. (Goethe über Wieland)

> Drei Viertel meiner ganzen literarischen Tätigkeit ist überhaupt Korrigieren und Feilen gewesen. Und vielleicht ist drei Viertel noch zu wenig gesagt. (Fontane)

Die Stilmeister haben das Feilen nicht nur gepredigt, sie haben auch selbst unermüdlich gefeilt. Bei fast allen großen Schriftstellern sehen die Manuskripte wie Schlachtfelder aus: nicht ein Wort des ursprünglichen Textes haben sie stehenlassen.

Feilen will gelernt sein. Wir können nicht bei einer Durchsicht auf *alle* Fehler gleichzeitig achten. Wir müssen also unsere Entwürfe mehrmals durchsehen und jedesmal etwas anderes im Auge behalten, zum Beispiel:

1. Ist der Text inhaltlich richtig?
2. Haben wir alle Handlungen in Zeitwörtern wiedergegeben?
3. Haben wir kurze, klare Sätze gebaut?
4. Haben wir einen besonderen, anschaulichen Ausdruck gewählt?

Wenn es irgend geht: lesen Sie laut, wenn Sie Ihren Text durchfeilen. Oder noch besser: lesen Sie ihn jemand vor, und zwar einem Menschen, der Ihnen kritisch gegenübersteht, etwa Ihrer Frau. Es ist hierbei nicht einmal nötig, daß der andere viel sagt: Sie selbst werden Ihren Text viel kritischer betrachten, wenn ein anderer Ihnen zuhört!

Oder wenn Sie den Text nicht laut lesen und nicht vorlesen können, dann stellen Sie sich wenigstens in Gedanken beim Durchlesen vor, Sie hätten einen bestimmten kritischen Menschen als Zuhörer.

Stilratschlag 16

Sie müssen jeden Text sorgfältig durchfeilen! Lesen Sie ihn mehrmals durch, jedesmal auf einen anderen Fehler. Am besten lesen Sie ihn laut einem anderen vor.

Fragen

Der Schüler fragt

Schüler: Sie haben Zitat und Sentenz und vorher schon die Ironie *Stilfiguren* genannt. Gibt es noch mehr *Stilfiguren?*

Lehrer: Gewiß! Der Begriff stammt aus dem alten Griechenland. Damals lehrten besondere Lehrer der Redekunst die jungen Leute, wie man jede Sache am geschicktesten darstellen könne. Sie rühmten sich, den Menschen beizubringen, wie man die schlechte Sache zur besseren mache. Als einfachste Aufgabe galt die philosophische Abhandlung, als schwierigste die Gerichtsrede. Sie überschätzten die Form und unterschätzten den Inhalt.
Zu den Kunstgriffen jener Rhetoren gehörten die Stilfiguren, das heißt bestimmte, klar abgrenzbare Stilmittel. Sie selbst gebrauchen ständig Stilfiguren, ohne es zu bemerken.

Schüler: Geben Sie mir ein paar Beispiele.

Lehrer: Viele Stilfiguren sind gewohnte Begriffe, zum Beispiel das Wortspiel. Können Sie mir ein Beispiel nennen?

Schüler: Eine Sängerin hatte erklärt, sie müsse nie auf der Bühne lachen. Daraufhin rief ihr ein Kollege in der ,Walküre', als sie als Erda auftauchte, aus den Kulissen zu: ,,Essen Sie harte Eier lieber oder weiche?" Und sie mußte einsetzen: ,,Weiche, Wotan, weiche!"

Lehrer: Das ist in der Tat ein Wortspiel. Es beruht auf dem Doppelsinn des Wortes *weiche*. Alle Wortspiele beruhen auf dem Doppelsinn eines Wortes oder auf Klangähnlichkeiten. Über andere Stilfiguren haben wir früher gesprochen, z. B. über Metapher, Ironie und Zitat.

Schüler: Und was ist eine Antithese?

Lehrer: Eine Antithese ist die scharfe Gegenüberstellung zweier Gegensätze, die aber doch durch ein gewisses Band zusammengehalten sind.

Schüler: Geben Sie ein Beispiel.

Lehrer: Moral predigen ist leicht, *Moral begründen schwer*. Dieser Satz Schopenhauers ist das Muster einer Antithese. Sie können sich das am besten graphisch klarmachen:

predigen – leicht
Moral
begründen – schwer

Andere berühmte Antithesen sind z. B. der Vers Schillers:

Der See kann sich, der Landvogt nicht erbarmen.

Oder der Satz Larochefoucaulds: ,,Das Glück in der Liebe liegt in der Leidenschaft, die man empfindet, nicht in der, die man erregt." Wenn Sie Ihre Gedanken scharf formulieren, werden sie bisweilen von selbst die Form der Antithese annehmen.

Der Lehrer fragt

Was ist ein Zitat?	Die wörtliche Anführung einer Stelle aus einem Buch.
Was nennen wir geflügelte Worte?	Zitate, die in aller Munde sind.
Welches sind die berühmtesten Zitatensammlungen?	Der Büchmann und der Zoozmann.
Womit sollen wir bei schwierigen Beweisführungen anfangen?	Mit der Darlegung der Voraussetzungen, d. h. den Kenntnissen, die der Leser haben muß, um das Folgende zu verstehen.
Wodurch sollen wir sodann den Leser zu fesseln versuchen?	Indem wir die Fragen lebendig machen, d. h. sie mit seinen persönlichen Angelegenheiten verknüpfen.
Durch welche Mittel können wir seine Aufmerksamkeit wachhalten?	Indem wir die Lösung nicht vor ihn hinschütten, sondern schrittweise erarbeiten und auch Einwände liebevoll erörtern.
Womit sollen wir schwierige Beweisführungen abschließen?	Mit einer Zusammenfassung.
Welche drei Akte geistiger Arbeit können wir unterscheiden?	Grübeln über dem Problem. Warten, ob später von selbst Einfälle kommen. Niederschreiben.
Wie sollen wir das Feilen vornehmen?	Mehrmals durchsehen, jedesmal auf einen andern Fehler hin.
Wodurch können wir uns selbst zur Kritik gegenüber der ersten Niederschrift erziehen?	Indem wir sie einem andern vorlesen oder sie wenigstens laut lesen.

Aufgaben

1. Nennen Sie je fünf Zitate aus den Werken Schillers und Goethes und je eines von Luther, Lessing und Bismarck.

2. Sie haben für eine Knabenzeitschrift über die nachstehenden drei Themen einen Artikel zu schreiben. Auf welche Weise können Sie diese Artikel mit den Interessen der Leser verknüpfen? (Schwere Frage für Meisterschüler.)
a) Herrscherinnen in der Geschichte.

b) Die Tierwelt der Vorzeit.
c) Die Kunst des Autofahrens.

3. Nehmen Sie sich nacheinander drei beliebige Leitartikel einer Zeitung vor und fassen Sie sie in nicht mehr als je 50 Wörter zusammen.

4. Feilen Sie einmal nachstehenden Text durch, und zwar nacheinander auf Vermeidung von Hauptwörtern, Satzbau und anschaulichen und besonderen Ausdruck. Dem Text liegt ein Aufsatz zugrunde, den ich etwas verunstaltet habe. Den Urtext finden Sie unter den Auflösungen. Ich bin gespannt, wieweit Sie auf den Urtext gekommen sind.

Im Hinblick auf die zwischen einer guten Sprachformung und einer tiefen Wahrheitsschätzung bestehende Verbindung kann gesagt werden, daß eine direkte Abneigung bzw. unzureichende Zuneigung gegen bzw. zur Wahrheit bei einer unzulänglichen Ausdrucksgestaltung vermutet werden darf, ein Übel, zu dessen Abhilfe eine absolute Verpflichtung auf reine und treue Formulierung seitens der betreffenden Person wünschenswert wäre, dessen Nichteinhaltung den Berechtigungsverlust zur Schreibung von Büchern im Gefolge haben müßte, weil andernfalls, d. h. bei Fortsetzung der jetzigen Sprachverderbung durch Bücher, Zeitung und Reden, das Material für die Darstellung des Kulturguts entwertet wird und die Benützung einer fremden Sprache zur Unehre der das Spracherbe ruiniert habenden jetzigen Sprachbenützer zur Darlegung klarer und tiefer Gedanken eine Notwendigkeit werden könnte.

5. Nacherzählung:

Wie man aus Barmherzigkeit rasiert wird: In eine Barbierstube kommt ein armer Mann mit einem starken schwarzen Bart, und statt eines Stücklein Brotes bittet er, der Meister soll so gut sein und ihm den Bart abnehmen um Gottes willen, daß er doch wieder aussehe wie ein Christ. Der Meister nimmt das schlechteste Messer, das er hat, denn er dachte: ,,Was soll ich ein gutes daran stumpfhacken für nichts und wieder nichts?'' Während er an dem armen Teufel hackt und schabt, und er darf nichts sagen, weil's ihm der Schinder umsonst tut, heult der Hund auf dem Hof. Der Meister fragt: ,,Was fehlt dem Mopser, daß er so winselt und heult?'' Der Christl sagt: ,,Ich weiß nicht.'' Der Hans Frieder sagt: ,,Ich weiß auch nicht.'' Der arme Teufel unter dem Messer aber sagt: ,,Er wird vermutlich auch um Gottes willen balbiert wie ich.'' (Hebel)

20. Lektion

8. Prüfe den Stil mit dem Zollstock!

45 **Nachprüfung.** Ein Lehrer gab einem Schüler einen Bleistift und ein Blatt Papier und beauftragte ihn, Striche von genau 10 cm Länge zu machen; durch Übung werde er das schon lernen. Als er nach einer Stunde wiederkam, hatte der Schüler keine Fortschritte gemacht, denn der Lehrer hatte vergessen, ihm einen Zollstock zum Nachmessen zu geben. Der Schüler wußte daher nicht, ob er sich dem Ziel genähert hatte.

Auch für den Stil benötigen wir einen Zollstock. Wir müssen nachprüfen können, ob wir gut oder schlecht schreiben.

So ein Zollstock ist aber nicht so einfach herzustellen. Stil ist eine Sache der Qualität, nicht der Quantität.

Aber es gibt doch Merkmale, die sich zahlenmäßig erfassen lassen. Wir haben oft die Regeln erwähnt:

Schreib keine überlangen Sätze!

Drücke Handlungen in Verben aus, nicht in Hauptwörtern!

Schreibe nicht mehr abstrakte Hauptwörter als unvermeidlich!

Lasse Menschen in deinem Text auftreten!

Es ist nicht schwer zu ermitteln, wieweit ein Schreiber diesen Forderungen entsprochen hat. Man muß nur zählen, wie viele Wörter seine Sätze durchschnittlich enthalten, wie viele Personalbezeichnungen, wie viele abstrakte Hauptwörter und wie viele Verben auf je 100 Wörter entfallen. Als Personalbezeichnungen zählen hierbei alle Namen, alle persönlichen Fürwörter *(ich, du, er, sie)* und alle Hinweise auf Menschen *(der Lehrer, die Tänzerin, der Freund)*. Als Abstrakta zählen alle Hauptwörter, die Dinge bezeichnen, die man nicht anfassen kann. Als Verben nehmen wir hierfür nur die aktiven Formen: *sein* zählt nicht; zusammengesetzte Verben *(hat gehandelt, muß gehen)* zählen wir als eins. Wenn wir also einen Text prüfen wollen, zählen wir ihn nach diesen Gesichtspunkten durch. Hebels Kannitverstan, den Sie unter den Schluß-Aufgaben finden, enthält:

20 Wörter je Satz,
8 Personalbezeichnungen je 100 Wörter,
10 aktive Verben je 100 Wörter,
5 abstrakte Hauptwörter je 100 Wörter.

Um die Ergebnisse unserer Zählungen auszuwerten, benützen wir folgende Tabelle, die fünf Stufen unterscheidet:

	Wörter je Satz	aktive Verben	Personen- bezeichn.	abstrakte Hauptw.
		je 100 Wörter		
1. Sehr leicht verständlich	1–13	über 14	über 12	0–4
2. Leicht verständlich	14–18	13–14	10–11	5–8
3. Verständlich	19–25	9–12	6–9	9–15
4. Schwer verständlich ...	25–30	7–8	3–5	15–20
5. Sehr schwer verständlich	über 30	0–6	0–2	über 20

Der Text Hebels fällt also hinsichtlich der Wortzahl, der Personalbezeichnung und der Verben in Stufe 3, hinsichtlich der abstrakten Hauptwörter in Stufe 2; der Durchschnitt der vier Zahlen – also 3 und 3 und 3 und 2 ist 11; geteilt durch 4 – ergibt 2,75; der Text ist also durchaus gut verständlich. Machen Sie den gleichen Versuch mit der Bibel oder mit Grimms Märchen, so werden Sie finden, daß die Bibel in Stufe 1 (sehr leicht verständlich), Grimms Märchen in Stufe 2 (leicht verständlich) fallen.

Freilich darf man den Wert dieses Zollstabs nicht überschätzen. Er gibt nur einen ungefähren Anhaltspunkt dafür, ob ein Text gut verständlich ist. Sie können Ihre eigenen Leistungen damit prüfen.

9. Die Kunst zu lesen

Lesen erzieht. Niemand lernt gut Klavier spielen, der nicht bisweilen einen Künstler spielen hört. Niemand lernt einen guten Stil schreiben, der nicht gute Bücher liest. Der Stil der Bücher, die wir lesen, färbt auf uns ab. Es ist daher wichtig, *was* wir lesen. Aber Lesen und Lesen ist nicht dasselbe. Goethe hat einmal gesagt, er habe achtzig Jahre gebraucht, um lesen zu lernen. Viele Menschen haben eine Unmenge gelesen, aber man merkt es ihnen nicht an. Alles ist durch sie hindurchgeronnen wie das Wasser durch den Hahn. Die meisten Menschen sind Pfuschleser. Und deshalb stehen wir vor der zweiten Frage: *Wie* sollen wir lesen? *46*

Wir müssen unterscheiden zwischen unterhaltenden und belehrenden Büchern, oder – wie man zu sagen pflegt – zwischen „schöner Literatur" und Sachprosa. (Die englisch sprechenden Länder sprechen von fiction und non-fiction.)

Zur ersten Gruppe gehören die Romane, Novellen und Erzählungen, zur zweiten die wissenschaftliche und die gemeinverständlich belehrende Prosa.

Unter den deutschen Erzählern gibt es viele hundert Schriftsteller, die ein musterhaftes Deutsch schreiben. Viele von ihnen haben Bücher geschrieben, die obendrein weit unterhaltender sind als das Gewäsch der Fünfzig-Pfennig-Literatur, mit der die geistig Bedürfnislosen sich zu vergnügen pflegen. Ich greife ein gutes Dutzend Erzähler heraus, die jedem gebildeten Geschmack Stunden des tiefsten Behagens zu schenken vermögen, etwa: Gottfried Keller, Conrad Ferdinand Meyer, Gustav Freytag, Theodor Storm, Theodor Fontane, Paul Heyse, Marie von Ebner-Eschenbach, Louise von François, Isolde Kurz, Hermann Sudermann, Gustav Frenssen, Hermann Hesse, Arthur Schnitzler, Emil Strauß, Ricarda Huch, Ina Seidel: sie alle haben schlicht und einfach geschrieben, und niemand, der sie zu lesen pflegt, kann auf die Dauer ein erbärmliches Deutsch schreiben. Schlechter steht es mit der Gelehrten-Literatur. Viele wissenschaftliche Bücher sind in einem quälend langweiligen Stil gehalten. „Die Deutschen verstehen es, die Wissenschaften unzugänglich zu machen", hat Goethe einmal gesagt. Aber auch hier gibt es in jeder Wissenschaft eine Reihe von Männern, die den tiefsten Inhalt mit der anmutigsten Form zu vereinigen wußten. Um hier nur einige Namen als Beispiel zu nennen: in der Philosophie Windelband, Kuno Fischer, Rudolf Eucken, Paulsen; in der Geschichtsschreibung Burckhardt, Treitschke, Mommsen, Marcks, Meinecke; in den Naturwissenschaften Brehm, Helmholtz, Liebig, Ratzel, Francé; in den Sprachwissenschaften Vossler; in der Kunstwissenschaft Dehio und Wölfflin; in der Rechtswissenschaft Sohm und Kisch; in der Wirtschaftswissenschaft Knapp, Röpke und Walter Eucken; ich könnte die Reihe noch beträchtlich verlängern. Lesen Sie die Bücher solcher Männer – und die Saat wird aufgehen. Aber die Saat kann nur aufgehen, wenn sie nicht unter die Dornen fällt. Fruchtbar liest nur, wer gründlich liest.

47 **Wie lesen?** Auch hier müssen wir unterscheiden zwischen Sachprosa und erzählender Prosa.

Bücher der Sachprosa sollen wir nur mit dem Bleistift in der Hand lesen. Die meisten gründlichen Leser haben bestimmte Arten von Strichen, die sie am Rande anbringen (auch in geliehenen Büchern, aber da muß man vorsichtig verfahren und nachher alle Spuren tilgen). Ich selbst habe folgendes Verfahren, das sich freilich jeder nach seinem Geschmack abwandeln kann: Bei den Sätzen, die für den Hauptgedanken entscheidend sind, mache ich einen senkrechten Strich. Diese Striche haben einen bestimmten Zweck: sie zwingen mich ständig zu überlegen: Was gehört zu der Entwicklung der Hauptthesen des Buches? Wenn ich am Schluß alle diese senkrechten Striche noch einmal entlanggehe, habe ich gleichsam den Extrakt des Buches vor Augen. Ein waagrechter Strich bezeichnet wichtige Einzelheiten, eine Wellenlinie Stellen, die stilistisch bemerkenswert sind. Dagegen habe ich keinerlei Bleistiftstriche für Stellen, gegen die ich Bedenken habe. Man muß sich nämlich beim Lesen vor vorschneller Kritik hüten. Man soll jedem Buch zunächst Vertrauen schenken, bis man es beendet hat. Nur dann schlägt das Buch bis in unsere Tiefen durch. Wer sich von vornherein kritisch abwehrend einstellt, empfängt nie einen tiefen Eindruck.

Wenn Sie mit einem belehrenden Buch fertig sind: machen Sie sich einen kurzen Auszug (Exzerpt) und heben Sie sich Ihre Auszüge übersichtlich auf. Selbstgemachte Buchauszüge sind zeitlebens eine fruchtbare und unterhaltende Lektüre.

Aber der Hauptzweck der Bleistiftstriche und Buchauszüge ist: sie zwingen zum gründlichen Lesen. Nur wer langsam und gründlich liest, kann den Inhalt eines Buches wirklich in seinem Geist einschmelzen, nur wer langsam und gründlich liest, wird von dem Stil eines Buches befruchtet.

Ganz anders lesen wir, wenn es sich um Erzähler handelt. Nur ein Pedant wird hier den Bleistift zur Hand nehmen. Hier brauchen wir keinen Bleistift, aber Pausen! Lassen Sie bei größeren Abschnitten oder bei Beginn eines neuen Kapitels das Buch sinken und überlassen Sie sich ganz der Stimmung, die es in Ihnen aufwühlt. Stellen Sie sich beim Lesen jeden Schauplatz vor, vergegenwärtigen Sie sich jeden Charakter, erzählen Sie am nächsten Tage einem Freunde den Inhalt des Gelesenen, kurzum, schlingen Sie auch hier nichts in sich hinein, sondern widmen Sie sich jedem Buch mit der Hingabe eines wirklichen, geschulten Genießers. Wenn Sie ein unverbesserlicher Schnellleser sind, so nehmen Sie einmal die Uhr zur Hilfe und schrauben Sie sich selbst auf ein natürliches Lesetempo herab. Für zehn Seiten eines wissenschaftlichen Buches (mit je 300 Wörtern) braucht ein vernünftiger Leser etwa zwanzig Minuten, für zehn ebenso große Seiten einer Erzählung zehn Minuten. Wenn Sie schneller lesen, können Sie das Gelesene schwerlich verdauen.

Wenn Sie langsam lesen, werden Sie von selbst auf den Stil des Buches achten. Es ist nicht so wichtig, daß Sie Jagd auf Stilfehler machen – alles Negative und Kritische kann für das innere Wachstum eines Menschen gefährlich werden. Wichtiger ist, daß Sie Stilschönheit bemerken.

Aber die *bewußten* Vorgänge sind überhaupt nicht die wichtigsten in der stilbildenden Kraft eines guten Buches. Bei aller Erziehung vollzieht sich das Entscheidende unbewußt. Das Beispiel erzieht und verzieht unbemerkt viel gründlicher als jede Belehrung. Lesen Sie, bevor Sie etwas niederschreiben, eine Stunde in einem guten Buche, das in einem sehr persönlichen, aber natürlichen Stil geschrieben ist. Sie werden – wenn Sie ein empfänglicher Mensch sind – ein wenig in dem Rhythmus jenes Buches denken, fühlen und schreiben. Wählen Sie hierfür ganz einfache Bücher. Der französische Dichter Stendhal las immer, bevor er zu schreiben begann, in dem Bürgerlichen Gesetzbuch Napoleons. Die steingeschnittene Sachlichkeit dieses Gesetzes feite ihn gegen jede Phrase.

Aber vielleicht werden Sie jetzt fragen: Woher soll ich die Zeit nehmen, um das Gute zu lesen? Das ist sehr einfach: indem Sie das Schlechte nicht lesen! Die meisten Menschen verwenden jeden Tag zwei bis drei Stunden dazu, um Belanglosigkeiten in Zeitungen, Zeitschriften und Broschürenliteratur zu lesen, meist Dinge, die weder wahrhaft unterhaltend noch irgend bereichernd sind. Wenn sie statt dessen das Gute läsen, so würden sie andere Menschen werden.

Stilratschlag 17

Lesen Sie gute Schriftsteller, und lesen Sie langsam und gründlich! Bei der Sachprosa können Sie sich durch ein System von Bleistiftstrichen und durch Anfertigung von Auszügen zum langsamen Lesen zwingen, bei erzählenden Büchern müssen Sie Pausen einlegen, um sie nachklingen zu lassen. Lesen Sie vor allem gute und einfach geschriebene Bücher, unmittelbar bevor Sie etwas niederschreiben.

10. Wie schreibt man Schulaufsätze?

48 **Thema erfassen!** Unter vielen Schulaufsätzen steht: „Thema verfehlt“. Wie vermeiden wir diesen Fehler? Die Anwort ist einfach: Wir geben dem Thema die Form einer Frage. Nehmen wir an, das Thema heißt: „Jeder ist seines Glückes

Schmied". Dann sollen Sie offenbar auf die Frage antworten: „Hängt das Glück eines Menschen von seiner eigenen Leistung ab?" Wenn Sie das Thema so glasklar vor sich hinstellen, wissen Sie auch die Antwort: „Zum großen Teil ja, aber nicht ausschließlich." Es werden Ihnen dann Beispiele einfallen, wie Menschen durch hohe Leistungen zu Ruhm und Wohlstand kamen, vielleicht auch Gegenbeispiele, wie andere mit ihrer Arbeit das äußere Glück, den Erfolg, nicht erzwingen konnten, es aber zum inneren Glück, zur Zufriedenheit, brachten. Wenn Sie aus dem Thema eine Frage machen, kommen Ihnen meist schon einige Einfälle. Noch ein paar Beispiele:

Ursprüngliches Thema	Frageform
Lügen haben kurze Beine.	Werden Lügen auf die Dauer geglaubt? Warum nicht?
Fahrrad und Motorrad.	Welche Vorteile, welche Nachteile haben beide? Was ist schneller, praktischer, billiger, schöner?
Das Wasser im Dienst der Volkswirtschaft.	Was leistet das Wasser für die Wirtschaft? In welcher Form tritt es auf? (Dampf, Strömung, Eis).
Auf den Spuren des Frühlings.	Was sehen wir im Frühling in der Natur und an den Menschen?

Wenn wir uns ganz klar sind, welche Fragen wir beantworten müssen, gehen wir an die Stoffsammlung und Gliederung. (Wir haben das durch Lektion 15, Ziffer 1–3 gelernt, können die drei Abschnitte jetzt aber ruhig nochmals lesen.)

49

Ratschläge zu einzelnen Aufsatzarten. Die einfachste Aufsatzgattung ist die *Erzählung*; hier ist uns der Stoff gegeben; wir müssen ihn recht lebendig gestalten. (Davon handelte das ganze Kapitel VI.)

Schwieriger ist der *Sachbericht*. Er reicht von der einfachen Beschreibung, bei der uns sorgfältige Beobachtung den Stoff liefert, bis zur ausführlichen „Facharbeit", für die wir die Literatur nachschlagen müssen. Zu dieser Gruppe gehört auch die Charakteristik (z. B. „Egmonts Charakter"); sie wird lebendiger, wenn wir gelegentlich eine Gegenfigur – also hier Oranien – heranziehen. Besonders schwierig ist die Begriffsbeschreibung oder Definition (z. B. „Mut"). Hier tun wir gut, zunächst einige

Beispiele zu berichten, bei denen jemand Mut bewiesen hat, und aus ihnen den Begriff abzuleiten. Wir müssen hierfür den Oberbegriff suchen (siehe die 6. Lektion: Wähle das treffende Wort!) und dann mit Hilfe der Beispiele herausfinden, wie sich „Mut" von anderen Gemütsstimmungen unterscheidet.

Die dritte Gruppe bilden die *Stimmungsbilder* (z. B. „Der Wald im Winter"); am besten geben wir ihnen die Form eines Erlebnisberichtes; wir schildern also einen Spaziergang durch einen Winterwald.

Die letzte, größte und schwierigste Gruppe bilden die „*Besinnungsaufsätze*", in denen der Schüler ein Urteil über ein Problem des wirklichen Lebens abgeben soll, also z. B.:

Sollen wir Sport treiben?
Rundfunk: Luxus oder Notwendigkeit?
Wert und Zweck der Schulausflüge.
Arbeit ist Trost, Arbeit ist Lohn.

Die meisten Besinnungsaufsätze erfordern ein Werturteil. Hier ist ein bestimmter Kunstgriff nützlich; er bedarf aber einer gewissen Erläuterung.

Man unterscheidet Urteile über einen Sachverhalt und Werturteile. Die Sachverhalts-Urteile sagen, ob und wie etwas *ist*, die Werturteile, ob und wie etwas sein *soll*. Bei den Sachverhalts-Urteilen stellen wir fest, wie sich etwas in Wirklichkeit verhält; bei den Werturteilen, ob etwas – in moralischer oder praktischer Hinsicht – wertvoll ist. Alle vier vorstehend genannten Themen verlangen von uns ein Werturteil.

Nun können wir uns alle Aufsätze, die Werturteile erfordern, gewaltig erleichtern, wenn wir zunächst einmal den zugrunde liegenden Sachverhalt klarstellen. Wir sagen erst, wie die Sache sich verhält, und dann ergibt sich hieraus, welchen Wert sie hat. Bei dem Sport-Thema fragen wir uns zunächst: welche Folgen hat der Sport für Leib und Seele; dann können wir die Frage, ob wir Sport treiben sollen, leicht beantworten. Bei dem Rundfunk-Thema beschreiben wir erst, was der Rundfunk leistet und leisten kann. Bei dem Schulausflug-Thema schildern wir erst, wie Schulausflüge verlaufen und wie sie auf die Beteiligten wirken, dann ergibt sich ihr Wert und Zweck von selbst. Bei dieser Beschreibung des Tatbestandes werden wir häufig gut tun, in einem ersten Teil die Lichtseiten, in einem zweiten die Schattenseiten der Sache darzustellen. Die Hilfsfragen von Seite 163 Ziffer 3 werden wir auch hierbei gut anwenden können.

Bisweilen verlangt das Thema kein allgemein gehaltenes Werturteil (objektives Werturteil) wie bei den vorstehenden Themen, sondern ein Urteil persönlichen Geschmacks (subjektives Werturteil), z. B. „Meine liebste Landschaft". Dann können wir uns die Darstellung dadurch erleichtern, daß wir die Form eines Briefes oder eines erfundenen Gesprächs wählen.

Stellen Sie sich das Thema in Form einer Frage!
Stellen Sie bei Besinnungsaufsätzen erst den Sachverhalt dar, ehe Sie das Werturteil abgeben!

Stilratschlag 18

11. Wie schreibt man Privatbriefe?

50

Wie nicht? Privatbriefe schreibt jedermann. Dieser Teil der „Schriftstellerei" ist daher von großer praktischer Wichtigkeit. Es werden viele schlechte Privatbriefe geschrieben. Nehmen wir wieder ein Beispiel:

Lieber Karl!
Mit sehr schlechtem Gewissen ergreife ich die Feder, um endlich einmal wieder etwas von mir hören zu lassen. Du wirst über mein langes Schweigen sicher recht ärgerlich sein; aus dem Datum Deines Briefes sehe ich, daß es wirklich schon sieben Monate sind. Aber ich bin beruflich momentan sehr überlastet und hatte auch viel Ärger, so fehlte mir oft die Stimmung zum Briefeschreiben. Auch war ich vorübergehend krank; kurzum es fügte sich nie. Aber heute habe ich mich endlich aufgerafft, um Dir einmal ausführlich zu schreiben. Ich hoffe, Du hast mir die lange Pause nicht allzusehr übelgenommen. Es tut mir wirklich leid. Bei uns gibt es wenig Neues. Wir sind gesund, wenn auch mit Einschränkungen. Die Kinder wachsen allmählich heran. Geschäftlich gibt es viel Sorgen und namentlich viel Ärger mit den Behörden, und die Zukunft sieht höchst unsicher aus. Ich kann Dir auch mitteilen, daß ich noch nicht auf Urlaub gekommen bin. Seit langem ist das Wetter wechselnd; manchmal regnet es, manchmal scheint die Sonne. Gestern z. B. war es klar, aber heute hat es sich wieder völlig umzogen. Na, vielleicht wird es morgen besser.
Und wie geht es Euch? Was macht die teure Gattin und die lieben Kinder? Hoffentlich seid Ihr alle wohlauf und denkt trotz unseres langen Schweigens manchmal noch an uns. Schreib doch mal ausführlich, was Ihr so macht. Sind die Kinder gesund?
Jetzt muß ich schließen. Erna will den Brief mit zum Briefkasten nehmen. Laßt es Euch recht gut gehen und seid alle miteinander recht herzlich von meiner Frau, den Kindern und vor allem von mir selbst gegrüßt.

Dein alter Freund
Emil

Der Empfänger war ein natürlicher, lebhafter Mensch. Er antwortete:

Lieber Emil!
Dein Brief ist der langweiligste Brief, den ich je in meinem Leben bekommen habe. Du beherrschst wirklich die Kunst, viel zu reden und wenig zu sagen. Die eine Hälfte des Briefes ist überflüssig, die andere nichtssagend. Überflüssig ist die Ausführlichkeit Deiner Entschuldigungen; jeder Mensch pflegt seine Schreibfaulheit mit „momentaner Überlastung" zu begründen. Daß Sonne und Regen abwechseln, ist eine alte Erfahrung; daß die Kinder heranwachsen, hatte ich mir gedacht, und daß die Zukunft unsicher ist, ist auch nichts Neues. Und wenn Du wirklich eine Tatsache mitteilst, wählst Du immer den allgemeinsten, unbestimmtesten Ausdruck und alte, abgewetzte Formeln, so daß man nach dem Lesen nicht mehr weiß als zuvor. Du sagst nichts, aber das sagst Du dreimal. Man merkt Deinem Brief auch an, wie ungern Du Dich dazu „aufgerafft" hast. Und zuletzt natürlich die verbrauchte Wendung „Ich muß jetzt schließen"! Du *mußtest* gar nicht schließen, aber Du warst froh, daß der Bogen voll war.
Schreib mir lieber gar keine Briefe als solche!

Herzlichst
Dein Karl

Selbstverständlich hat Karl ganz recht, und wir können aus diesem Briefwechsel viel lernen.

51 **Wie dann?** Betrachten Sie jeden Briefwechsel als ein Zwiegespräch. Schreiben Sie also nur, was Sie dem Empfänger auch *sagen* würden. Beantworten Sie zunächst alle Punkte, die er in seinem letzten Brief berührt hat. Schreiben Sie ihm dann diejenigen Tatsachen, die er mutmaßlich zu erfahren wünscht. Schreiben Sie nie die allgemein üblichen Briefredensarten, über die sich Karl mit Recht lustig macht.
Bismarcks Frau schreibt einmal ihrer Tochter: „Epische Briefe sind viel eindrucksfähiger für mich als lyrische. Eure Gefühle kenne ich und prätendiere gar nicht, daß Ihr mir jedesmal neue Liebeserklärungen macht, meine Herzenskinder, freue mich aber unendlich über jedes kleine Ereignis Eures jungen Lebens, welches Ihr mir nett mitteilt . . ."
In Briefen soll Ihr Ausdruck noch viel lebendiger, noch viel ähnlicher der Redesprache sein als in anderen Schriftstücken. Halten Sie mit Ihrem *Ich* nicht zurück. Manche glauben, das *Ich* ganz unterdrücken zu müssen, aber das ist Unfug. Sie können einen Brief sogar mit *Ich* beginnen. Und die Art der An-

rede, die beim Kommiß vorgeschrieben war *(Haben Herr Hauptmann . . .)*, wirkt im Zivil verstaubt und unfrei. Ein Brief an vertraute Freunde erfordert auch keine Disposition und kein Durchfeilen, er soll einfach Erguß sein. Hier ein Beispiel eines natürlichen, lebendigen Briefes eines jungen Mannes an seine Verlobte:

Einzig geliebte Jeanette, Friederike, Charlotte, Eleonore, Dorothea!

Ich will Dir auch einmal des Morgens schreiben, und zwar an einem trüben, regnenden Morgen will ich wenigstens die Sonne in mir scheinen lassen, indem ich nur an Dich denke. Es ist halb neun, und hier 16 Fuß vom Fenster so dunkel, daß ich kaum schreiben kann. Da mußt Du schwarze Sonne von innen sehr hell scheinen, wenn's gehen soll. Wie kann Schwarz leuchten? Nur in Gestalt von poliertem Ebenholz, geschliffener Lava; so glatt und hart bist Du nicht; mein Bild mit der schwarzen Sonne ist also falsch. Bist Du nicht eher eine dunkle warme Sommernacht, mit Blütenduft und Wetterleuchten? Denn stern- und mondhell möchte ich kaum sagen, das Bild ist mir zu gleichmäßig ruhig. – Ich werde gestört. Ich habe den ganzen Morgen Pferdehandel getrieben, und es gemacht wie die Damen im Laden; nachdem ich mir von dem Händler einige 20 im tollsten Regen auf glattem Eis habe vorführen lassen, kaufte ich nichts, obschon es lauter Dänenrosse waren. Bei Pferden übrigens fällt mir gleich ein, reiten mußt Du, und wenn ich mich selbst in ein Pferd verwandeln sollte, um Dich zu tragen. Habt Ihr denn keinen Arzt dort, der Deinem Vater die Notwendigkeit davon einleuchtend macht? Steck Dich hinter den, daß er erklärt, Du müßtest blind werden, wenn Du nicht reiten solltest, oder was sonst; er kann ohne zu lügen sagen, daß es im Interesse Deiner Gesundheit nötig ist.

Von wem mag der Brief sein? Von Bismarck! Bismarck beherrschte auch das beste Stilmittel des Briefschreibens, den Humor. Als er einmal – noch Gesandter – in Berlin saß und lange auf einen Auftrag warten mußte, schrieb er:

Ich sitze hier auf dem Balkonfelsen wie die Loreley und sehe die Spreeschiffer durch die Schleusen ziehn, aber ich singe nicht und mit dem Kämmen habe ich auch nicht viele Mühe. Ich denke mir, daß ich hier im Hotel uralt werde, die Jahreszeiten und die Geschlechter der Reisenden und Kellner ziehn an mir vorüber und ich bleibe immer im grünen Stübchen, füttre die Spatzen und verlier täglich mehr Haare.

Für einen natürlichen und lebendigen Menschen ist Briefschreiben nicht schwerer als jede andere Unterhaltung, ja für manchen ist es eine tiefe Freude. *Wer sie nicht kennt, die schönen Stunden, in denen nach des Tages voller Arbeit oder des Abends leerer Geselligkeit die weihevolle Sabbatstille sich herabsenkt auf einen schönen Bogen weißes Papier, welcher einlädt, sich selbst im Hindenken zu einem ganz nahe verständnisvollen zweiten Sinn und Gemüt zu öffnen, der kennt nicht einen der lieblichsten Genüsse unseres beschränkten Daseins.* (Bamberger)

52 **Beileidsbriefe.** Am schwersten zu schreiben sind Beileidsbriefe. Aber hier gilt es wieder zu unterscheiden. Wenn Sie dem Toten oder den Hinterbliebenen innerlich wirklich nahegestanden haben, so wird Ihnen Ihr Gefühl die richtigen Worte eingeben. Ganz von selbst werden Sie von der Frage sprechen, die in diesem Augenblick die natürliche ist, nämlich davon, was der Dahingegangene Ihnen bedeutet hat.
Wenn dagegen Ihre innere Beziehung weniger eng ist, so verzichten Sie auf phrasenhafte Ausführlichkeit. Schreiben Sie lediglich, daß Ihre Gedanken bei den Hinterbliebenen weilen, und fügen Sie – wenn es einen Sinn hat – hinzu, daß Ihre Hilfe immer zur Verfügung stehe.

53 **Anrede und Schluß.** Manche Leute legen Wert darauf, daß Anrede und Schlußwendung dem Herkommen entsprechen. An nahe Bekannte schreibt man *Lieber Emil!* oder *Lieber Doktor Meyer!*, *Lieber Herr Schmidt!* An Fremde schreibt man *Sehr geehrter Herr Müller!* oder falls Herr Müller einen Titel hat, z. B. *Sehr geehrter Herr Amtsrichter!* An Damen schreibt man auch: *Sehr geehrte gnädige Frau!* Bei Höhergestellten schreibt man *Sehr verehrter Herr Senator!* oder *Verehrte Gräfin!* (die Wörter *Herr* und *Frau* bleiben bei Adelsanreden weg). Bei Behörden schreibt man nur *An das Wohnungsamt Dachau*; bei Firmen *An Gebr. Mayer & Söhne*, setzt dann aber über den Brief, wenn er persönlicher Natur ist, *Sehr geehrte Herren!* Man schließt je nach dem Grad der Verbundenheit: *Mit vorzüglicher Hochachtung*, *Hochachtungsvoll*, *Mit den besten Empfehlungen*, *Mit herzlichen Grüßen*, *Herzlichst*. Vor den Namen setzt man *Ihr aufrichtig ergebener*, *Ihr sehr ergebener* oder *Ihr*. Alle diese Wendungen sind Formeln, die ihren ursprünglichen Sinn eingebüßt haben.

12. Wie schreibt man Geschäftsbriefe?

54 **Wirkungsstil.** Für Geschäftsbriefe gelten zunächst die allgemeinen Stilregeln. Aber daneben sind noch einige besondere Erfahrungen zu beachten.

Die meisten Geschäftsbriefe wollen eine bestimmte Wirkung hervorrufen: ein Kunde soll kaufen, ein Fabrikant soll liefern, ein Abnehmer soll zahlen, ein Vertreter soll Kunden besuchen. Geschäftsbriefe müssen daher in einem *Wirkungsstil* gehalten sein, d. h. in einem Stil, der die Menschen zu bestimmten Handlungen veranlaßt. Wie bringt man Menschen zu bestimmten Handlungen?

Zum Wirkungsstil gehört zunächst: der Brief muß so gehalten sein, daß der Empfänger ihn gern liest. Er soll möglichst etwas enthalten, was in dem Empfänger eine gewisse Befriedigung erzeugt. Und er darf nichts enthalten, was den Empfänger verärgert.

Nehmen wir ein paar Beispiele. Absichtlich wähle ich unerquickliche Geschäftsvorfälle, bei denen es nicht einfach ist, den Brief so zu stilisieren, daß der Empfänger ihn ohne Ärger liest. Ein Kunde hat gelieferte Chemikalien grundlos beanstandet und zurückgeschickt. Der Durchschnittskorrespondent schreibt:

Wir sind im Besitz Ihres Werten vom 2. 1., bedauern aber, Ihnen mitteilen zu müssen, daß nach der in unserem Laboratorium sofort vorgenommenen Prüfung Ihre Beanstandung keineswegs begründet ist. Die Ware steht zu Ihrer Verfügung. Die Begleichung der Rechnung erwarten wir bis zum 2. 2.

Ein gebildeter Briefschreiber schreibt so:

Mit dem größten Bedauern haben wir Ihrem Briefe vom 2. 1. entnommen, daß Sie mit unserer Lieferung nicht zufrieden sind. Sie können sich vorstellen, welchen Wert wir auf das Urteil einer Firma vom Range der Ihren legen, deren Ansicht in Ihrer ganzen Branche maßgebend ist. Wir haben daher unser Laboratorium beauftragt, Ihre Beanstandung auf das genaueste zu prüfen. Wir fügen den Originalzettel des Laboratoriums über das Ergebnis der Untersuchung bei; wir bitten Sie, daraus zu entnehmen, daß die Ware genau den zugesicherten Bedingungen entsprochen hat. Wir halten daher für möglich, daß Ihnen bei der Prüfung unserer Lieferung ein Irrtum unterlaufen ist. Wir haben uns daher gestattet, Ihnen die Sendung erneut zu übermitteln.

Ein anderer Fall: ein Kunde zahlt nicht. Erste Form:

Unsere Rechnung vom 2. 1. ist seit Wochen überfällig. Unsere Mahnung vom 2. 2. haben Sie leider unbeachtet gelassen. Wir müssen Sie um sofortige Überweisung des Betrages bitten. Sollte er bis zum 10. 2. nicht eingegangen sein, so wären wir genötigt, ihn durch Nachnahme zu erheben.

Bessere Form:

Es geht uns wie Ihnen und wie heute allen: wir sind knapp an Geld. Wir brauchen es für Löhne, für Einkäufe und für das unersättliche Finanzamt. Wir müssen Sie deshalb bitten: schicken Sie uns den Gegenwert unserer Rechnung vom 2. 1. in Höhe von DM 556.– bis zum 10. 2. Wenn der Betrag bis dahin noch nicht eingegangen ist, nehmen wir an, daß wir ihn durch Nachnahme erheben sollen.

Ein drittes Beispiel: die Aufträge eines Hotels, das früher regelmäßig bei einer Seifenfabrik bestellt hat, sind ausgeblieben. Der Schmierkorrespondent schreibt:

Bei Durchsicht unserer Bücher stellen wir zu unserem großen Bedauern fest, daß wir von Ihnen seit über einem Jahr keinen Auftrag mehr erhalten haben. Bei der gleichbleibenden guten Qualität unserer Ware können wir uns den Ausfall nicht erklären und hoffen sehr, daß Sie uns bald wieder mit einem Auftrag beehren werden.

Den Brief wirft der Hoteldirektor mit fünf ähnlichen langweiligen Schreiben halb gelesen in den Papierkorb. Zum Glück hat die Palmolive-Seifengesellschaft in Milwaukee etwas anders geschrieben:

den 17. November 1919

Sehr geehrter Herr Hoteldirektor!

Der Fall Jim Smith

Nehmen wir einmal an, er heiße Jim Smith. Er ist Geschäftsreisender und steigt in jedem Monat mit der Pünktlichkeit eines Uhrwerks in Ihrem Hotel ab. Sie achten darauf, daß er von Ihren Angestellten in jeder Hinsicht richtig behandelt wird, denn Sie sind ängstlich darauf bedacht, sich seine Zufriedenheit zu erhalten.
Mit einem Male bemerken Sie, daß Jim Smith nicht mehr wie üblich bei Ihnen absteigt. Sie fragen sich, was geschehen ist. Sie erkundigen sich bei einem Bekannten Jims, ob er Ihre Gegend nicht bereist, und erfahren, daß er umherreise wie immer.
Sie können sich nicht erinnern, daß Jim irgendwie nachlässig behandelt worden wäre, daß er bei Ihnen nicht die denkbar beste Bedienung gefunden hätte. Sie können den Fall einfach nicht begreifen und sind erstaunt. Sehen Sie: genau so geht es uns hier in Milwaukee mit Ihnen. Vor über einem Jahr kauften Sie das letztemal Seife von uns. Seitdem aber haben wir nichts mehr von Ihnen gehört. Wir erinnern uns keiner Klage von Ihrer Seite. Wir fragen uns nur verwundert, was die Ursache sein mag.
Wahrscheinlich ist Ihr Seifenvorrat inzwischen zur Neige gegangen. Sie brauchen sicher bald wieder Seife. Deshalb legen wir zu Ihrer Bedienung unsere neueste Preisliste bei.

Sie wissen, daß Palmolive-Seife jederzeit befriedigt. Die Marktlage läßt es aber rätlich erscheinen, daß Sie sich auf wenigstens 3–4 Monate mit Seife eindecken.
Selbst wenn aber Ihr Lager noch genügend Vorrat aufweist, eine kurze Mitteilung auf der beiliegenden Freikarte wird uns wissen lassen, daß wir auch in Zukunft auf Ihre Zufriedenheit und Ihre Kundschaft rechnen können.
Und das ist uns schon sehr viel wert!

Mit freundlichen Grüßen
Ihre immer dienstbereite
Palmolive & Co.

In keinem dieser Briefe finden Sie die altmodischen Kaufmannswendungen wie

Mit dem Gegenwärtigen beehre ich mich, Ihnen gefl. mitzuteilen . . .
Antwortlich Ihres geehrten Gestrigen beeile ich mich . . .
Von Ihren geschätzten Ausführungen habe ich bestens dankend Kenntnis genommen und bitte höflichst . . .

Werbebriefe. Es gibt nicht viele Kaufleute, die diesen Stil heute noch lieben. Der Briefton ist natürlicher geworden, er nähert sich mehr dem des Gesprächs, vor allem in Werbebriefen:

55

Bitte wollen Sie mich fünf Minuten anhören. Meines Wissens haben Sie nämlich noch nicht den Nagelauszieher Gradaus *ausprobiert; er verhütet, daß Ihre Kisten beim Öffnen zertrümmert werden, zieht die Nägel aus dem Deckel schön sauber und gerade heraus und legt sie ins Nagelkistchen.*
Dieses famose Werkzeug kann selbst von einem Lehrmädchen ohne Anstrengung nach kurzer Zeit gehandhabt werden und erzielt in Ihrem Packraum und Hof den erfreulichen Anblick ganzer, verwendungsfähiger Kisten und stets gerader Nägel, ohne daß Sie welche zu kaufen brauchen.
Glauben Sie nicht, daß dieser dauernd saubere Zustand die einmalige Ausgabe von DM 9.75 für den Nagelauszieher einschließlich Porto und Verpackung wert ist?

Solche Werbebriefe an Empfänger, mit denen man noch nicht in Verbindung steht, sind schwierig. Sie müssen sich – wie jede Propaganda – an das Gefühl wenden, nicht an den bloßen Verstand. Und Sie müssen mit dem ersten Satz das Interesse der Kunden erzwingen. Die Sekunde, in der der Empfänger zu lesen beginnt, entscheidet meist über den Erfolg.
Der Gründer eines späteren Weltunternehmens, der National-Registrierkassen-Gesellschaft, Patterson, begann den ersten Werbebrief seiner Firma mit dem Satz: *Wollen Sie die Söhne*

anderer Menschen zu Dieben machen? Eine große amerikanische Versicherungsgesellschaft begann einen Werbefeldzug mit folgendem Briefanfang:

Als Noah die Arche baute, regnete es nicht. Wenn er bis zu den ersten Wolkenbrüchen gewartet hätte, wäre es zu spät gewesen. Noah war der erste Mensch, der das Wesen der Versicherung erfaßt hatte.

Freilich darf man das Anreißerische der Reklame nicht übertreiben. In New York las ich einmal die Plakat-Reklame: *Warum leben Sie noch? Eine Beerdigung bei Black und Davis kostet nur 34 Dollar.*

Sehr wirkungsvoll sind bei Werbungsbriefen kurze, scheinbar erst im letzten Augenblick hinzugefügte Nachschriften. Ein Fischhändler schreibt an den Schluß eines Werbebriefes, als er seinen Vorrat an Flundern zwei Tage nicht hatte verkaufen können:

Soeben bekomme ich die Nachricht, daß morgen – Mittwoch – frische Räucherflundern eintreffen. Falls Sie dieser Brief noch Mittwoch erreicht, rufen Sie Nr. 20205 an.

Auch bei Geschäftsbriefen können Abbildungen eine vorzügliche Unterstützung sein, vor allem heitere Zeichnungen; ein Beispiel statt vieler Worte:

Sehr geehrte Firma!

Haben Sie sich schon einmal darüber geärgert, daß ein Knopf abriß, und das vielleicht im unpassendsten Augenblick?
Diesen Ärger können Sie Ihren Kunden ersparen, wenn Sie ihnen empfehlen, künftig zum Knopfannähen dreifachen Leinenzwirn zu verwenden, wie vor dem Kriege vielfach üblich, am besten

Mammut-Leinenzwirn

Der Preis des dreifachen Leinenzwirns ist DM 12.80 brutto für 100 Sternchen zu 20 m.
Gegenüber dem sonst üblichen zweifachen Leinenzwirn macht der Preisunterschied pro angenähtem Knopf etwa ein zwanzigstel Pfennig aus. Dafür hält der Knopf aber unbegrenzt, wie Sie auf dem Bilde sehen. Ein Gratismuster des Mammut-Leinenzwirns liegt bei.

Regeln. Was lernen wir aus allen diesen Beispielen? Wir lernen die Erfahrungssätze: 56

a) Auch Geschäftsbriefe müssen Sie in einem natürlichen, lebendigen Ton halten und sich in möglichst persönlicher Form an den Empfänger wenden.
Schreiben Sie, wie Sie bei einem Besuch des Kunden sprechen würden.

b) Sie müssen sich in die Seele des Empfängers versetzen und müssen möglichst so schreiben, wie er es gern liest. Belehrungen sind streng verboten.

c) Bei Werbebriefen müssen Sie durch Bilder oder originelle Einfälle die Aufmerksamkeit des Empfängers erobern und sich dann an sein Gefühl wenden.

d) Schreiben Sie so kurz wie möglich, nur darf die Kürze nicht zur Unhöflichkeit werden.
Bei Briefen an Filialen oder Vertreter genügt oft ein lakonisches „Einverstanden".

Noch ein paar kleine Ratschläge:

a) Es ist besser, Geschäftsbriefe nicht selbst zu tippen, sondern zu diktieren; sie werden dadurch lebendiger.

b) Eine persönliche Anrede am Anfang des Briefes gibt dem Brief eine wärmere Note.

c) Bei schwierigen Verhandlungen ist es oft gut, wenn Sie am Anfang des Briefes kurz den Standpunkt des Gegners wiedergeben, und zwar mit Wohlwollen und Verständnis. Der Gegner soll daraus ersehen, daß Sie seine Argumente wenigstens verstanden haben. Sonst wiederholt er sie nämlich in seinem nächsten Brief noch einmal.

d) Selbstverständlich muß sich der Brieftonnach dem Anlaß und dem Zusammenhang richten. Ein Weltunternehmen muß förmlicher schreiben als ein Landkrämer. An Vertreter schreibt man knapper als an Kunden.

Stil-ratschlag 19 *Vermeiden Sie die veralteten Kaufmannsausdrücke, schreiben Sie in einem lebendigen Ton! Versetzen Sie sich in die Lage des Empfängers, schreiben Sie einiges, was er gern liest. Schreiben Sie kurz, aber nicht unhöflich, und vermeiden Sie Belehrungen.*

13. Weiterbilden!

57 **Was nun?** Wir stehen am Schluß. Wenn Sie alle Lektionen gründlich durchgearbeitet haben, schreiben Sie heute bestimmt einen andern Stil als vor einigen Monaten: lebendiger, bestimmter, wirkungsvoller!

Aber jede Fertigkeit erlischt, wenn man sie nicht pflegt. Wer den Fußballplatz drei Jahre nicht betritt, ist kein Crack mehr. Was können Sie tun, um „in Form" zu bleiben?

Sicherlich haben Sie manchmal etwas zu schreiben. Schreiben Sie es sorgfältig! Beachten Sie alle Ratschläge, auch wenn es sich nur um Unwichtiges handelt.

Aber widmen Sie außerdem gelegentlich eine Stunde der Weiterbildung. Lesen Sie langsam, vielleicht laut, gute Bücher. Wenn Sie eine fremde Sprache sprechen, dann versuchen Sie einmal, ein paar Seiten in ein flüssiges Deutsch zu bringen. Aber noch bildender ist es, schlechtes Deutsch in gutes Deutsch zu verwandeln. Sie finden in Zeitungen, Zeitschriften, Fünfzig-Pfennig-Romanen, wissenschaftlichen Büchern, Verbandsmitteilungen usw. mehr Stoff, als Ihnen lieb ist. Kritisieren ist leicht, besser machen schwer. Machen Sie es besser!

Lesen Sie auch hier und da etwas über die Kunst, sich gut auszudrücken. Den Sprach-Brockhaus und den Bilder-Duden habe ich Ihnen schon empfohlen. Vorzüglich ist auch ein Schulbuch: Die Deutsche Spracherziehung von Rahn-Pfleiderer (Verlag Ernst Klett, Stuttgart). Wenn Sie noch gründlicher in die Stilprobleme eindringen wollen, so können Sie auch ein umfangreiches Buch lesen, das ich selbst geschrieben habe: Ludwig Reiners: Stilkunst (Verlag C. H. Beck, München). Es versucht, die Aufgaben, die wir in diesem Buche vor uns hatten, auf sehr viel breiterer Basis zu lösen, und bringt hierfür eine Fülle von Beispielen aus allen Gebieten der Literatur.

Stil-ratschlag 20 *Schlafen Sie nicht auf Ihren Lorbeeren ein, sondern bilden Sie sich weiter durch Übersetzungen, vor allem aus dem Papierdeutsch, und durch Lesen der einschlägigen Literatur!*

Fragen

Der Schüler fragt

Schüler: In dieser Lektion haben Sie verschiedenes gelehrt, was mir gar nicht einleuchtet. Was zunächst einmal das Lesen angeht: Sie meinen, man sollte die guten alten Sachen von Keller, Fontane usw. lesen. Aber man muß doch vor allem die Neuerscheinungen lesen, um ein bißchen mitreden zu können.

Lehrer: Lesen Sie ruhig auch Neuerscheinungen, wenn sie Ihnen von vernünftigen Leuten empfohlen sind. Aber wenn Ihre Bekannten ausschließlich das Moderne preisen, dann erzählen Sie ihnen, wie König Friedrich Wilhelm IV. einen berühmten Astronomen fragte: „Nun, was gibt es Neues in der Astronomie?“ „Kennen Eure Majestät eigentlich schon das Alte?“ war die Antwort.

Schüler: Diese Anekdote kann man oft gut verwenden. Aber ich habe noch eine Frage, es ist meine letzte. Sie tun so, als sei Briefschreiben gradezu ein Vergnügen. Für die meisten Menschen ist es eine Strafe, und eben deshalb schieben sie es immer hinaus. Ich fürchte, auch Ihre Ratschläge können mich nicht von dieser Abneigung heilen.

Lehrer: Würden Sie sich gern einmal mit Bekannten, die an einem anderen Orte leben und die Sie seit Monaten nicht gesehen haben, unterhalten?

Schüler: Das sicher, aber ...

Lehrer: Kein Aber! Briefschreiben ist ein Unterhalten mit dem Bleistift, genau so zwanglos, genau so frisch von der Leber! Geben Sie nur das Vorurteil auf, Briefwechsel sei eine feierliche Handlung, und sogleich ergeben sich zwei Vorteile: das Briefschreiben wird angenehm und die Briefe werden lebendig. Und wenn der zeitraubende Prozeß des Schreibens Sie stört: schreiben Sie mit dem Bleistift, mit der Schreibmaschine, diktieren Sie Ihrer Tochter oder Ihrer Freundin ins Stenogramm. Zwanglose Briefe sind gute Briefe.

Der Lehrer fragt

Was pflegt man als schöne Literatur zu bezeichnen?	Die Romane, Novellen, Dramen, Epen und Gedichte.
Was ist der Gegensatz zur schönen Literatur?	Die Sachprosa, d. h. die Bücher belehrenden Inhalts.
Wie soll man Bücher der Sachprosa lesen?	Mit dem Bleistift in der Hand, um sich manche Stellen nach einem gewissen System anstreichen zu können.
Welchen Vorteil haben Buchauszüge (Exzerpte)?	Wer einen Buchauszug zu machen pflegt, muß gründlich lesen. Außerdem kann man später auf den Auszug zurückgreifen.

Welche Vorbereitung auf das Schreiben erweist sich oft als zweckmäßig?	Wenn man kurz vorher einen besonders klaren und natürlichen Schriftsteller liest, klingt sein Ton in uns weiter.
Was muß man beim Schreiben von Privatbriefen beachten?	Ein Briefwechsel ist ein Zwiegespräch. Er soll nicht abgewetzte Formeln enthalten, sondern das, was der Empfänger zu erfahren wünscht.
Welche besondere Regel gilt für den Briefstil?	Noch natürlicher und lebendiger als der sonstige Schreibstil. Ein Brief soll mehr Erguß sein als Abhandlung.
Was ist die Besonderheit der Geschäftsbriefe?	Sie sollen bestimmte Wirkungen herbeiführen und müssen daher in einem „Wirkungsstil" gehalten sein.
Welche Ratschläge ergeben sich hieraus?	1. Schreiben Sie keine altmodischen Formeln, sondern in einem lebendigen Briefton. 2. Versetzen Sie sich beim Schreiben in die Lage des Empfängers. Schreiben Sie einiges, was er gern liest. Schreiben Sie nie Belehrungen. 3. Wiederholen Sie manchmal den Standpunkt des anderen. 4. Schreiben Sie kurz, aber nicht unhöflich.

Aufgaben

1. Machen Sie einen Auszug aus irgendeinem volkstümlichen wissenschaftlichen Buch oder einem Zeitschriften-Artikel.

2. Bringen Sie den nachstehenden Geschäftsbrief in ein natürliches Deutsch:

Im Besitze Ihres geehrten Gestrigen bedauern wir, Ihnen mitteilen zu müssen, daß wir bei aller Wertschätzung, die wir Ihrem Hause entgegenbringen, doch uns leider nicht in der Lage sehen, die von Ihnen proponierte Reduzierung unserer Preise für ff. Matratzen-Spiralen in Erwägung zu ziehen. Die beunruhigende Entwicklung auf dem Rohstoffmarkt einerseits und die drohende Aufwärtsbewegung der Löhne andererseits haben eine Einengung unserer Kalkulation hervorgerufen, welche die Inerwägungziehung einer rückläufigen Preisbewegung leider völlig zur Unmöglichkeit macht.

3. Verfassen Sie ein Entschuldigungsschreiben, das ein junges Mädchen an ihren Klavierlehrer (Professor) richtet, weil sie wegen einer plötzlich notwendig werdenden Reise nicht in die Stunde kommen kann.

4. Verfassen Sie eine Zusage zu einer Einladung zum Abendessen. Absender: älterer Gymnasiast, Empfänger: ein mit den Eltern befreundetes Ehepaar.

5. Verfassen Sie einen Brief an Ihren Nachbarn, der trotz mündlicher Bitten das Radio bei offenem Fenster überlaut schlechte Schlagermusik spielen läßt. (Höflich, aber Hinweis auf Polizeivorschriften.)

6. Was ist falsch an folgenden Briefformeln: *Hochverehrtes Arbeitsamt! Sehr geehrter Herr Gerichtshof! Lieber Herr Bundesminister! Geehrte Tante Anne!*

7. Nacherzählung

Dankbarkeit

In der Seeschlacht von Trafalgar, während die Kugeln sausten und die Mastbäume krachten, fand ein Matrose noch Zeit, zu kratzen, wo es ihn biß, nämlich auf dem Kopfe. Auf einmal streifte er mit zusammengelegten Daumen und Zeigefinger bedächtig an einem Haar herab und ließ ein armes Tierlein, das er zum Gefangenen gemacht hatte, auf den Boden fallen. Aber indem er sich niederbückte, um ihm den Garaus zu machen, flog eine feindliche Kanonenkugel ihm über den Rücken weg, paff in das benachbarte Schiff. Da ergriff den Matrosen ein dankbares Gefühl, und überzeugt, daß er von dieser Kugel zerschmettert worden, wenn er sich nicht nach dem Tierlein gebückt hätte, hob er es schonend vom Boden auf und setzte es wieder auf den Kopf. „Weil du mir das Leben gerettet hast", sagte er; „aber laß dich nicht zum zweitenmal erwischen, denn ich kenne dich nimmer." (Hebel)

Wiederholungsaufgaben für Lektion 18 bis 20

1. Was ist das Gegenteil von *Vorgänger, stumpf, hemmen, fortsetzen, Übermut, beschädigen, Verzicht, schwankende Einnahmen, schmälern?*

2. Welche Wörter gehören zu den Wortsippen: *geben* und *messen?* (Beispiel: *Gabe, Begabung, begabt, Geber, Beigabe, Morgengabe, Liebesgabe, Übergabe, ergiebig, ausgiebig, nachgiebig, nachgeben, abgeben, ausgeben, übergeben, ergeben, mitgeben, zugeben.*)

3. Wählen Sie sorgfältig zwischen den zwei in Klammern stehenden Wörtern und begründen Sie Ihre Wahl (erst ganz durchlesen):

An der Mahlzeit, die jetzt kam, (kaute, würgte) Andreas in der Erinnerung wie an einem (argen, harten) Bissen, der doch den (Schlund, Mund) hinunter mußte. Die Leute so gut, so (vertraulich, zutraulich), alles so (ehrbar, ehrlich) und sittlich, arglos, das Tischgebet (schön, prächtig) vorgesprochen vom Bauer, die Bäuerin (sorglich, höflich) zu dem fremden Gast wie zu einem (Sohn, Freund), die Knechte und Mägde bescheiden und ohne (Dreistigkeit, Verlegenheit), ein freundliches, offenes Wesen hin und her. Dazwischen aber der Gotthilf wie der Bock im (jungen, guten) Kraut, frech und oben herab mit seinem Herrn, unflätig und herrisch mit den Knechtsleuten, ein Hineinfressen, Angeben, Prahlen.

4. Verbinden Sie die zusammenhängenden Wörter durch Striche:

a) *seine guten Absichten*	a) – *wurden widerlegt.*
b) *alle Hoffnungen*	b) – *wurden gekürzt.*
c) *alle Beschuldigungen*	c) – *wurden eingesperrt.*
d) *große Ansprüche*	d) – *wurden enttäuscht.*
e) *die ihr zukommenden Beträge*	e) – *wurden aufgebauscht.*
f) *die gefangenen Tiere*	f) – *wurden verdächtigt.*
g) *seine Bitten*	g) – *wurden erhoben.*
h) *Mißgriffe*	h) – *wurden erhört.*

5. Verbessern Sie nachstehende Sätze:

a) *Gestern verschied Amanda Schulze, eine dreißigjährige Leserin unserer Zeitschrift.*

b) *Gestern abend war mir etwas koddrig zumute und ich ging in eine kleine Budike einen heben. Wie ich nachher meinen Mantel anziehen will, sind alle meine Klamotten flöten gegangen. Ich war paff, schlug einen mächtigen Klamauk und drohte, die Polente zu holen. Aber die Wirtin, eine kesse Person, tat wie Tulpe.*

c) *Viktor schaute sie an. Er war selbst erstaunt, daß er erst jetzt feststellte, welch eine rassige Schönheit Greta in den sieben vergangenen Jahren, von denen sie eben so wehmütig gesprochen hatte, geworden war. Mein Gott, ist das Mädel schön, dachte er. Und Greta war wirklich eine Schönheit. Die Fülle ihres Blondhaares drängte ungestüm unter dem großen Tropenhut hervor, und das weiße, enganliegende Kostüm brachte ihre schlanke Figur vollkommen zur Wirkung. Auch Greta betrachtete jetzt Viktor. Er ist eine ausgesprochen männliche Erscheinung, stellte sie fest, eine Sportfigur. Dieser Mann wußte sich sicher überall durchzusetzen.*

d) Was mißfällt Ihnen am folgenden Text? (Aus dem Roman „Zeig mir den Weg zum Glück“.)
Ich fühlte die Glut seiner Lider wie Feuer auf meiner Haut. Dann sagte er nichts mehr, sah mich nur an, immerwährend, so daß auch ich wie gebannt in seine Augen schauen mußte, die wie Sterne leuchteten. Er sah mein Erschrecken und dämpfte das Leuchten seiner Augen. Er zog mich näher an sich heran, und wir schauten Brust an Brust zu der Blätterkrone des Baumes hinauf. Da drückte der Mann mich begehrend und heiß, fast hart, an seine Brust, und während er meinen Blick suchte, sprach er ernst und betont, doch voller Zärtlichkeit: „Bist du das lachende Glück, das da vorüberschwebt?“

6. Nacherzählung.

Kannitverstan

Der Mensch hat wohl täglich Gelegenheit, in Emmendingen und Gundelfingen so gut als in Amsterdam Betrachtungen über den Unbestand aller irdischen Dinge anzustellen, wenn er will, und zufrieden zu werden mit seinem Schicksal, wenn auch nicht viel gebratene Tauben für ihn in der Luft herumfliegen. Aber auf dem seltsamsten Umweg kam ein deutscher Handwerksbursche in Amsterdam durch den Irrtum zur Wahrheit und zu ihrer Erkenntnis. Denn als er in diese große und reiche Handelsstadt voll prächtiger Häuser, wogender Schiffe und geschäftiger Menschen gekommen war, fiel ihm sogleich ein großes und schönes Haus in die Augen, wie er auf seiner ganzen Wanderschaft von Tuttlingen bis nach Amsterdam noch keines erlebt hatte. Lange betrachtete er mit Verwunderung dies kostbare Gebäude, die sechs Kamine auf dem Dach, die schönen Gesimse und die hohen Fenster, größer als an des Vaters Haus daheim die Tür. Endlich konnte er sich nicht entbrechen, einen Vorübergehenden anzureden. „Guter Freund“, redete er ihn an, „könnt Ihr mir nicht sagen, wie der Herr heißt, dem dieses wunderschöne Haus gehört mit den Fenstern voll Tulipanen, Sternenblumen und Levkojen?“ – Der Mann aber, der vermutlich etwas Wichtigeres zu tun hatte und zum Unglück geradesoviel von der deutschen Sprache verstand wie der Fragende von der holländischen, nämlich nichts, sagte kurz und schnauzig: „Kannitverstan“, und schnurrte vorüber. Dies war nur ein holländisches Wort oder drei, wenn man's recht betrachtet, und heißt auf deutsch so viel als: Ich kann Euch nicht verstehn. Aber der gute Fremdling glaubte, es sei der Name des Mannes, nach dem er gefragt hatte. Das muß ein grundreicher Mann sein, der Herr Kannitverstan, dachte er und ging weiter. Gass' aus, Gass' ein, kam er endlich an den Meerbusen, der da heißt: Het Ei oder auf deutsch: das Ypsilon! Da stand nun Schiff an Schiff und Mastbaum an Mastbaum, und er wußte anfänglich nicht, wie er es mit seinen zwei einzigen Augen durchfechten werde, alle diese Merkwürdigkeiten genug zu sehen und zu betrachten, bis endlich ein großes Schiff seine Aufmerksamkeit erregte, das vor kurzem aus Ostindien angelangt war und

jetzt eben ausgeladen wurde. Schon standen ganze Reihen von Kisten und Ballen auf- und nebeneinander am Lande. Noch immer wurden mehrere herausgewälzt und Fässer voll Zucker und Kaffee, voll Reis und Pfeffer und salveni Mausdreck darunter.
Als er aber lange zugesehen hatte, fragte er endlich einen, der eben eine Kiste auf der Achsel heraustrug, wie der glückliche Mann heiße, dem das Meer alle diese Waren an das Land bringe. „Kannitverstan", war die Antwort. Da dachte er: Haha, schaut's da heraus? Kein Wunder, wem das Meer solche Reichtümer an das Land schwemmt, der hat gut solche Häuser in die Welt stellen und solcherlei Tulipanen vor die Fenster in vergoldeten Scherben. Jetzt ging er wieder zurück und stellte eine recht traurige Betrachtung bei sich selbst an, was er für ein armer Teufel sei unter so vielen reichen Leuten in der Welt. Aber als er eben dachte: Wenn ich's doch nur einmal so gut bekäme, wie dieser Herr Kannitverstan es hat, kam er um eine Ecke und erblickte einen großen Leichenzug. Vier schwarz vermummte Pferde zogen einen ebenfalls schwarz überzogenen Leichenwagen langsam und traurig, als ob sie wüßten, daß sie einen Toten in seine Ruhe führten. Ein langer Zug von Freunden und Bekannten des Verstorbenen folgte nach, Paar und Paar, verhüllt in schwarze Mäntel und stumm. In der Ferne läutete ein einsames Glöcklein. Jetzt ergriff unsern Fremdling ein wehmütiges Gefühl, das an keinem guten Menschen vorübergeht, wenn er eine Leiche sieht, und blieb mit dem Hut in den Händen andächtig stehen, bis alles vorüber war. Doch machte er sich an den letzten vom Zug, der eben in der Stille ausrechnete, was er an seiner Baumwolle gewinnen könnte, wenn der Zentner um zehn Gulden aufschlüge, ergriff ihn sachte am Mantel und bat ihn treuherzig um Excüse. „Das muß wohl auch ein guter Freund von Euch gewesen sein", sagte er, „dem das Glöcklein läutet, daß Ihr so betrübt und nachdenklich mitgeht." „Kannitverstan!" war die Antwort. Da fielen unserm guten Tuttlinger ein paar große Tränen aus den Augen, und es ward ihm auf einmal schwer und wieder leicht ums Herz. „Armer Kannitverstan", rief er aus, „was hast du nun von allem deinem Reichtum? Was ich einst von meiner Armut auch bekomme: ein Totenkleid und ein Leintuch und von allen deinen schönen Blumen vielleicht einen Rosmarin auf die kalte Brust oder eine Raute." Mit diesen Gedanken begleitete er die Leiche als wenn er dazu gehörte, bis ans Grab, sah den vermeinten Herrn Kannitverstan hinabsenken in seine Ruhestätte und ward von der holländischen Leichenpredigt, von der er kein Wort verstand, mehr gerührt als von mancher deutschen, auf die er nicht achtgab. Endlich ging er leichten Herzens mit den andern wieder fort, verzehrte in einer Herberge, wo man Deutsch verstand, mit gutem Appetit ein Stück Limburger Käse, und wenn es ihm wieder einmal schwerfallen wollte, daß so viele Leute in der Welt so reich seien und er so arm, so dachte er nur an den Herrn Kannitverstan in Amsterdam, an sein großes Haus, an sein reiches Schiff und an sein enges Grab.
(Hebel)

ANHANG

Lösungen

zur 1. Lektion

1. Tabelle steht in Ziffer 9 auf S. 16.

2. *Wind*, *Tür*, *Andreas*, *Schritt*, *Gespräch*, *Dame*, *Preis*, *Zimmer*, *Andreas*, *Bett*, *Vorhänge*, *Mensch:* Hauptwörter.
bewegte, *trat vor*, *grüßte*, *gab*, *nannte*, *zugestand*, *zurückgeschlagen waren*, *lag:* Zeitwörter.
kurzes, *bleicher*, *junger:* Eigenschaftswörter.
der, *die*, *einen*, *ein*, *die*, *einen*, *das*, *dem*, *ein:* Geschlechtswörter.
und: Bindewort.
es, *den*, *dessen:* Fürwörter.
für, *auf:* Verhältniswörter.

3. Subjekte: *Wind*, *Andreas*, *es*, *Dame*, *Andreas*, *Vorhänge*, *Mensch.*
Prädikate: die unter 2 genannten Zeitwörter.
Objekte: *Tür*, *Schritt*, *Gespräch*, *Preis*, *den.*

4. *Wind*, *Andreas*, *Dame*, *Andreas*, *Vorhänge*, *Mensch:* Wer-Fall.
Tür, *Schritt*, *Gespräch*, *Preis*, *Zimmer:* Wen-Fall.
Bett: Wem-Fall.

5. *Den* bis *zugestanden* und *dessen* bis *waren:* Nebensätze, alles andere Hauptsätze.

6. *Die Türe wurde vom Winde bewegt.*

zur 2. Lektion

1. Mit diesem Satz berührt unser Schriftsteller noch mit einem Fuß die Erde, dann aber reißt er sich von ihr ganz los.

2. Juno Ludovisi! Ich hätte sie nie wiedersehen sollen, weder in ihrer grandiosen Marmorschönheit noch im Lichtbild.

3. Hat der Verkäufer des Grundstücks eine bestimmte Größe zugesichert . . .

4. Es blieb nichts übrig als den Bart abzuschneiden, dabei ging ein kleiner Teil verloren.

5. Der Anfang des Tages heißt Morgen, seine Mitte Mittag.

6. Was ist an dem Worte *derselbe* so schlimm? Wie soll man sich ohne dieses Wort behelfen?

7. Ich gehe bis zum Schloß, dort warte ich auf dich.

8. Der Schwerverletzte wurde zum Arzt gebracht, starb aber kurz darauf.

9. Die Erzählung wird erst im 3. Kapitel spannend.

10. In Dannenberg fuhr ein sogenannter kalter Schlag in eine Akazie, sprang auf den Wagen des Bierverlegers Henning und zersplitterte den hinteren Teil des Fahrzeugs.

11. Die Vorschläge des Reformvereins können nicht so ganz übel sein, denn ein Teil ist hier und dort schon verwirklicht. Sie haben dadurch viel von dem Schrecklichen, das ihnen anhaftet, verloren.

12. Anfangs sah sie ihn verwundert an, aber als sie sah, was seinem Hut geschehen war, nahm sie ihn von seinem Kopfe, um ihn zu säubern; dann gab sie ihn zurück.

13. Der Ehemann zog es vor, in die Oper zu gehen, aber seine Frau wollte lieber zum Tanzen.

14. Die Rundschreiben sind absichtlich nur kurz gehalten. Wir werden sie morgen versenden.

15. Die Bilder schicke ich Dir anbei; das Buch folgt in einigen Tagen.

16. Karl sagte, wir sollten erst frühstücken gehen, aber Irene wollte erst zum Baden. Ich antwortete, es täte mir leid, aber ich könne nicht mitgehen. Darauf erklärten beide, sie wollten etwas warten. Ich mußte ihnen jedoch erwidern, ich hätte noch mehrere Stunden zu arbeiten.

17. Ich bat meinen Vater um die Erlaubnis zur Reise und sagte ihm, daß Mutter schon erklärt habe, sie wolle nichts einwenden.

18. Die Pferde des Wagens gingen durch. Insassen und Kutscher wurden herausgeschleudert, und die Räder gingen den Insassen über den Leib.

19. Er ist gezwungen, auf seine Gesundheit zu achten.

20. Er verdient dafür gelobt zu werden, daß er in seiner Arbeit fortfährt.

zur 3. Lektion

1. Inf.-Rgt. 64 erhält Mittwoch Marschverpflegung; Viehschlachtung auf dem Gelände.

2. Der Verletzte wurde ins Krankenhaus gebracht; sein Leben schwebte lange in Gefahr. (Falscher Satzdreh und *lang* statt *lange.*)

3. Meyer schloß die Versammlung; Bürgermeister L. forderte zum Verlassen des Saales auf. (Doppelsinn: *Bürgermeister L. wurde aufgefordert* oder *hat aufgefordert?*)

4. Mit großer Entschiedenheit, die durch Ihren heutigen wenig glücklichen Brief nur noch bestärkt worden ist, stelle ich angesichts der zunehmenden Unverschämtheit Ihres Anwalts fest, daß . . .

5. Was man auch zugunsten seiner Erziehungsgrundsätze – die im übrigen mir auch noch sehr fragwürdig erscheinen – sagen mag: schließlich liegt es doch ihm bei aller Rücksicht auf sein Alter ob . . .

6. Sieht man von den Qualitätsmängeln ab, welche die Ware entschieden aufweist und die sich nicht beheben lassen, so . . .

7. Der Zwischenfall in der Gemeindeausschußsitzung vom Donnerstag, dem 3. März, hat die „Volksstimme" zu einer Anfrage an die hiesigen Lokalblätter veranlaßt. Wir erwidern darauf, . . .

8. Die Frist wird gewahrt durch rechtzeitige Einreichung bei der Behörde, die über die Beschwerde zu entscheiden hat.

9. Die Beförderung von Waren, die in Sackleinen verpackt sind, . . .

10. Die langwierigen Untersuchungen Professor Ehrlichs.
Professor Ehrlichs Untersuchungen.
Die Tätigkeit General Meyers.
Die Arbeit mehrerer Jahre ist vernichtet.

zur 4. Lektion

1. Die Satzung kann vorschreiben.

2. Als Fabriken gelten Betriebe, die gewerbsmäßig Gegenstände bearbeiten oder verarbeiten und hierzu regelmäßig mindestens zehn Arbeiter beschäftigen.

3. Wenn der gesetzliche Vertreter den Antrag stellt oder ihm zustimmt, . . .

4. Wer wissentlich oder unwissentlich unzulässiges Gepäck zur Beförderung aufgegeben hat, ist verpflichtet, einen Frachtzuschlag zu entrichten, der sich nach den Ausführungsbestimmungen regelt. Er haftet ferner für allen daraus entstandenen Schaden und verwirkt die gesetzliche oder polizeiliche Strafe.

5. Mit dem Stadtratsbeschluß erklärte sich die Kammer einverstanden.

6. Ich äußerte viele starke Bedenken.

7. Ich habe mir schon früher erlaubt zu betonen . . .

8. Ich teile Ihnen ergebenst mit, daß ich die bestellten Pflanzen zum Versand bereitgestellt habe.

9. Gestern wachte ich gegen sechs Uhr auf, frühstückte und ging sofort in den Wald, um Pilze zu suchen. Eine Stelle mit sehr schönen

Pilzen fand ich auch, aber ich war nicht sicher, ob es wirklich Steinpilze waren. Ich nahm daher nur einen Teil mit.

10. Der König ließ ihr den Becher reichen; sie nippte daraus und eilte mit vielen Danksagungen hinweg.

11. Mehrere hiesige Kinder spielten gestern im Hafen auf dem Eise; dabei fiel ein kleiner Junge ins Wasser; einige Arbeiter zogen ihn wieder heraus.

12. Am Anfang schuf Gott Himmel und Erde. Und die Erde war wüst und leer, und es war finster auf der Tiefe; und der Geist Gottes schwebte über den Wassern.

13. Wer will unter die Soldaten,
der muß haben ein Gewehr,
das muß er mit Pulver laden
und mit einer Kugel schwer.

14. Im übrigen gelten die Vorschriften des § 5; Auszüge werden abschriftlich . . . niedergelegt.

15. Deutschland war ungefähr ebenso groß wie Frankreich, hatte aber mehr Einwohner.

16. Mir erscheint das mehr als Dummheit denn als Verbrechen.

zur 5. Lektion

1. Ich habe gestern eine große Dummheit gemacht. Als ich über den Marienplatz ging, sah ich in einem Laden eine wunderschöne Schale. Sie ähnelte der, die mein Sohn kürzlich zerschlagen hatte, nur war sie größer. Ich kaufte sie kurzerhand, aber schon nach einer Stunde hat es mich gereut, weil ich nicht genug Geld dafür habe.

2. Wie ich gestern über den Stachus fahre, springt plötzlich ein Kind von drei Jahren gerade vor meinen Wagen. Ich reiße das Steuer nach rechts und trete die Bremse, daß ich selbst gegen das Steuer fliege. Meine Frau schreit vor Schrecken, wie sie noch nie in ihrem Leben geschrien hat, aber der Wagen steht wirklich gerade vor dem Jungen.

3. Ist die Aufgabe 2 besonders schwer zu lösen?

4. Eben bekomme ich die Nachricht, daß der Maschinenlieferant die Motoren nicht mitgeschickt hat.

5. Das Wohlwollen, das ich bei Ihnen immer gefunden habe, . . .

6. Das war das Dümmste, was er tun konnte.

7. Von einem solchen Dummkopf, wie er ist, will ich nicht einmal gelobt werden.

8. Die Waren, die Sie mir gesandt haben, entsprechen nicht den Mustern.

9. Du mußt das anders machen als bisher.

10. Ich legte ihm seine Fehler dar; das verdroß ihn offensichtlich.

11. Das Leid, das mich betroffen, hat meine Gesundheit geschwächt.

12. Wenn er besser aufpaßte, würde er bei diesem Satz den Fehler schnell finden.

13. Goethe ging nach Weimar und lebte dort noch über sechzig Jahre.

14. Es hat allgemeine Freude verursacht, daß der Fürst in die Residenz zurückkehrte, um dort den Winter zu verbringen.

15. Fast 50 Jahre waren die beiden verheiratet, und dieser so lange verheiratete Mann hat nie den kleinsten Streit in seiner Familie gekannt.

16. Die aus Polen vertriebenen Nonnen aufgelöster Klöster sollen . . .

17. Wagen Sie es nicht, mein Haus zu betreten, sonst kommen Sie schneller hinaus als herein!

18. Er rief laut: Her zu mir! Darauf eilte sie zu ihm hin.

19. Er ist dümmer, als die Polizei erlaubt.

zu den Wiederholungsaufgaben für Lektion 2 bis 5

1. siehe Abschnitt 27 bis 56.

2. siehe Abschnitt 26 und 41.

3. siehe Abschnitt 29.

4. siehe Abschnitt 28.

5. *Ich* fehlt – *mehr als* – *konnen* Ausdrucksverdoppelung – *hoffe ich* Satzdreh – *derselben* unnötig – *wird bestritten* unnötiges Passiv – *die durch die* Klemmkonstruktion – *keimfreie Eisfabrik* falsches Adjektiv – *von Ihrer Firma* falscher Genitiv – *eine unangenehme* falsches *eine* – *bzw.* Kanzleideutsch – falsches *was* – falsches *würden* – falsches *durch* – falsches *stattgefunden.*

6. Ich danke Ihnen für Ihre ausführlichen Darlegungen. Aber leider muß ich bei meiner Ansicht bleiben und hoffe, Sie werden mir beipflichten, wenn Sie die Sache nochmals prüfen. Ich gebe zu: die Produktionsstockung, die in unserer Fabrik für keimfreies Eis eingetreten ist, ist für Ihre Firma unangenehm, ja bedrohlich. Aber inzwischen hat sich meine Fabrik vergrößert und ihre Leistungsfähigkeit erhöht. Ich bitte Sie, mir einen neuen Auftrag zu schicken.

7. siehe Abschnitt 1 bis 25, 31, 32, 43.

8. siehe Abschnitt 32, 38, 45, 43.

9. siehe Abschnitt 1 bis 25.

zur 6. Lektion

1. a) Möbel; b) vordere Gliedmaßen; c) Getränke; d) Gotteshaus; e) Geschwister; f) Beschäftigung.

2. a) Tischler – Schuster – Schneider – Schlosser;
b) Jahr – Monat – Woche – Tag – Stunde – Minute – Sekunde;
c) abknöpfen – entwenden – klauen – klemmen – mausen – mopsen – organisieren – stibitzen – unterschlagen;

3. a) Ding – Gerät – Waffe – Schießeisen – Pistole;
b) Körper – Flüssigkeit – Getränk – Wein – Burgunder;
c) Mitmensch – Verwandter – Nachkomme – Enkel.

4.

verwundert sein	zornig sein	traurig sein	Mut haben
stutzen	aufbrausen	sich abzehren	sich unterfangen
staunen	einschnappen	schwernehmen	wagen
Augen machen	sich entrüsten	sich grämen	trotzen
glotzen	sieden	schmollen	getrauen

5. schwelen – qualmen – glimmen – knistern – züngeln – glühen – flackern – flammen – lodern.

6. schweigen – geboren werden – mißbrauchen – mißfallen – bescheiden – weinen.

7. erheitern – ermüden – einschläfern – einschüchtern.

8. Leg die Bücher in den Schrank! Stell die Blumen in die Vase! Häng das Bild an die Wand! Der Buchbinder bindet ein Buch.

9. ängstlich, beengt, befangen, besorgt, kleinmütig, scheu, schüchtern, verstört, verzagt, zaghaft.

10. Geschrei – raste – verfolgt – hielt an – schwang sich auf – Verfolgung – anschloß – einzuholen.

11. a) saurer Essig, herber Wein, versalzene Suppe, bitterer Tee, süßer Honig, prickelnder Sekt, gepfeffertes Ragout, aromatische Mandarine, vergorene Marmelade, fade Limonade;
b) Gewohnheiten bewahren, Pilze trocknen, Eier einlegen, Früchte einmachen, Leichen einbalsamieren, Schinken einpökeln, Fleisch auf Eis legen, Milch sterilisieren.

12. angeheitert, beschwipst, betrunken, bezecht, im Tran, schwer geladen, besoffen, sternhagelvoll.

13. a) Über uns wölbt sich ein sternklarer Himmel.
b) Draußen auf dem See tobte ein heftiger Wind.
c) Auf diesem Felsengipfel horstete ein Adler.
d) Im offenen Kamin loderte ein Feuer.
e) Karl arbeitete den ganzen Tag lang nichts.
f) Das Meer schneidet hier eine Bucht ein.

14. a) Das lose Hufeisen klappert. Ich klappe das Buch zu. (Klappen bedeutet zuschließen, klappern den Ton eines lose hängenden Gegenstandes.)

b) Er ist verdrossen wegen seines Schnupfens. Er ist bekümmert wegen des Verlustes seiner Stellung. (Verdrossen bezeichnet eine vorübergehende Stimmung.)
c) Er ist erbittert gegen seinen Bruder. Er ist verbittert über die Vertreibung aus der Heimat. (Erbittert gegen Menschen, verbittert über ein allgemeines Schicksal.)
d) Der Greis wankt, der Betrunkene taumelt. (Der Taumelnde ist vorübergehend nicht mehr Herr seines Körpers. Der Wankende ist zu schwächlich zum festen Gehen.)
e) Der Blinde tastete sich weiter. Er tappte im Dunkeln vorwärts. (Tasten ist bewußter als Tappen.)
f) Er ist ein weibischer Charakter. Sie ist eine sehr weibliche Natur. (Weiblich bezeichnet die guten, weibisch die schlechten Eigenschaften der Frau.)
g) Das ist unglaublich. Er ist ungläubig (Unglaublich sagt man von Nachrichten, die nicht glaubhaft sind, ungläubig von Menschen, die etwas nicht glauben wollen.)
h) Er ist sparsam. Sein Haarwuchs ist spärlich. (Sparsam ist eine Eigenschaft von Menschen, spärlich sind Dinge, von denen nicht viel vorhanden ist.)

zur 7. Lektion

1. Den Vorschlag der Gegner können wir nicht annehmen.

2. Ich bin völlig unterrichtet. Auf Grund dieser Kenntnis komme ich zu dem Ergebnis: wir müssen jetzt alles wagen.

3. Die Frauenkirche in München ist ein herrlicher Anblick.

4. Max Piccolomini handelte wie ein Mann.

5. Wir haben hinreichend Gründe, um große Hoffnungen zu hegen.

6. Seine gründlichen Abhandlungen, geschrieben mit persönlicher Eigenart, beweisen, daß er ein Gelehrter hohen Ranges ist.

7. Gerade diese wohlhabenden Leute wollen in einer so dringlichen Sache unsere Wünsche nicht erfüllen, obwohl wir unsere Gründe genau dargelegt und ihnen gezeigt haben, daß sich nur so die Sache lösen läßt.

zur 8. Lektion

1. Herr Müller hat geeignete Kräfte heranzubilden. Er ist verantwortlich, daß das neue Lehrmaterial hierfür gründlich benutzt wird.

2. Es ist verboten, sich während der Aufführung zu unterhalten.

3. Der Unterricht darf nicht durch Herausrufen der Lehrer oder einzelner Kinder aus den Lehrzimmern oder durch den Eintritt Unberechtigter gestört werden.

4. Wegen nachteiliger Folgen, die die Ausübung eines verliehenen Rechtes hat, kann niemand verlangen, daß sie unterbleibe oder daß die errichtete Anlage beseitigt werde.

5. Sobald der Wahlausschuß das endgültige Ergebnis festgestellt hat, muß der Kreiswahlleiter dem Reichswahlleiter mitteilen, . . .

6. Der Abstimmungsleiter hat dem Reichswahlleiter über das Ergebnis zu berichten, sobald es festgestellt ist.

7. Er trägt hierbei als Dienstabzeichen die rote Mütze, auch wenn die Zugabfertigung dem Zugführer übertragen ist.

8. Wenn sich die Streitenden nicht anders verständigen, . . .

9. . . . müssen Knaben und Mädchen getrennt werden.

10. . . . Schutzvorrichtungen, damit jeder Stimmberechtigte seinen Stimmzettel unbeobachtet behandeln und in den Umschlag legen kann.

zur 9. Lektion

1. Erstreckt sich ein forstwirtschaftlicher Betrieb über die Bezirke mehrerer Gemeinden, so hat er seinen Sitz da, wo der größte Teil der Forstgrundstücke liegt. Der Unternehmer kann sich mit den Gemeinden über einen anderen Betriebssitz einigen.

2. Die Karthager waren des Krieges längst müde geworden. Ihre Geduld hatte er auf eine harte Probe gestellt, ihren Handel gestört und große Geldopfer von ihnen verlangt.

3. Das Wesen des dramatischen Verses ist zwiespältig: Diese Wahrheit ist mir wieder völlig bewußt geworden, als ich drei Stücke Calderons neu dichtete: das phantastische, in vielen Farben des Geschehens und des Verses schillernde Schauspiel ,,Über allem Zauber Liebe", das geniale Frühwerk ,,Das Leben ein Traum" und das erschütternde Volksschauspiel ,,Der Richter von Zalamea" (in Heinrich George fand er seinen gewaltigen Darsteller). Ich möchte zu diesem Gegenstand einige Bemerkungen niederschreiben.

4. Wer den Mann anzeigt, der den Pfahl an der Brücke nach Worms umgeworfen hat, erhält eine Belohnung.

5. Er hatte schon den Ernst des Daseins kennengelernt und war allen Gefahren gewachsen, die möglicherweise an ihn herantreten konnten, Gefahren, deren jeder gewärtig sein mußte, der jene wilde Gegend zu der Zeit dieser Geschichte durchstreifte.

6. Es war ein Grundsatz des großbritannischen Regiments, die Thronrede des Königs als ein Werk seines Ministers anzusehen, denn man fand, es sei der Würde eines Monarchen zuwider, sich Irrtum, Unwissenheit oder Unwahrheit vorwerfen zu lassen. So konnte man dem Haus das Recht einräumen, ihren Inhalt zu prüfen, zu beurteilen und anzufechten. Dieser Grundsatz war sehr fein ausgedacht.

zu den Wiederholungsaufgaben für Lektion 6 bis 9

1. spitzte – schnitt – saugte – hineinkäme – blutete – drauflegen – herumwickeln – schnitt – machte – band.

2. entgegnen, erwidern, widersprechen, Bescheid geben, einfallen, widerlegen.

3.

beharrlich	bereitwillig	unvorbereitet	gewohnt
beständig	willens	regellos	anerzogen
hartköpfig	geneigt	unausgerüstet	gebräuchlich
stur	willfährig	freihändig	geläufig
eingewurzelt	einsatzbereit		
standhaft			
unabänderlich			
unbeugsam			

4. Das beschädigte Haus wurde eingerissen. Die Auflage des Buches wurde eingestampft. Der Hagel hat die Ernte vernichtet. Dieser Indianerstamm wurde ausgerottet. Der Tiger hat die Leiche zerrissen. Der Bergrutsch hat die Hütte zermalmt. Durch dieses Mittel wurde das Ungeziefer vertilgt. Er hat mit der Hand die Schrift völlig verwischt. Die Festungen müssen geschleift werden.

5. Die Sorgen peinigen den Schlaflosen. Die Beleidigung kränkt den Freund. Das Kopfweh quält den Kranken. Der böse Nachbar schikaniert den guten. Der Unteroffizier schleift den Soldaten. Die Räuber mißhandeln den Überfallenen. Der Tyrann bedrückt das Volk.

6. 5 Dackel, 5 Hunde, 6 Säugetiere, 6 Wirbeltiere, 9 Tiere, 10 Organismen.

7. Wagen, Droschke, Fiaker, Fuhre, Karosse, Karre, Omnibus, Schubkarre, Auto, Lokomotive, Taxe, Schlitten, Tender, Waggon, Tram, Traktor, Schlepper, Zugmaschine, Lastzug, Kutsche.

8. Der Diener holte den Rock des Professors, um ihn endlich einmal zu reinigen.

9. Hammer, Zange, Säge, Hobel, Bohrer, Stemmeisen, Tischlerwinkel, Gehrmaß, Krauskopf, Bohrwinde, Feile, Stechzeug, Hobelbank.

10. a) vorsichtig, b) müde, c) lässig, d) schwerfällig.

11. a) grollend, b) fauchte, c) toben, d) erzürnen, e) schmollen, f) erbittern.

12. a) Die Ergebnisse sind verhängnisvoll. Ich muß unter diesen Umständen es Ihrem Urteil überlassen, ob die Gegner wirklich den Forderungen der Stunde gewachsen waren.

b) Wir sehen hier, wie die Lage sich völlig geändert hat.

c) Wir werden unser Versprechen halten.

13. Hier landete König Friedrich VI. am 5. Juli 1825. Er hatte vorher die Inseln und Halligen besucht, die am 3. und 4. Februar 1825 von einer Sturmflut überschwemmt worden waren.

14. Die Gebeine des Turnvaters Jahn wurden heute exhumiert und in die Gruft der Turnhalle überführt, die von der Deutschen Turnerschaft im Westteil des alten Friedhofs errichtet worden ist.

15. Sie wußte: ihre Eltern hatten erfahren, was bevorstand, und würden über ihren Entschluß unwillig sein. Aber ihr bangte offenbar nicht im mindesten davor. Sie war völlig unbefangen.

16. Die Schüler sollen bei ihren Aufsätzen lernen, die landläufigen Fehler zu vermeiden. Sie sollen keine unnötigen Nebensätze bilden, auf entbehrliche Fremdwörter verzichten, die Tatform vor der Leideform bevorzugen, ihren Gegenstand bestimmt erfassen und festhalten, sich schlicht ausdrücken und ihre Gedanken klar und übersichtlich anordnen.

17. Wenn ein Schützling durch sein Verhalten den Zweck der Schutzaufsicht zu vereiteln droht . . ., kann ihm das Vollstreckungsgericht aufgeben ,. . .

18. Als Liefertermin für die bestellten Leitz-Ordner hatten wir uns den 1. Juli bestätigen lassen, weil wir mit einem festen Zeitpunkt rechnen wollten. Trotzdem sind die Leitz-Ordner immer noch nicht eingetroffen. Sie wären übrigens, wie wir inzwischen festgestellt haben, auch teurer gekommen als die Ihrer Konkurrenz. Wir müssen daher zu unserm Bedauern unsere Bestellung streichen.

19. Friedrich kannte die Vorbereitungen seiner Gegner, ja, er überschätzte sie sogar, wie es seinem mißtrauischen Charakter entsprach. Er rückte daher eines Tages ohne Kriegserklärung in Sachsen ein.

20. Wenn unsere Gesellschafter keinen Einspruch erheben und wenn die behördliche Genehmigung dann vorliegt, können wir den Vertrag nächste Woche protokollieren.

21. Er bat mich, Konstantin zu telefonieren, daß er sofort zu uns kommen möge.

22. Er sagte, er teile nicht die Ansicht, daß der Vertrag erneuert werden müsse.

23. Wenn die bestellten Sägeblätter nicht rechtzeitig eintreffen – bei der bekannten Unpünktlichkeit dieses Lieferanten ist das durchaus möglich –, muß Sägewerk I auf Doppelschicht gehen.

24. Er sagte: Um über den Wert der Geistesprodukte eines Schriftstellers eine vorläufige Schätzung anzustellen, sei es nicht gerade notwendig zu wissen, worüber oder was er gedacht habe, sondern zunächst sei es hinreichend zu wissen, wie er gedacht habe. Von diesem Wie des Denkens sei nun ein genauer Abdruck sein Stil. Im stillen Bewußtsein dieses Bewandtnisses der Sache suche jeder Mittelmäßige

seinen ihm eigenen und natürlichen Stil zu maskieren. Jene Alltagsköpfe nämlich könnten schlechterdings sich nicht entschließen zu schreiben, wie sie dächten, weil ihnen ahne, daß alsdann das Ding ein gar einfältiges Ansehn erhalten könne.

zur 10. Lektion

1. . . . auf seinem Weg alles mit sich fortreißend.
2. Auf diese Bank von Stein will ich mich setzen, dem Wanderer zur kurzen Ruh bereitet.
3. So geschlagen und gedemütigt, sah Maria Stuart, ein, . . .
4. Mit Juwelen geschmückt, einen riesigen Hut auf dem Kopfe, betrat seine Frau den Ballsaal.
5. Ich hörte es lächelnd.

zur 11. Lektion

1. Du schreibst so selten; ich hoffe, Du bist gesund.
2. Wir wollen morgen in Pasing in der üblichen Weise zusammentreffen.
3. Er hat sich usw.
4. Der Tierbändiger sah, als er in den Löwenkäfig trat, nüchtern aus.
5. Auf diese Weise erzielte er nicht die erhofften großen Gewinne.
6. Ich sprang über Gräben voll Wasser.
7. Sie tranken aus Tassen, die mit Kaffee gefüllt waren.
8. Meldung: Soeben habe ich den Fritz Meyer verhaftet, weil er völlig betrunken war.

zur 12. Lektion

1. Das Wort *verduften* gehört der Stilschicht der Gaunersprache an.
2. Jeder Satz enthält Wörter aus einer unedlen Stilschicht, die nicht zu dem Ton der Ballade Schillers paßt: *Menagerie*, *Zirkusvorstellung*, *in hohem Bogen*, *platt*, *Mordswut*, *schmiß*, *mitten ins Gesicht*, *abhauen*.
3. Wir können den Genitiv nur in der gehobenen Sprache voranstellen, nicht aber in einem kaufmännischen Brief.
4. Das Wort *Antlitz* gehört zu einer höheren Stilebene.
5. Das Wort *Badegottesdienst* setzt zwei Begriffe zusammen, die aus verschiedenen Stilebenen stammen.
6. Der Angehörige eines Landes verliert die Staatsangehörigkeit . . . Er verliert sie nicht. . .
7. Er darf den Signalhebel nur zurücklegen, wenn dies notwendig ist, um eine Weiche zur Abwendung einer Gefahr umzustellen.
8. Das Gericht stellt fest: der Angeklagte Huber hat das Schwein gestohlen.
9. Die erste Fassung gehört einer altertümlichen, gehobenen Stilschicht an.

10. a) Ich bitte Sie, Ihren Dank dadurch Ausdruck zu geben, daß Sie bei Ihrer heutigen Abschiedsvorstellung sich nach den Aktschlüssen zur prinzlichen Loge hin verneigen.
b) Die Redaktion hat meinen Stil beanstandet. Bitte teilen Sie mir mit, welche Stellen Sie für fehlerhaft halten.
c) Mit den Schlußsätzen, die die Redaktion am meisten beanstandet hat, wollte ich Frau X mitteilen . . . Außerdem sollte sie hierdurch erfahren . . .
d) Ich habe der Redaktion gestern in zwei Briefen geschrieben, was ich ihr mitteilen wollte. Ich kann heute hinzufügen, daß ich gestern bei der hiesigen Staatsanwaltschaft Strafantrag wegen Beleidigung gestellt habe. Die Beleidigung erblicke ich in der Kritik, die Sie an meinem amtlichen Schreiben vom 5. d. M. geübt haben. Die Staatsanwaltschaft wird meinem Antrag entsprechen. Sie werden von ihr alles weitere hören. Sie sehen, es ist mit mir nicht ganz leicht Kirschen essen. Ich mache Sie hierauf in Ihrem eigenen Interesse für künftige Fälle aufmerksam.

zur 13. Lektion

1. mordsdumm, stockblind, schnurgerade, blitzgescheit, stocktaub, zuckersüß, pudelnärrisch, taghell, kerngesund, schwerkrank, splitternackt, stinkfaul, ellenlang, abgrundtief, bergehoch, papierdünn, windschief, pulvertrocken, steinhart, nadelspitz, quietschnaß, aalglatt, gertenschlank.
2. Wir haben gegen ihn völlig eindeutige Beweise.
3. Ich habe das Gefühl: diese Leistung hat wirklich einen tiefen Eindruck gemacht.
4. Diese Besorgnisse sind nicht begründet.
5. Sämtliche Uniformen sind aufzutragen.
6. Es ist einfach, schwierige Aufgaben anzufertigen und übermäßige Anforderungen an den Wortschatz der Schüler zu stellen.
7. Der bestunterrichtete Vertreter, der am wenigsten gangbare Artikel, der am südlichsten gelegene Ort, die größtmögliche Sorgfalt.
8. nicht mehr leben, entwenden, täuschen, ums Leben bringen, schlagen, angeheitert sein.
9. Jede Wendung des Satzes ist phrasenhaft.
10. blitz-, blut-, gott-, grund-, kreuz-, stein-, stock-, tot-, würde-, hoch-, tief-, aller-, über-.
11. a) holperig.
b) glitzernd.
c) nackt.
d) dumpf.
e) zögernd.

12. überschlau – übergroß – übereifrig – übergenau – überglücklich.

13. Tu die großen Fische in diesen, die kleinen in jenen Behälter.

14. blutig, hart, schwer, hoffnungslos, mörderisch, erbittert, zäh, endlos, überholt, großartig.
Die ersten sechs sind stehende, die letzten vier kennzeichnende Beiwörter.

15. Harte Arbeit, gewaltige Aufgabe, betrübliche Aussicht, teurer Spaß, das liebe Geld, ewiger Ruhm, lautlose Stille.

16. Nur „mächtig“ und „neidisch“ sind aussondernde Beiwörter.

zur 14. Lektion

1. Müssen wir Deutsche denn unbedingt mit ausländischen Wendungen prahlen?

2. Es ist unerläßlich, daß er die Schule bis zur Schlußprüfung besucht.

3. Gezierte Menschen werden nirgends geschätzt.

4. Die Agitation für die Angliederung dieses Gebietes ist sinnlos.

5. Er mag seine dreisten Behauptungen in noch so unwidersprechlicher Art aufstellen: er kann doch den gewaltigen Reinfall nicht aus der Welt schaffen.

6. Der Nachtisch war lecker. Daß er eine sehr feinfühlige Natur ist, kann man nicht behaupten. Diese persönliche Angelegenheit muß vorsichtig behandelt werden. Da nur diese zwei Möglichkeiten vorhanden sind, kann man sich kein Feingefühl leisten.

7. Ich bin sehr niedergeschlagen durch diese Nachricht; sie wird meinen Freund völlig aus der Fassung bringen.

8. Er hat nur Generaldirektor gelernt, die Einzelheiten beherrscht er nicht. – Handeln Sie die Glühlampen im Einzel- oder im Großhandel? – Die Sache muß bis in die letzte Kleinigkeit vorbereitet werden.

9. Mit solchen Charakteren gibt es nur Streitigkeiten. – Für den Fehlbetrag in der Kasse muß er aufkommen. – Mach keine Differenzgeschäfte! – Zwischen Reden und Handeln liegt eine gewaltige Kluft.

10. Man kann gar nicht darüber reden, daß wir einen so beschränkten Menschen anstellen.

11. Wie hast Du über Deine Zeit verfügt? – Daß er nicht verschwiegen ist, entspricht seiner ganzen Natur. – Wenn ich in einer solchen Stimmung bin, kann ich keine Entscheidung treffen. – Machen Sie sich erst eine Gliederung für den Aufsatz.

12. Diese Ausstattung macht einen tiefen Eindruck. – Das Ergebnis wird sein, daß er abreist. – Die Überraschung war groß.

13. Der Brief ist vermutlich gefälscht. – Die ganze Begründung, die er uns auftischt, ist einfach erfunden.

14. Gerade, förmlich, gleich, unvermittelt, ohne weiteres, aus erster Hand, persönlich, sofort, schlankweg, ohne Umschweife, unumwunden unverblümt, auf den Kopf zu, durchgehend, ohne Umsteigen, einfach.

15. Die dümmsten Bauern haben die dicksten Kartoffeln.

16. In der Jugendzeit können sich auch mannigfaltige seelische Vorgänge, namentlich Schulsorgen, in Kopfschmerzen umsetzen . . . Art, Stärke und Ort des Kopfschmerzes wechseln stark.

17. Cäsar war durchaus Realist und Verstandesmensch; und was er angriff und tat, war von der genialen Nüchternheit durchdrungen und getragen, die seine innerste Eigentümlichkeit bezeichnet. Ihr verdankt er das Vermögen, unbeirrt durch Erinnern und Erwarten energisch im Augenblick mit gesammelten Kräften zu handeln und auch dem kleinsten und beiläufigsten Beginnen seine volle Genialität zuzuwenden; ihr die Vielseitigkeit, mit der er erfaßte und beherrschte, was der Verstand begreifen und der Wille zwingen kann; ihr die sichere Leichtigkeit, mit der er seine Perioden fügte wie seine Feldzugspläne entwarf; ihr die ,,wunderbare" Heiterkeit, die ihm in guten und bösen Tagen treu blieb; ihr die vollendete Selbständigkeit, die keinem Liebling und keiner Mätresse, ja nicht einmal dem Freunde Gewalt über sich gestattete. (Mommsen)

18. Unübersetzbar.

19. Er hat einen Ton zu lebhaft gesprochen.

20. Die ausgiebige Bearbeitung der Kundschaft.

21. Er sagt, er gebrauche grundsätzlich keine Fremdwörter.

22. Das war ganz Ursula. – Ist Ellen eigentlich dein Fall?

zu den Wiederholungsaufgaben für Lektion 10 bis 14

1. Das Kind ist nicht sehr begabt, ein wenig unglücklich gewachsen, nicht recht an Reinlichkeit gewöhnt und ohne eine gute Kinderstube.

2. Eine Träne zerdrücken, Wasser im Auge haben, weinen, flennen, heulen, schluchzen.

3. geneigt, zugeben, empfehlen, Vorliebe, versehentlich (zufällig), unterrichtet, besonders, sich verjüngen, aufhören, verteidigen, ermutigen, Reichtum, mißtrauisch.

4. Fressen, sich den Wanst vollhauen, mampfen, einhauen, futtern, schmausen, schnabulieren, essen, etwas genießen, speisen, dinieren, tafeln.

5. Ponim, Visage, Zifferblatt, Fratze, Fassade, Physiognomie, Gesicht, Angesicht, Antlitz.

6. Schickse, Weibsstück, Weibsbild, Besen, Frauenzimmer, Weib, Mädel, Mädchen, Frau, Mägdelein, Maid, Madame, Gnädige, Dame. (Zu Aufgabe 4–6 vergleiche Seite 124, Ziffer 37)

7. a) berauschte;
b) verzweifeln;
c) übertölpeln;
d) verschwommene;
e) sterbensübel.
8. a) Die Wasserleitung läuft jetzt wieder.
b) Die Drohung hat sofort gewirkt.
c) Mein Magen ist jetzt wieder völlig in Ordnung.
d) . . . kann der Motor nicht arbeiten.

9. a) Sie hat Augen wie eine Göttin.
b) Das Hochgebirge hat auf mich einen tiefen Eindruck gemacht.
c) Er hat ein völlig zuverlässiges Gedächtnis.
d) Wir haben gestern unermüdlich getanzt.
e) Es war ein Marsch, der einen hart mitnahm.

10. Unecht wirken: in tiefer Ergriffenheit . . . umflorter Blick . . . gar sorgfältig . . . schauen mich ernst und mahnend an . . . ihr ein und alles auf dieser Welt . . . daß mich die Rührung überwältigt . . .

11. a) Die letzten Typhusfälle haben Beunruhigung hervorgerufen. Um eine einwandfreie Wasserversorgung sicherzustellen, wird der Stadtrat weitere Quellgebiete erschließen.
b) Der Hausdiener warf ihn, der völlig betrunken war, aus dem Wirtshaus hinaus.
c) Ich habe Ihnen noch über unsere Schritte zu berichten.

12. a) Die beiden sind eng befreundet.
b) Ich habe mit ihm darüber eine vertrauliche Unterhaltung gehabt.
c) Es war eine sehr herzliche Stimmung.

13. Ich weiß nicht, was der Mann eigentlich für Pläne für seine berufliche Zukunft hat. Zu unseren Ausbauabsichten hat er nie einen Vorschlag beigesteuert, wie ich überhaupt bei ihm noch nie eine Spur von Phantasie gefunden habe.

14. eingeschenkten, Freuden, schnalzte, schlürft, Dukaten. (G. Keller)
15. *Lenz* und *Eiland* sind Dichtersprache.
Quatsch, *Zinken* und *dreckig* sind niedrigste Umgangssprache und daher nur angebracht, wo diese Sprache am Platz ist.
Erstklassig und *prima* sind abgegriffenes Formeldeutsch.
Maul ist auf das Tier angewandt Umgangssprache, auf den Menschen angewandt ein Schimpfwort.
Dämmerung und *Morgen* sind Umgangssprache.
Die üblichen Wörter für die aus anderen Stilschichten stammenden Ausdrücke sind: *Frühling*, *Unsinn*, *ausgezeichnet*, *Nase*, *schmutzig*, *hervorragend*, *Insel*, *Mund*.

16. Mordsangst, Heidenspaß, Riesenarbeit, Hauptkerl, Bienenfleiß, Friedhofruhe, Affenliebe, Mordsdummheit.

17. a) Das Wort *sie* bezieht sich auf *Schüler*; es muß heißen: *die Hefte*...

b) Der Satz *die sich täglich vermehren* ist doppelsinnig. Es muß heißen: *Die Zeitschrift Kränzchen wird von 16 000 Mädchen gelesen; die Zahl der Leserinnen nimmt täglich zu.*
c) Nach dem Wortlaut des Satzes wird der weiterverkauft, der sein Fleisch nicht abholt. Es muß heißen: *Fleisch, das nicht abgeholt wird, wird weiterverkauft.*
d) *Total kaputt* ist Gassensprache und außerdem ein verbrauchter Formelausdruck. Je nach dem Zusammenhang müßte es auf deutsch *völlig verzweifelt*, *ganz zerschlagen* oder ähnlich heißen.
e) Die Wörter *beschränkte* und *lediglich* sagen dasselbe. *Lediglich* muß daher fortfallen.
f) Das Wort *über* ist unschön wiederholt. Es muß heißen: *Ich bitte Sie, den Mantel dem Mann zu geben, der den Brief überbringt.*

zur 15. Lektion

1. Gliederung:
I. Vorzüge des Films.
1. Künstlerische Vorzüge:
a) Der Film kann auch Unwirkliches darstellen.
b) Der Film kann den Schauplatz leicht wechseln.
c) Die Filmausstattung kann naturalistischer sein.
2. Wirtschaftliche Vorzüge:
a) Der Film kann in vielen Theatern gleichzeitig gezeigt werden.
b) Der Film kann vielen Völkern zugänglich gemacht werden.
c) Die schauspielerische Leistung wird über den Tod des Schauspielers hinaus aufbewahrt.
II. Nachteile des Films.
1. Künstlerische Nachteile:
a) Der Film ist flächenhaft, nicht körperhaft.
b) Im Film sehen wir keine lebenden Menschen, sondern nur Bilder.
c) Das Wort aus dem Apparat ist nicht so wirksam wie das Wort aus dem Munde.
d) Der Filmhersteller ist immer versucht, sich dem Massengeschmack anzupassen.
e) Die Wortgestaltung ist im Film meist oberflächlicher.
2. Wirtschaftliche Nachteile:
a) Filme erfordern viel Reklame.
b) Die Herstellung von Filmen ist teuer und daher nur kapitalkräftigen Gesellschaften möglich.

2. Als Kaiser Friedrich Barbarossa 1190 einen Kreuzzug in das Heilige Land unternahm, blieb ein schwäbischer Ritter hinter dem Heer ein wenig zurück und wurde von den Türken angegriffen. Solange die Feinde nur mit Pfeilen schossen, zog der Ritter ruhig seines Weges. Aber bald sprengte einer der Türken heran und versuchte, ihn mit dem Säbel

anzugreifen. Da verliert der Schwabe die Geduld. Mit einem gewaltigen Hieb schlägt er dem Pferd des Türken beide Beine ab. Mit einem zweiten Hieb spaltet er den Feind vom Kopf bis zum Sattel. Welch ein Anblick für die übrigen! Nach allen Seiten stieben sie davon.
Als der Ritter wieder zu dem Heere stieß, fragte ihn der Kaiser, wo er solche Streiche gelernt habe. Der Ritter antwortete gelassen: „Solche Streiche sind überall bekannt. Man nennt sie Schwabenstreiche!"

3. Ich habe nicht sehr viele Bücher gelesen, aber ich glaube: die aufregendsten Bücher sind die Bücher Karl Mays. In diesen Büchern geschieht auf jeder Seite irgend etwas Spannendes, und eine Fülle seltsamer Menschen tritt in ihnen auf. Fremde Sitten, Gegenden und Gebräuche werden uns anschaulich beschrieben. In jedem Kapitel wird gejagt, gekämpft und gemordet. Zum Schluß siegt immer Karl May selbst. Es ist fast ein wenig lästig, wie überlegen und wie edelmütig der Erzähler in allen Lagen ist. Aber seine Darstellung hält uns in Spannung. Wenn ich einen neuen Band von Karl May in die Hand bekomme, dann lösche ich am Abend das Licht nicht so bald aus, und auch wenn ich es ausgelöscht habe, schlafe ich nicht so bald ein. Mein Vater sagt zwar immer, ich solle nicht zu viel von diesen Büchern lesen, aber ich glaube, als er so alt war, hat er sie auch mit Leidenschaft verschlungen.

4. a) Eine Nordpolexpedition kann man lebendig darstellen, indem man die Charaktere der einzelnen Entdecker schildert.
b) Die Wohnungsnot läßt sich anschaulich, etwa in Form eines Gesprächs zwischen einem Wohnungsuchenden und dem zuständigen Beamten, wiedergeben.
c) Eine Schilderung der gegenwärtigen Lage der deutschen Jugend kann man in die Form eines Briefes an einen Ausländer kleiden, in dem ein junger Mensch seine Erlebnisse berichtet.

5. Was sollte Karl tun? Sich sofort auf die Bahn setzen und zu ihr fahren? Sein gesunder Instinkt riet ihm, dies zu tun. Aber er war weit entfernt davon, diesem Instinkt zu folgen.

zur 16. Lektion

1. a) . . . daß die Fußgänger auf der Straße lieber einen kleinen Umweg machten, als den Schatten der Häuser zu verlassen.
b) . . . daß man plötzlich die Fliegen am Fenster hörte.
c) . . . daß die Adern an der Stirn blau hervortraten.
d) . . . daß sie stundenlang hilflos zusammengesunken auf ihrem Stuhl sitzen blieb.
e) . . . daß er sich unwillkürlich an seinem Stuhl festhielt.
f) . . . auf der Straße sie selbst die Frauen erstaunt anschauten.

2. a) . . . ein Landarbeiter bei der Heuernte.
b) . . . ein Berufsverbrecher.
c) . . . in einer Weihnachtsstube.

3. a) Unsere Markenerzeugnisse bringen die Kundschaft in Scharen in Ihr Geschäft.
b) Ein leichter Druck auf den Gashebel, und ohne Umschaltung zieht Sie der mit unsererem Brennstoff gespeiste Motor über die steilste Steigung.
c) Der beste Spargel, den Braunschweig hervorbringt, wandert in unsere Büchsen.

4. a) mit einem Lineal gezogen.
b) Hosenleder.
c) die eines Kätzchens.
d) wie Erz.

5. a) eine junge Geliebte.
b) ihm die Tränen über die Wangen rollten.
c) Ertrinkender.

zur 17. Lektion

1. Zeitungspapier ist zulässig.
Die §§ 5 bis 8.
Der Empfang . . . ist auf Antrag zu bescheinigen.
Das Ergebnis wird in dem Abstimmungsraum ermittelt, in dem die letzten Stimmen abgegeben worden sind.

2. Der Landrat kann bestimmen, daß inländische Auftraggeber ausländischer Hausgewerbetreibender zu Zahlungen für die hausgewerbliche Krankenversicherung so hinzugezogen werden, als wenn sie Inländer beschäftigten, und wie diese Zahlungen zu verwenden sind.

3. In der ersten Liebe liebt die Frau den Geliebten, in den späteren die Liebe. (Stendhal)

zu den Wiederholungsaufgaben für Lektion 15 bis 17

1. Er ist grundgescheit – sie hat eine Gestalt wie eine Göttin – die Nacht war stockfinster – er ist ein Scharlatan – er ist ein bloßer Schwindler – er ist ein Liederjan – das Kleid ist furchsrot.

2. a) Der Kranke war sehr erregt.
b) Ich habe nie eine Tochter gehabt.
c) Ich trete für die Fremdwörter ein.
d) Gott schuf die Welt in sieben Tagen.
e) Sie haben jetzt eine ganz gute Wohnung.

3. a) schaute;
b) spähte;
c) äugte;
d) sah – bemerkte;
e) anstarrt;
f) stierte;

g) glotzte;
h) gaffen;
i) guckte.

4. *Um zu* kann immer nur eine Absicht wiedergeben.
5. Lebhaft erzählt, aber fast jedes Wort falsch verwandt. (Aus Rahn)
6. Ein Beispiel für die direkte Rede:

A. *Hast du keine Augen im Kopf?*
N. *Red noch viel! Wo du doch keinen Winker herausgestreckt hast.*
A. *Da braucht's keinen Winker, wenn ich so schlüssig fahre.*
N. *Wenn du keinen Winker zeigst, kann kein Mensch erraten, was du vorhast usw.*

und in indirekter Rede:
Der Autofahrer fragte den Radler, ob er keine Augen im Kopf habe. Dieser erwiderte, er solle nicht viel reden; er habe unterlassen, den Winker zu zeigen. Der Autofahrer gab zurück, er sei so schlüssig gefahren, daß es keines Winkers bedurft hätte. Jedoch der Radfahrer ließ das nicht gelten: wenn jemand den Winker nicht zeige, lasse sich die Fahrtrichtung nicht erraten.
Das Beispiel zeigt, daß sich die indirekte Rede für lebhafte Auseinandersetzung nicht eignet, weil sie weit papierener wirkt.

7. . . . Er war fürsorglich und wohlhabend, aber würde es ihr gelingen, ihn liebzugewinnen? Sehr viel Menschenkenntnis besaß sie nicht, aber sie fühlte, daß er schon sehr erstarrt war in seinen Gewohnheiten.

8. Der zweite Aufsatz ist weit lebendiger. Der erste ist in einem Papierdeutsch geschrieben, wie es niemand spricht. (*Beträchtliche Müdigkeit, Gliedmaßen, Körper aufrichten* usw.)

9. Für diese Aufgabe kann ich natürlich keine Lösung bringen, denn ich weiß ja nicht, wie Sie die Geschichte wiedererzählt haben. Aber ich will Ihnen ein Beispiel geben, auf welche Weise Sie Ihre Niederschrift und den Urtext Lessings vergleichen sollen. Zu diesem Zwecke setze ich hierher, wie ein Schüler die Fabel Lessings wiedererzählt hat, und vergleiche diesen Wortlaut mit dem Wortlaut Lessings:
Ein junger Wolf sagte zu einem Fuchs: Mein Vater war der großartigste Held seiner Gegend. Nach Überwindung zahlreicher Feinde und Tötung von mehr als 200 Stück war er überall gefürchtet. Es liegt auf der Hand, daß er eines Tages einmal unterliegen mußte. Der Fuchs antwortete, das sei eine ruhmredige und entstellende Methode der Berichterstattung. Objektiv betrachtet müßte man die Feststellung treffen, daß die besagten 200 Feinde nur Kleinvieh waren und daß er sofort unterlag, als er einen Stier angriff.
Bei einem Vergleich mit dem Text Lessings ergab sich folgender Unterschied:

a) Der Schüler beginnt mit *Ein Wolf sagte*. Lessing beginnt mit den Worten des Wolfes selbst und dadurch weit lebhafter (Ratschlag 3).
b) Lessing gibt den Worten des Wolfes durch die Wendung *glorreichen Andenkens* einen militärischen Anstrich, der durch den Gegensatz erheiternd wirkt. Von diesem Stilmittel sprechen wir später.

c) Der Schüler wählt den Superlativ *der großartigste Held*. Lessing sagt nur *ein rechter Held* (Regel 15).

d) Der Schüler schreibt einen Stopfsatz mit zwei adverbialen Bestimmungen auf „ung" (*Überwindung*, *Tötung*). Lessing bringt statt dessen Verben (Regel 3).

e) Lessing bringt einen Ausruf (*wie fürchterlich . . . !*), der Schüler einen bloßen Aussagesatz (Ratschlag 3).

f) Lessing wählt für die Taten des Wolfes besondere Ausdrücke, und zwar Ausdrücke ironischer Übertreibung (*triumphiert*, *in das Reich des Verderbens gesandt*). Der Schüler spricht allgemein von *Überwindung* und *Tötung* (Regel 1).

g) Lessing nennt die Überwundenen mit einem kennzeichnenden Eigenschaftswort *schwarze Seelen*, der Schüler spricht allgemein von *Stück* (Regel 1).

h) Der Schüler wählt den Modeausdruck *es liegt auf der Hand*, Lessing den Ausruf *was Wunder* (Regel 2).

i) Der Schüler spricht unpersönlich von einer *Methode der Berichterstattung*, Lessing persönlich von einem *Leichenredner* (Ratschlag 4).

k) Das Wort *Methode* gehört außerdem in eine andere Stilschicht (Regel 14).

l) Der Schüler gibt die Worte des Fuchses in indirekter, Lessing in direkter Rede (Ratschlag 3).

m) Auch in dem folgenden Satz gerät der Schüler mit *objektiv* in eine falsche Stilschicht (Regel 14).

n) Der Schüler verwendet mit *die Feststellung treffen* wieder einen Modeausdruck. Lessing hatte mit der Wendung *der trockene Geschichtsschreiber würde hinzusetzen* sich persönlicher, anschaulicher und auch ironischer ausgedrückt (Ratschlag 6).

o) Der Schüler sagt allgemein *die beseitigten Feinde*, Lessing sagt spezieller *die 200 Feinde, über die er nach und nach triumphierte* (Regel 1).

p) Der Schüler sagt *Kleinvieh*, Lessing *Schafe und Esel* (Regel 1).

q) Der Schüler schiebt das Sinnwort *Stier* in einen Nebensatz, Lessing bringt es wohlvorbereitet als betontes, letztes Wort des Satzes (Regel 13).

r) Der Schüler sagt allgemein *angreifen*, Lessing anschaulicher; *den er sich anzufallen erkühnte* (Regel 1).

Der Schüler hatte, als er diese Arbeit leistete, diese Stillehre noch nicht gekannt. Er hatte gegen ein Dutzend Stilregeln verstoßen und eine erbärmliche und salzlose Wiedergabe geliefert.

zur 18. Lektion

1. a) Gar keine Einleitung; man beginnt mit der Darstellung: *Sooft ich in einen Winterwald komme, denke ich an unsere Kinderspaziergänge, wie wir an den Zweigen zogen, damit der Schnee auch auf die Köpfe der Mitgehenden fallen sollte* . . . (Weg 6.)
b) *Die Entwicklung des Films im letzten Jahrzehnt.* (Weg 3.)
c) *Die Antriebe der Menschen. (Der Mensch handelt aus sehr verschiedenen Motiven. Sicherlich sind das Streben nach Geld oder nach Macht besonders wirksam. Aber an der Wiege großer Leistungen finden wir meist auch andere Antriebskräfte* usw. . . .) (Weg 1.)
d) *Mit prüfendem Blick stand er vor dem Schaufenster; man hatte das Gefühl, er rechnete, aber im stillen war er schon entschlossen* usw. . . . (Weg 2.)
e) *Die letzten zwanzig Jahre haben uns einen eindringlichen Anschauungsunterricht über die Frage gegeben, wie gefährlich es ist, wenn man sich über das Wesen und die Aufgaben des Staates im unklaren bleibt.* . . . (Weg 5.)

2. a) *Nachdenklich öffne ich die Tür. Die müden Füße und die roten Ohren freuen sich auf die behagliche Wärme des Weihnachtszimmers.* (Ausblick.)
b) *So können wir die Frage, die uns das Thema stellte, mit einem unzweideutigen „Nein" beantworten.* (Zusammenfassung.)
c) *Aber wir wollen nicht verkennen: Lust und Liebe sind zu großen Leistungen unentbehrlich, aber keineswegs allein ausreichend. Die Begabung muß hinzukommen.* (Einschränkung.)
d) *Nach kurzem Zögern hat der Pfarrer die Beisetzung auf dem Friedhof gestattet.*
e) *So können wir sagen: der Staat ist nur Mittel; er dient nur zur Verwirklichung der ewigen Werte des Lebens.* (Zusammenfassung.)

zur 19. Lektion

1. Beispiele im Büchmann kontrollieren.
2. a) Sie bringen ein Gespräch zwischen Bruder und Schwester. Die Schwester behauptet, Frauen seien besser zum Herrschen geeignet, der Bruder widerspricht; er führt die schlechten, sie die guten Eigenschaften von Maria Theresia, Katharina von Rußland, Königin Viktoria und anderen an.
b) Der kleine Sohn eines Urzeitmenschen erwacht und muß Holz holen gehen. Unterwegs begegnen ihm die Tierriesen der Vorzeit.
c) Ein Vater erlaubt seinem Sohn Emil, das Auto zu lenken. Was macht Emil alles falsch?
3. und 5. Nur eigene Lösungen möglich.
4. *Guter Stil beruht auf einem reinen und tiefen Wahrheitsgefühl. Hinter allem schlechten Stil steckt immer eine gewisse Verlogenheit oder wenigstens*

Wahrheitsscheu. Alle, die zur Feder als ihrem Handwerkszeug greifen, sollten zuvor ein Ordensgelübde auf Reinheit und Treue der Sprache ablegen müssen, bei dessen Verletzung sie des Rechtes zu schreiben verlustig gingen. Wenn unsere Schriftsteller, Journalisten, Redner noch eine Weile so fortfahren wie bisher, so werden die späteren Geschlechter das Material, aus dem sie ihre geistige Welt aufbauen sollen, gänzlich entwertet vorfinden, und sie werden vielleicht zur Schande ihrer Vorfahren, die ihr edelstes Erbgut verschleudert haben, zu einer fremden Sprache greifen müssen, um klare und tiefe Gedanken auszudrücken. (Hildebrandt)

zur 20. Lektion

1. und 7. Nur eigene Lösungen möglich.

2. Wir danken Ihnen für Ihren Brief, in dem Sie uns vorschlagen, unsere Preise für Matratzen-Spiralen zu ermäßigen. Leider ist das aber beim besten Willen unmöglich, weil inzwischen die Rohstoffpreise und Löhne gestiegen sind.

3. Sehr verehrter Herr Professor!
Ich bekam eben einen Brief meiner Mutter, der mich zwingt, heute mittag nach Hause zu fahren. So leid es mir tut: die Stunde übermorgen muß ich absagen. Ich melde mich sofort, wenn ich zurück bin.
Mit den besten Grüßen Ihre

4. Sehr verehrte gnädige Frau!
Sehr geehrter Herr Schütze!
Ich danke Ihnen vielmals für Ihre liebenswürdige Einladung zum Abendessen am kommenden Mittwoch; ich werde sehr gern kommen.
Mit verbindlichen Empfehlungen Ihr ergebener

5. Sehr geehrter Herr Huber!
Ich bat Sie schon kürzlich, das Fenster zu schließen, wenn Sie das Radio spielen lassen. Leider haben Sie das auch in letzter Zeit unterlassen. Nun stören mich aber gerade die Schlager, die Sie gern hören, in meiner Arbeit; auch verlangen die Polizeivorschriften, daß Radio nur bei geschlossenem Fenster gespielt werden darf. Ich bitte Sie daher nochmals herzlich und sehr dringend, hierauf zu achten.
Mit den besten Grüßen von Haus zu Haus Ihr

6. Richtig: An das Arbeitsamt, An das Landgericht, Sehr geehrter Herr Bundesminister!, Liebe Tante Anne!

zu den Wiederholungsaufgaben für Lektion 18 bis 20

1. Nachfolger, spitz, fördern, abbrechen, Demut, ausbessern, Anspruch, feste Einnahmen, vergrößern oder erhöhen

2. Maß, mäßig, Mäßigkeit, Übermaß, Untermaß, unmäßig, abmessen, zumessen, bemessen, ausmessen, vermessen, Ermessen, nachmessen, gemäßigt, maßvoll, Messer (mit Ableitungen) usw.

3. Bei Hofmannsthal heißt es: würgte, argen, Schlund, zutraulich, ehrbar, schön, sorglich, Freund, Verlegenheit, jungen.

4. a–f, b–d, c–a, d–g, e–b, f–c, g–h, h–e.

5. a) . . . seit dreißig Jahren Leserin . . .

b) Gestern abend fühlte ich mich nicht recht wohl und ging in ein kleines Restaurant, um etwas zu trinken. Als ich nachher meinen Mantel anziehen wollte, war er verschwunden. Ich beschwerte mich laut und drohte, die Polizei zu holen. Aber die Wirtin, eine dreiste Person, tat ganz unschuldig.

c) Am besten ganz kurz: Als er sie anschaute, eine schlanke Gestalt in enganliegendem weißen Kostüm, merkte er erst, wie schön sie in den sieben Jahren geworden war, in der Fülle der blonden Haare unter dem Tropenhut. Auch Greta sah ihn an und fand, daß er etwas Männliches, Sportliches, Energisches an sich hatte.

d) Es lohnt nicht, den Kitsch zu verdeutschen.

BEISPIEL AUS DEM BILDER-DUDEN: MUSIKINSTRUMENTE I

1 **die Lure**
2 **die Panflöte** (Pansflöte, Panpfeife, Syrinx), eine Hirtenflöte
3 **der Diaulos,** eine doppelte Schalmei
4 der Aulos
5 die Phorbeia (Mundbinde)
6 **das Krummhorn**
7 **die Blockflöte** (Blochflöte)
8 **die Sackpfeife** (der Dudelsack); ähnl.: die Musette
9 der Windsack
10 die Melodienpfeife
11 der Stimmer (Brummer, die Bordun)
12 **der Zinken** (Zink, Kornett, auch: die Zinke); Arten: der gerade Z., der krumme Z., der Serpent
13 **die Schalmei;** größer: der Bomhart (Pommer, die Bombarde)
14 **die Kithara;** ähnl. kleiner: die Lyra (Leier)
15 der Jocharm
16 der Saitenhalter
17 der Steg
18 der Schallkasten
19 das Plektron (Plectrum), ein Schlagstäbchen
20 **die Pochette** (Taschen-, Sack, Stockgeige)
21 **die Sister** (Cister), ein Zupfinstrument; ähnl.: die Pandora
22 die Rose (auch: die Rosette), ein Schalloch
23 **die Viola, eine Gambe;** größer: die Viola da Gamba
24 der Violenbogen (Bogen)
25 **die Drehleier** (Rad-, Bauern-, Bettlerleier, Vielle, das Organistrum)
26 das Streichrad
27 der Schutzdeckel
28 die Klaviatur
29 der Resonanzkörper
30 die Melodiesaite
31 die Bordunsaite (Bordun)
32 **das Hackbrett** (Cymbal, die Zimbel); ähnl.: das Psalterium
33 der Schallkasten
34 die Resonanzdecke
35 der Schlagklöppel (das Hämmerchen)
36 **das Klavichord** (Clavichord); Arten: das gebundene K., das bundfreie K.
37 die Klavichord-Mechanik:
38 die Taste
39 der Waagebalken
40 der Führungsstift
41 der Führungsschlitz
42 das Auflager
43 die Tangente
44 die Saite
45 **das Clavicembalo** (Cembalo, Klavizimbel), ein Kielflügel; ähnl.:
das Spinett (Virginal)
46 das obere Manual
47 das untere Manual
48 die Cembalo-Mechanik:
49 die Taste
50 die Docke (der Springer)
51 der Springerrechen (Rechen)
52 die Zunge
53 der Federkiel (Kiel)
54 der Dämpfer
55 die Saite
56 **das Portativ,** eine tragbare Orgel; andere Form: das Regal; größer: das Positiv
57 die Pfeife
58 der Balg

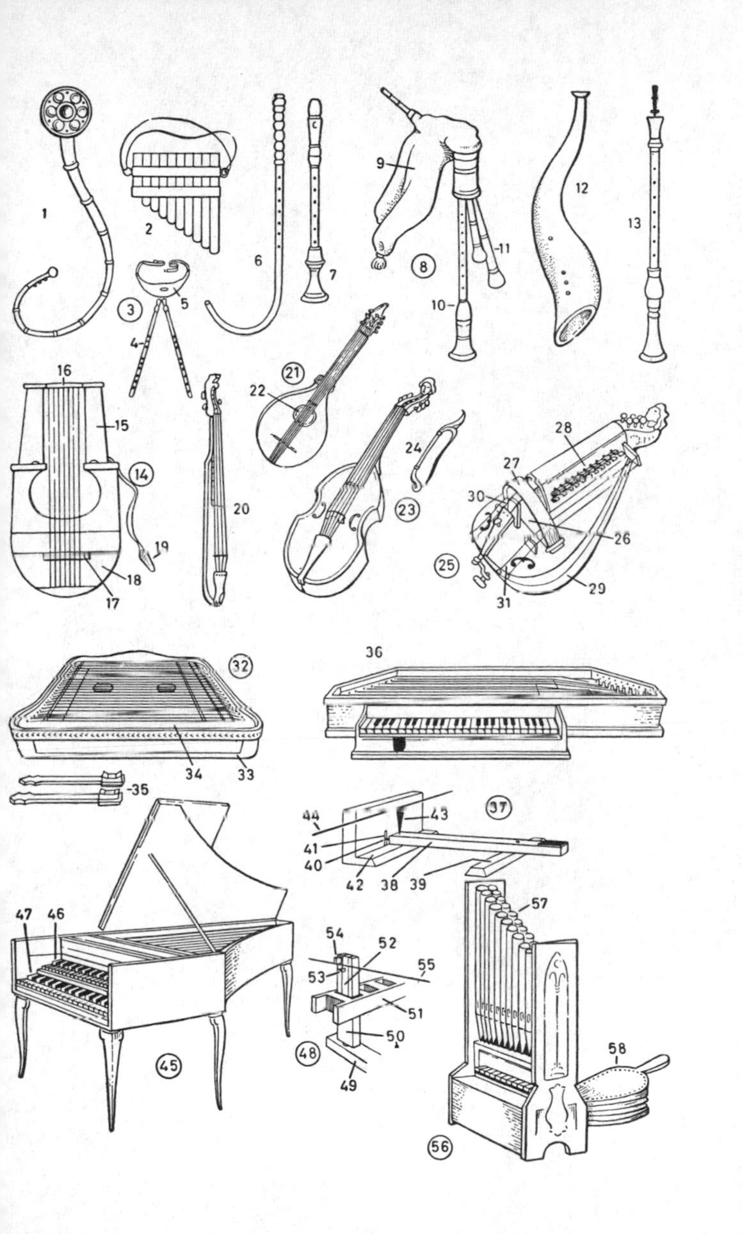
1
2
3
4
5
6
7
8
9
10
11
12
13
14
15
16
17
18
19
20
21
22
23
24
25
26
27
28
29
30
31
32
33
34
35
36
37
38
39
40
41
42
43
44
45
46
47
48
49
50
51
52
53
54
55
56
57
58

Sprache und Sprachwissenschaft

John Lyons

Die Sprache

Aus dem Englischen übertragen und für den deutschen Leser eingerichtet von Christoph Gutknecht, in Zusammenarbeit mit Heinz-Peter Menz, unter Mitarbeit von Ingrid von Rosenberg. 4., durchgesehene Auflage. 1992. 318 Seiten mit 3 Abbildungen und 4 Tabellen. Paperback
C.H. Beck Studium

John Lyons

Semantik

Band 2

Aus dem Englischen und für den deutschen Leser eingerichtet von Jutta Schust.
1983. 508 Seiten mit 4 Abbildungen. Broschiert
Beck'sche Elementarbücher

Ludwig Reiners

Stilkunst

Ein Lehrbuch deutscher Prosa
Völlig überarbeitete Ausgabe. 1991. 542 Seiten. Leinen

Nabil Osman (Hrsg.)

Kleines Lexikon untergegangener Wörter

Wortuntergang seit dem Ende des 18. Jahrhunderts
Mit einer Vorbemerkung von Werner Ross.
8., unveränderte Auflage. 1994. 263 Seiten. Paperback
Beck'sche Reihe Band 487

Umberto Eco (Hrsg.)

Die Suche nach der vollkommenen Sprache

Aus dem Italienischen von Burkhart Kroeber.
3. Auflage. 1994. 388 Seiten mit 22 Abbildungen. Leinen
Europa bauen

Verlag C.H. Beck München

Über die Sprache

Fritz R. Glunk:
Schreib-Art
Eine Stilkunde
dtv

Klaus Bartels:
Wie die Amphore zur Ampel wurde
Neunundvierzig Wortgeschichten
dtv 10836

Fritz R. Glunk:
Schreib-Art
Eine Stilkunde
dtv 30434

Klaus Jürgen Haller:
Wörter wachsen nicht auf Bäumen
99 Allerweltsbegriffen auf der Spur
dtv 30026

Eike Chr. Hirsch:
Deutsch für Besserwisser
dtv 30028

Mehr Deutsch für Besserwisser
dtv 30065

Eike Chr. Hirsch:
Der Witzableiter oder Schule des Gelächters
Techniken und Theorie des Witzes
dtv 30059

Kopfsalat
Spott-Reportagen für Besserwisser
dtv 30309

Werner König:
dtv -Atlas zur deutschen Sprache
dtv 3025

Die Kunst des Gesprächs
Texte zur Geschichte der europäischen Konversatonstheorie
dtv 4446

Werner Lansburgh:
Holidays for Doosie
Eine Reise durch Europa oder Englisch mit Liebe
dtv 11373

Ludwig Reiners:
Stilfibel
Der sichere Weg zum guten Deutsch
dtv 30005

Hermann Schlüter:
Grundkurs der Rhetorik
dtv 4149

Otto Seel:
Quintilian oder Die Kunst des Redens und des Schweigens
dtv / Klett-Cotta 4459

Wahrig:
dtv-Wörterbuch der deutschen Sprache
dtv 3136

Harald Weinrich:
Wege der Sprachkultur
dtv 4486

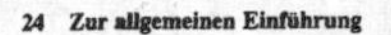

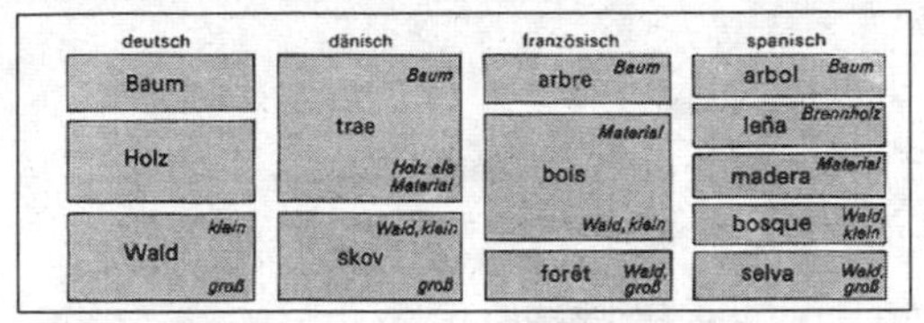

Gliederung des Wortfeldes *Holz* in verschiedenen europäischen Sprachen

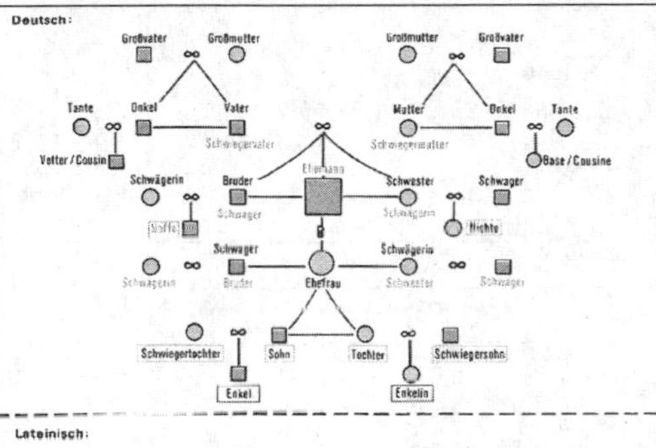

System der Verwandtschaftsbezeichnungen im Deutschen und L

dtv-Atlas zur deutschen Sprache

Tafeln und Texte
Mit Mundart-Karten

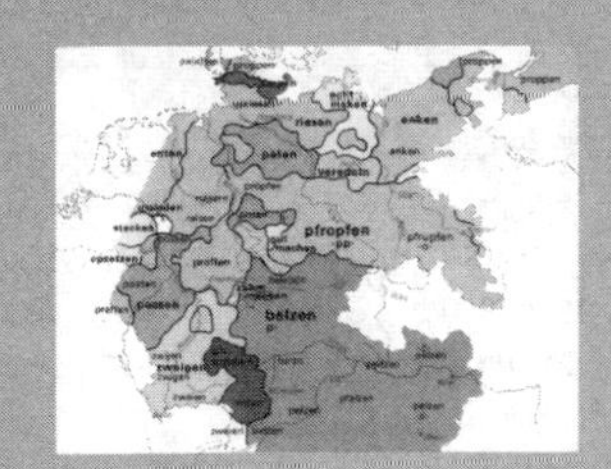

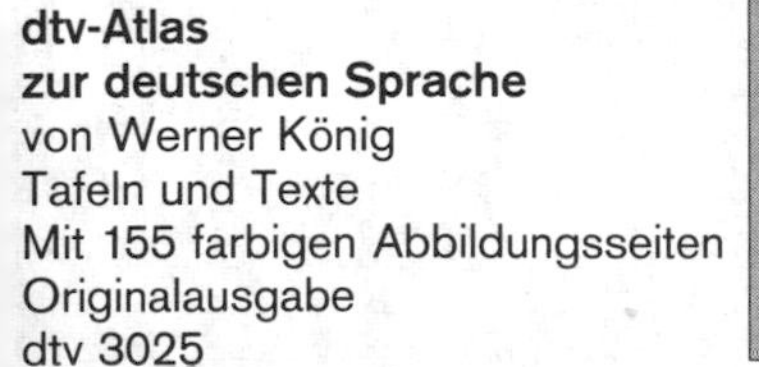

dtv-Atlas
zur deutschen Sprache
von Werner König
Tafeln und Texte
Mit 155 farbigen Abbildungsseiten
Originalausgabe
dtv 3025

138 18. Jahrhundert: Gottsched – Zentren der Aufklärung

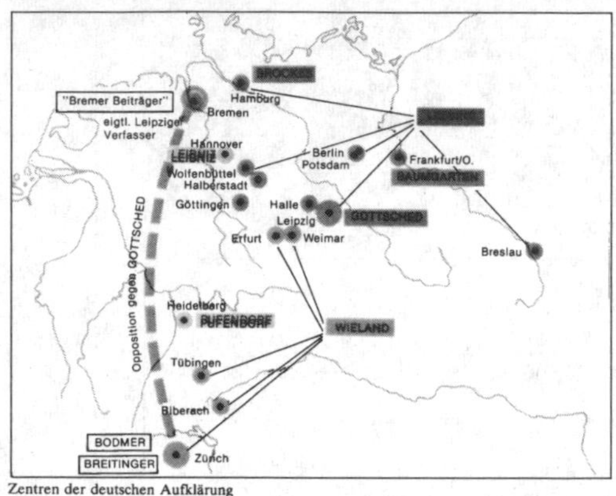

Zentren der deutschen Aufklärung

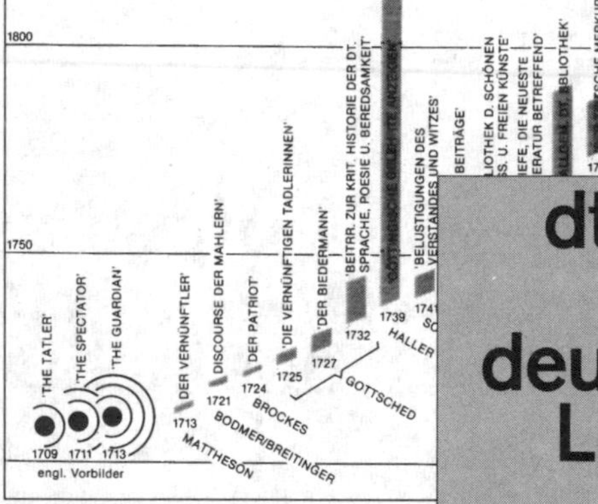

Moralische Wochenschriften, kritische und literarische Zeitsch

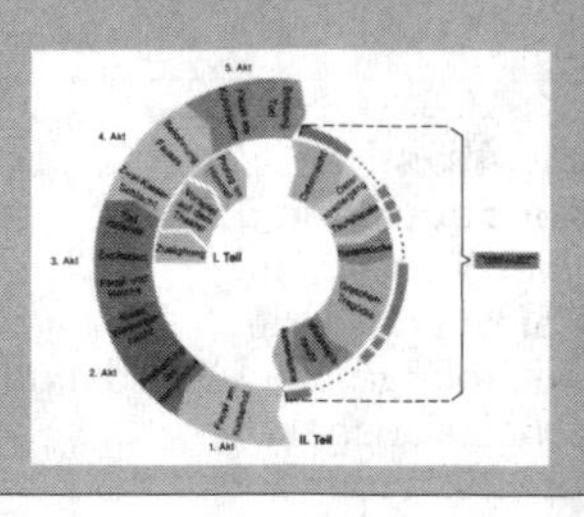

dtv-Atlas
zur deutschen Literatur
von Horst Dieter Schlosser
Tafeln und Texte
Mit 116 farbigen Abbildungsseiten
Originalausgabe
dtv 3219